MOTEL BLUES

BILL BRYSON

MOTEL BLUES

Traduit de l'anglais
par Christiane et David ELLIS

belfond

216, boulevard Saint-Germain
75007 Paris

Cet ouvrage a été publié sous le titre original
The Lost Continent
par Martin Secker & Warburg Limited, Londres

Si vous souhaitez recevoir notre catalogue
et être tenu au courant de nos publications,
envoyez vos nom et adresse, en citant ce livre,
aux Éditions Belfond,
216, bd Saint-Germain, 75007 Paris.
Et, pour le Canada, à
Édipresse Inc., 945, avenue Beaumont,
Montréal, Québec H3N 1W3.

ISBN 2-7144-3042-2

A mon père

REMERCIEMENTS

Je voudrais remercier les personnes suivantes qui m'ont si gentiment aidé et soutenu dans la préparation de ce livre : Hal et Lucia Horning, Robert et Rita Schmidt, Stan et Nancy Kluender, Mike et Sherry Bryson, Peter Dunn, Cynthia Mitchell, Nick Tosches, Paul Kingsbury et, plus que toute autre, ma mère Mary Bryson, qui a toujours les plus jolies jambes de Des Moines.

LES DEUX ITINÉRAIRES
DE BILL BRYSON

Première Partie

L'Est

1

Je suis né à Des Moines. Ce sont des choses qui arrivent.

Quand on naît à Des Moines, ou bien on accepte la situation sans discuter, on se met en ménage avec une fille du coin nommée Bobbi, on se trouve du travail à l'usine Firestone et on y vit jusqu'à la fin des temps ; ou bien on passe son adolescence à se plaindre à longueur de journée que c'est un trou et qu'on n'a qu'une envie, en partir ; et puis on se met en ménage avec une fille du coin nommé Bobbi, on se trouve du travail à l'usine Firestone et on y vit jusqu'à la fin des temps.

Personne, ou presque, ne quitte jamais Des Moines. C'est parce que cette ville exerce sur l'être humain le pouvoir hypnotique le plus puissant que l'on connaisse. A l'entrée de la ville il y a un grand panneau : « BIENVE-NUE À DES MOINES. UN AVANT-GOÛT DE LA MORT. » Non, ce n'est pas vrai. Je viens de l'inventer. Mais cet endroit a le don de vous accrocher. Des gens n'ayant rien à voir avec Des Moines quittent l'autoroute simplement pour venir prendre de l'essence et acheter des hamburgers et y restent pour toujours. Près de chez mes parents vit un couple du New Jersey qu'on voit parfois déambuler dans la rue l'air vaguement perdu mais étrangement serein. Tout le monde à Des Moines est étrangement serein.

Le seul à ne pas être serein était, à ma connaissance, M. Piper. Piper était le voisin de mes parents, un imbécile à l'œil mauvais et à la trogne rubiconde, qui n'arrêtait pas de se soûler et d'emboutir des poteaux télégraphiques avec sa voiture. Où qu'on allât, on rencontrait des poteaux et des panneaux routiers dangereusement inclinés, témoignages de la conduite automobile de M. Piper. Il semait ses traces dans tout le quartier Ouest de la ville à la manière d'un chien marquant son territoire. M. Piper était ce qui se rapproche le plus de l'homme de Cro-Magnon, en moins délicat. C'était un Shriner et un républicain — tendance Nixon — qui semblait visiblement s'être donné une mission dans la vie : être désagréable. Son passe-temps favori — outre se soûler et esquinter sa bagnole — était se soûler et injurier les voisins, notre famille en particulier parce qu'on était démocrates. Mais il était tout à fait capable d'insulter aussi des républicains quand nous n'étions pas disponibles.

Et puis j'ai grandi et je suis parti en Angleterre. Ce qui a porté M. Piper au comble de l'indignation. C'était pire que de voter démocrate. Chaque fois que je revenais, M. Piper ne manquait pas de venir me faire la leçon. « Je me demande bien ce que tu vas faire là-bas chez ces rosbifs, disait-il pour me provoquer, c'est des gens qui ne sont pas propres. »

Et moi de prendre mon accent anglais le plus affecté pour lui répondre : « Monsieur Piper, vous ne savez pas ce que vous racontez, vous n'êtes qu'un crétin. » C'était le genre de chose qu'on pouvait dire à M. Piper parce que, premièrement, c'était vraiment un crétin et, deuxièmement, il n'écoutait jamais ce qu'on lui disait.

« Il y a deux ans, je suis allé à Londres avec Bobbi, poursuivait-il, eh bien, notre chambre d'hôtel n'avait même pas de toilettes. Si tu voulais pisser au milieu de la nuit, il te fallait faire un kilomètre pour aller au bout du couloir. Ce n'est pas propre de vivre comme ça.

— Monsieur Piper, les Anglais sont des exemples de propreté. C'est un fait bien connu qu'ils utilisent plus de savon par habitant que n'importe quel pays d'Europe. »

Ce qui amenait un ricanement sarcastique de M. Piper.

« Mon gars, c'est le genre d'argument qui vaut des clous. Ça prouve juste qu'ils sont plus propres qu'un tas de Boches et de Macaronis. Bon Dieu, même un chien est plus propre qu'un tas de Boches et de Macaronis. Et laisse-moi te dire autre chose : si son papa ne lui avait pas acheté l'Illinois, jamais J.F. Kennedy n'aurait été élu président. »

J'avais trop longtemps vécu au contact de M. Piper pour être dérouté par ce brusque changement de cap. Le détournement de l'élection présidentielle de 1960 était une de ses vieilles récriminations et revenait comme un leitmotiv dans sa conversation toutes les dix ou quinze minutes quelle que soit la tendance dominante de la discussion. En 1963, pendant les funérailles de Kennedy, un type du Waveland Bar avait même envoyé son poing dans la figure de Piper pour ce genre de remarque. De rage, Piper avait immédiatement sorti sa voiture pour emboutir un autre poteau télégraphique. M. Piper est mort maintenant. Ce qui est, bien sûr, une des choses auxquelles Des Moines vous prépare.

En grandissant, je me suis convaincu qu'être né à Des Moines présentait au moins un avantage : celui de ne pas être né dans un autre coin de l'Iowa. A l'échelle de l'Iowa, Des Moines est une Mecque de « cosmopolitanisme », un tourbillon frénétique de richesse et d'éducation où les gens portent des costumes trois-pièces et des chaussettes sombres, souvent même les deux à la fois. Au moment du tournoi annuel de basket-ball des lycées, quand des hordes de ploucs venus de tout l'État envahissaient la ville pour la semaine, la plaisanterie habituelle consistait à les accoster et à leur offrir une leçon sur l'art d'emprunter un escalator ou de négocier une porte à tambour. Et ce n'était pas loin d'être vraiment nécessaire. Mon copain Stan, alors âgé de seize ans, était allé passer quelque temps chez son cousin dans quelque hameau éloigné et poussiéreux, Cabotville ou Pont-aux-Anes, le genre de bled incroyable où quand un chien se fait écraser par un camion, chacun sort de chez soi pour profiter du spectacle. A la fin de la première semaine, délirant d'ennui, Stan insista pour aller avec son cousin faire un tour au chef-lieu du comté à soixante-dix kilomètres de là, histoire de faire quelque chose. Ils jouèrent une partie dans un bowling dont les pistes étaient tordues et les boules fêlées, puis se payèrent une glace au chocolat, feuilletèrent *Playboy* dans un drugstore et, sur le chemin du retour, le cousin déclara dans un soupir d'intense satisfaction : « Eh bien mon vieux, merci ! Je ne me suis jamais aussi bien amusé de toute ma vie. »

Et c'était vrai.

Un jour où je devais aller à Minneapolis, j'avais décidé de prendre une route secondaire, simplement pour voir la campagne. Mais en fait il n'y avait rien à voir. C'était seulement plat, chaud, rempli de maïs, de soja et de cochons. De temps en temps, on apercevait une ferme, on traversait une bourgade complètement morte où les mouches étaient ce qu'il y avait de plus vivant. Je me souviens d'une ligne droite longue, scintillante, où la vue portait à des kilomètres. Il y avait une tache brune près de la route ; en m'approchant, j'ai vu que c'était un homme assis sur une caisse devant sa maison dans un village de quelque six foyers, baptisé Urinoir ou Crachoir, ou un nom approchant. Il surveillait mon approche, passionnément intéressé. Il m'a regardé le dépasser et, dans mon rétroviseur, je l'ai vu qui me fixait intensément jusqu'à ce qu'enfin je disparaisse au bout de la route dans la brume de chaleur. Le tout n'avait pas duré plus de cinq minutes. Eh bien, je ne serais pas étonné s'il lui arrivait, aujourd'hui encore, de penser à moi de temps en temps.

Il portait une casquette de base-ball. On peut toujours repérer un gars de l'Iowa : c'est celui qui porte une casquette de base-ball avec une publicité pour les tracteurs John Deere ou pour une marque de fourrage. L'arrière de son cou est lacéré de profondes crevasses, résultat d'années passées assis au volant d'un tracteur John Deere sous les ardeurs du soleil, ce qui n'arrange pas non plus l'état de son cerveau. Un autre de ses traits distinctifs est son allure ridicule dès qu'il enlève sa chemise : son cou et ses bras sont brun chocolat tandis que son torse est aussi blanc que le ventre d'une truie. En Iowa on appelle ça le bronzage agricole et c'est, à ce que je crois, une marque de distinction.

Les femmes de l'Iowa sont presque toujours fantastiquement grosses. A Des Moines on peut les voir tous les samedis au centre commercial de Merle Hay, en short et en débardeur, moites et imposantes, ressemblant un peu à des éléphants en barboteuse, houspillant leur marmaille, des gosses affublés de noms comme Dwayne et Shauna. Et dire que Jack Kerouac trouvait que les femmes de l'Iowa sont les plus belles du pays ! A mon avis, il n'a jamais dû mettre les pieds à Merle Hay un samedi.

Pourtant je dois dire, et c'est vraiment très, très bizarre, que les filles de ces grosses femmes sont toujours des adolescentes absolument délicieuses, aussi tendres, magnifiquement pulpeuses et délicatement parfumées qu'un panier de fruits. Je ne sais pas ce qui leur arrive par la suite mais ça doit être affreux d'épouser une de ces beautés nubiles sachant que dans chacune d'elles se cache une bombe à retardement qui la transformera un beau jour en quelque chose de grotesque et de monstrueux, brutalement et sans préavis, comme un radeau pneumatique autogonflable dont le bouchon de sécurité a été arraché.

Même sans ce mobile, je ne pense pas que je serais resté en Iowa. Je ne m'y suis jamais vraiment senti chez moi, déjà quand j'étais gamin. Vers 1957, mes grands-parents m'avaient donné pour mon anniversaire un Viewmaster et un paquet de disquettes sur « L'Iowa, Notre Glorieux État ». Je me souviens que, déjà à cette époque, j'avais trouvé la sélection de nos splendeurs un peu maigrelette sur les bords. N'ayant à exploiter aucun trait géographique marquant, aucun parc national, aucun champ de bataille, aucun lieu de naissance célèbre, l'équipe du Viewmaster avait dû étirer jusqu'aux limites de l'extrême ses facultés créatrices en trois dimensions. Je me rappelle qu'en mettant l'appareil devant les yeux et en actionnant la petite manette, on voyait défiler une vue du lieu de naissance d'Herbert Hoover (impression-nante en trois dimensions), suivie de cet autre grand tré-sor de l'Iowa : la petite-église-brune-dans-la-vallée (celle qui a inspiré la chanson dont personne ne connaît vrai-ment l'air), le pont de l'autoroute traversant le Missis-sippi à Davenport (toutes les voitures semblent se ruer vers l'Illinois), les ondulations d'un champ de maïs, le pont sur le Mississippi à Council Bluffs et la petite-église-brune-dans-la-vallée (cette fois prise sous un autre angle). Je me rappelle que, déjà à l'époque, j'avais pensé que la vie devait pouvoir vous offrir beaucoup plus.

Et puis par un triste après-midi de dimanche — je devais avoir dix ans — alors que je regardais la télé, il y eut un documentaire sur un tournage de film en Europe. Un des extraits montrait Anthony Perkins gra-vissant une rue en pente dans une ville, au crépuscule. Impossible de me souvenir aujourd'hui si c'était Rome ou Paris, mais la rue était pavée et brillait sous la pluie. Anthony Perkins, vêtu d'un imperméable, avançait la tête enfoncée dans les épaules et alors une pensée m'est venue : « Eh ! Mais c'est *moi* ! » Je me suis mis à lire, ou plutôt à dévorer, les numéros du *National Geographic* rem-plis de photos de Lapons aux joues rouges, de châteaux nimbés de brume et de vieilles villes au charme infini. A partir de ce moment, j'eus envie de devenir un petit gar-çon européen. Ce que je voulais, c'était vivre dans un appartement au bord d'un parc, au cœur d'une ville. La fenêtre de ma chambre s'ouvrirait sur un panorama de collines et de toits. Je voulais prendre le tram et comprendre des langues bizarres. Je voulais des amis qui s'appelleraient Werner et Marco, porteraient des culottes courtes, joueraient au foot dans la rue et auraient des jouets en bois — n'essayez pas de me demander pourquoi. Ma mère m'aurait envoyé chercher de longues flûtes de pain dans un magasin où un bretzel pend au-dessus de la porte. Ce que je voulais, c'était sortir de chez moi et être *vraiment* quelque part.

Dès que je fus assez grand, je suis parti. Je suis parti loin de Des Moines, de l'Iowa, des États-Unis, de la guerre du Vietnam, du Watergate, et je me suis installé à l'autre bout du monde. En revenant chez moi aujourd'hui, je me suis retrouvé dans un pays étranger, plein de meurtres en séries, d'équipes de base-ball aux noms déroutants (les Indianapolis Colts ? les Toronto Blue Jays ?), un pays qui avait comme président un aimable vieux croulant. Ma mère avait connu cet aimable vieux croulant à l'époque où, sous le nom de Dutch Reagan, il était le reporter sportif de la radio locale de Des Moines. D'après elle, c'était tout bonnement un brave type, sympathique et un peu lent d'esprit.

Ce qui est, à la réflexion, une assez bonne description de la plupart des gens de l'Iowa. Qu'on me comprenne bien : loin de moi l'idée de suggérer que les « Iowans » sont des faibles d'esprit. Ce sont des gens sans conteste intelligents et pleins de bon sens, des gens qui, malgré une tendance naturelle au conservatisme, ont toujours été prêts à élire un libéral consciencieux et éclairé plutôt qu'un conservateur abruti, ce qui avait le don de conduire Piper au bord de la folie furieuse. Et je suis fier de vous apprendre que c'est en Iowa qu'on trouve le plus haut niveau d'éducation de tous les États-Unis : 99,5 pour 100 des adultes savent lire. Quand je dis qu'ils ont l'esprit un peu lent, je veux dire par là qu'ils sont confiants, aimables et ouverts. Qu'ils soient un tantinet longs à la détente, c'est certain. Racontez une blague à un gars de l'Iowa et vous verrez se livrer une sorte de course entre son cerveau et son expression faciale. Ce n'est pas qu'ils soient incapables d'une activité mentale rapide. Tout simplement, ils n'en voient pas la nécessité. Leur matière grise a été mise en veilleuse par une foi naïve et totale en Dieu, le terroir et leurs frères humains.

Par-dessus tout, les gens de l'Iowa sont amicaux. Dans le Sud, vous arrivez dans une soirée où vous ne connaissez personne et tout le monde se tait. Et vous prenez conscience que chacun vous regarde en évaluant les chances qu'il a de s'en tirer s'il vous fait la peau pour vous prendre votre portefeuille et enterrer votre corps quelque part dans les marécages. En Iowa, vous serez le centre d'attention, la chose la plus intéressante qui ait frappé la ville depuis la dernière tornade, quand Frank Springuel et son tracteur ont été emportés, en mai dernier. Tous les gens que vous rencontrez vous donnent l'impression d'être prêts à vous offrir avec joie leur dernier verre de bière ou une nuit avec leur sœur. Chacun est heureux, amical et étrangement serein.

A mon dernier passage, je suis allé chez Kresge, en ville, acheter une série de cartes postales à envoyer en Angleterre. Je fis exprès d'acheter les plus ridicules possible : un coucher de soleil sur une grange à foin ; des fermiers empoignant courageusement la main courante d'un escalator, avec en légende : « Nous avons fait l'escalade du centre commercial de Merle Hay » ; ce genre de chose. Elles étaient toutes si également absurdes que je me sentis gêné au moment de passer à la caisse, un peu comme celui qui achète des magazines pornos et espère donner le change en prétendant qu'ils sont pour quelqu'un d'autre. Mais la dame de la caisse prit tout son temps pour les examiner une à une — ce qui est exactement ce qui se passe avec les magazines pornos, à vrai dire.

Quand elle releva les yeux vers moi, son regard était

presque embué. Elle portait des lunettes en forme de papillon et une coiffure style choucroute laquée.

« Pas vrai qu'elles sont belles ? dit-elle. Tu sais, mon chou, je m'suis baladée dans des tas d'États, j'ai vu des tas de coins, mais je vais te dire une chose : c'est par ici que c'est encore le plusse beau. »

Elle a vraiment dit « le plusse beau ». Elle le pensait vraiment. La pauvre femme était arrivée au stade terminal de l'hypnose. Je jetai un coup d'œil aux cartes postales et curieusement je vis tout à coup ce qu'elle voulait dire. Je ne pouvais m'empêcher de lui donner raison. C'était vraiment les plusses belles. Ensemble nous nous sommes réunis dans une oasis d'admiration silencieuse. Pendant un bref moment de vertige et d'absence, je me sentis moi-même presque serein. Ce fut une étrange sensation mais ça ne dura pas.

★

Mon père aimait l'Iowa. Il a passé toute sa vie dans cet État et il y poursuit encore sa route vers l'éternité, au cimetière de Glendale, à Des Moines. Mais chaque année, une sorte de folie douce s'emparait de lui : le besoin de quitter l'Iowa et de partir en vacances. Et chaque année, presque sans préavis, le voilà qui chargeait la voiture à en faire renâcler la suspension, nous poussait à l'intérieur, démarrait vers quelque destination lointaine, faisait demi-tour en s'apercevant qu'il avait oublié son portefeuille alors qu'on était presque arrivés dans l'État voisin et redémarrait aussitôt vers quelque destination lointaine. Chaque année c'était le même scénario. Chaque année c'était l'horreur.

Ce qui nous tuait, c'était l'ennui. L'Iowa est situé au milieu de la plus grande plaine de ce côté-ci de Jupiter. Montez sur un toit à peu près n'importe où dans l'État, et tout ce qui vous attend est un tapis uniforme de maïs s'étendant à perte de vue. Où qu'on se tourne, on est à mille miles de la mer, à quatre cent miles de la montagne la plus proche, à trois cents miles des gratte-ciel, des loubards et autres choses palpitantes, à deux cents miles d'une catégorie de gens qui n'ont pas besoin de se tortiller le doigt dans le conduit auditif en guise de préambule chaque fois qu'un étranger leur pose une question. A partir de Des Moines, le premier endroit présentant un intérêt même modeste exige en voiture un voyage qui, dans tout autre pays, relèverait de l'épopée. Cela implique des jours et des jours d'ennui ininterrompu, à mijoter dans une capsule d'acier brûlant sur un ruban d'asphalte.

Dans mon souvenir, on utilisait toujours pour les vacances un grand break bleu Rambler. C'était un type de voiture assez rudimentaire — mon père a toujours acheté des voitures assez rudimentaires jusqu'au jour où, victime de la ménopause masculine, il s'est mis à acheter des décapotables rouges tape-à-l'œil — mais au moins la Rambler avait l'avantage d'être spacieuse. Mon frère, ma sœur et moi étions assis à l'arrière à des kilomètres de nos parents sur le siège avant, pratiquement dans une autre pièce. Des explorations illégales du panier à pique-nique nous avaient fait rapidement découvrir qu'en plantant une poignée d'allumettes dans une pomme ou un œuf dur on obtenait un hérisson qui, lâché en douce par la fenêtre arrière, faisait une sorte de bombe. Elle explosait avec une brève détonation et son éclair bleu de dimensions surprenantes amenait les automobilistes qui nous suivaient à zigzaguer de manière très amusante.

A des kilomètres de nous, sur le siège avant, mon père n'avait pas la moindre idée de ce qui se passait, et ne pouvait pas comprendre pourquoi, à longueur de trajet, les autres voitures se mettaient brutalement à son niveau avec, au volant, un chauffeur gesticulant furieusement avant de disparaître à l'horizon. « Mais qu'est-ce qu'ils ont tous ? demandait-il à ma mère, d'un ton désolé.

— Je ne sais pas, chéri », répondait paisiblement ma mère. Ma mère ne disait d'ailleurs que deux choses : « Je ne sais pas, chéri » et « Est-ce que tu veux un sandwich, mon chou ? ». Il lui arrivait, au cours d'un de ces voyages, de risquer quelques remarques plus cérébrales du genre : « Est-ce que c'est normal que ça clignote sur le tableau de bord ? » ou bien : « Mon chou, je crois que tu viens de renverser un chien/un homme/un aveugle. » Mais la plupart du temps elle avait la sagesse de se tenir silencieuse. Tout ça parce qu'en vacances mon père était un homme obsédé. Sa principale obsession était d'essayer de faire des économies. Il nous emmenait toujours dans les hôtels ou motels les plus minables et dans le genre de gargote où on ne lave la vaisselle qu'une fois par semaine. On savait toujours que, fatalement, on allait découvrir avant la fin du repas le jaune d'œuf coagulé du client précédent caché sur le bord de l'assiette ou coincé dans les dents de la fourchette. Cela allait de pair, naturellement, avec des poux et une longue et douloureuse agonie.

Mais on considérait que, relativement, c'était un petit festin. En temps ordinaire on était obligé de pique-niquer au bord de la route. Mon père avait l'art instinctif de dénicher les plus mauvais coins : sur un parking fréquenté par les semi-remorques ou dans un petit parc public qui se révélait situé au cœur du bidonville le plus déshérité de la ville, si bien qu'on devait manger sous les regards lourdement silencieux de gamins observant notre banquet de biscuits secs et de pommes chips. A tous les coups, le vent se levait dès qu'on faisait une halte et ma mère devait passer tout son repas à récupérer les assiettes en carton éparpillées sur une étendue d'un demi-hectare.

En 1957, mon père investit 19,98 dollars dans l'achat d'un réchaud à gaz portatif. Son usage exigeait des heures de montage et l'engin était doté d'un tempérament si fantasque que nous, les gosses, étions priés de nous tenir à distance respectueuse lors de l'allumage. De toute façon, la précaution était toujours superflue : l'appareil se contentait d'émettre une flamme vacillante pendant quelques secondes avant de s'éteindre complètement. Mon père passait alors des heures à essayer de trouver la position idéale par rapport au vent, tout en parlant à l'engin sur ce ton monocorde et fébrile qu'on associe généralement à l'aliénation mentale. Et pendant tout ce temps, mon frère, ma sœur et moi l'implorions de nous emmener dans un de ces endroits où l'air est conditionné, où les nappes sont en tissu et où les glaçons tintent dans des verres d'eau propre. Et on le suppliait : « Papa, tu es un homme qui a réussi, tu gagnes bien ta vie. Emmène-nous dans un Mac Donald. » Mais avec lui, pas question. C'était un enfant de la Grande Dépression et quand il s'agissait d'entamer son capital il devenait comme un fugitif aux abois qui vient d'entendre au loin les hurlements de la meute.

Pour finir, alors que le soleil touchait l'horizon, il nous tendait des hamburgers qui étaient froids et crus et sentaient le butane. Après une bouchée on refusait d'en avaler davantage. Alors mon père se mettait en colère, jetait tout pêle-mêle dans la voiture et nous conduisait à toute allure au prochain restauroute où un type dégoulinant de sueur et coiffé d'une toque informe balançait la bouffe sur un gril où dansaient des flammèches de graisse. Après quoi, on repartait en voiture dans un silence lourd d'amertume et de besoins élémentaires non assouvis. A coup sûr on prenait le mauvais embranchement, ce qui nous égarait tout à fait et on se retrouvait au fond d'un bled sans espoir, du genre « Harpic, Missouri » ou « Tapwater, Indiana ». Là, on prenait une chambre dans le seul hôtel du coin, le genre d'endroit minable où pour regarder la télé il fallait aller dans le hall et partager un divan en skaï éventré avec un vieux aux aisselles auréolées de cercles de transpiration. Presque toujours ce vieux était unijambiste et généralement affligé d'une autre tare absolument criante, absence de nez ou enfoncement de la boîte crânienne. Si bien que, malgré notre ferme intention de regarder *Laramie* ou *Le Virginien*, nos regards étaient attirés inéluctablement et furtivement par ce corps stupéfiant à demi détruit qui était assis à côté de nous. Parfois il arrivait que l'homme soit dépourvu de langue, auquel cas il ne manquait pas d'essayer de vous entraîner dans une conversation animée. Tout cela laissait beaucoup à désirer.

Après une semaine environ de ce genre de tortures éprouvantes, on arrivait enfin près d'un lac ou d'une mer dont la surface bleue scintillait au creux de montagnes aux pentes couvertes de sapins, un endroit plein de balançoires et de jeux et de rires d'enfants s'éclaboussant joyeusement. Et ça en valait presque la peine. Papa redevenait drôle et chaleureux, et acceptait même de nous conduire une fois ou deux dans ces restaurants où on ne fait pas la cuisine sous vos yeux et où les verres d'eau qu'on vous sert ne sont pas festonnés de rouge à lèvres. Ça, c'était la grande vie! Ça, c'était Byzance!

Et c'est avec en toile de fond cette éducation perturbée et brouillon qu'un curieux besoin m'a saisi: celui de retourner au pays de mon enfance et de faire, ce qu'on appelle, dans les prières d'insérer, un voyage de découverte. A six mille kilomètres de là, sur un autre continent, je fus doucement pris par cette nostalgie qui vous envahit à mi-parcours de votre vie quand votre père vient de mourir et que vous prenez conscience qu'en partant il a emmené une partie de vous-même. J'avais envie de retrouver ces lieux magiques de ma jeunesse: l'île de Mackinac, les montagnes Rocheuses, Gettysburg, et voir s'ils étaient à la hauteur de mes souvenirs. Je voulais entendre le long bruit sourd d'une locomotive de Rock Island dont le cri traverse la nuit silencieuse et les cliquetis s'éloignent dans le lointain. Je voulais voir des lucioles, entendre des cigales, m'immerger totalement dans cette chaleur affolante des mois d'août qui fait pénétrer vos sous-vêtements dans chaque repli de votre peau en les collant à vous comme du latex; qui pousse des citoyens paisibles à sortir des revolvers dans les bars et à embraser la nuit de la lueur de leurs coups de feu. Je voulais guetter à nouveau les panneaux de Ne-Hi Pop et de crème à raser Burma, aller à un match de base-ball, m'asseoir au comptoir en marbre d'un glacier et traverser en voiture le genre de petites villes qu'habitaient

Deanna Durbin et Mickey Rooney dans les films. Je voulais voyager. Je voulais voir l'Amérique. Je voulais retourner chez moi.

J'ai donc pris l'avion pour Des Moines et j'ai acheté une pile de cartes routières que j'ai étalées par terre dans le salon et soigneusement étudiées pour élaborer un immense itinéraire circulaire qui me conduirait à travers ce curieux pays, gigantesque et à demi étranger. Pendant ce temps, ma mère me préparait des sandwiches en répondant : « Je ne sais pas, chéri » à toutes les questions que je lui posais sur les vacances de mon enfance. Et un matin de septembre, à l'aube, en ma trente-sixième année, je sortis sans bruit de la maison de mon enfance, me glissai au volant d'une Chevette Chevrolet prêtée par ma sainte et confiante mère, et je me mis en route dans les rues plates et endormies de la ville. Je roulais sur une nationale déserte, seul être humain investi d'une mission sur les 250 000 âmes endormies de la ville. Le soleil était déjà haut dans le ciel, promettant une chaude journée de canicule. Devant moi s'étendait environ un million de kilomètres carrés de maïs bruissant doucement. A la limite de la ville j'ai rejoint la nationale 163 de l'Iowa. Le cœur allègre, j'ai pris la route du Missouri. Et ce n'est pas souvent que vous entendrez quelqu'un dire ça.

2

En Angleterre, on avait eu une année sans été. Un printemps humide s'était transformé insensiblement en un automne maussade. Pendant des mois, le ciel était resté d'un gris insondable. Parfois il pleuvait, mais la plupart du temps, c'était tout simplement terne, un paysage sans ombres. On avait l'impression de vivre dans du Tupperware. Et ici, brutalement, le soleil vous éblouissait de son intensité. L'Iowa était une hystérie de couleurs et de lumières. Les granges au bord des routes étaient d'un rouge brillant, le ciel d'un bleu profond, hypnotique. Des champs jaune moutarde et verts s'étendaient devant moi. Des paillettes de mica scintillaient sur les ondulations de la route. Et çà et là dans le lointain, de puissants silos à grain, ces cathédrales du Middle West, ces paquebots sur l'océan de la Prairie, captaient la lumière du soleil et la renvoyaient en un blanc pur. Clignant les yeux dans cet état lumineux dont j'avais perdu l'habitude, je suivais la nationale pour Otley.

Mon intention était de suivre l'itinéraire que mon père avait l'habitude d'emprunter pour aller chez mes grands-parents à Winfield : via Prairie City, Pella, Oskaloosa, Hedrick, Brighton, Coppock, Wayland et Olds. La liste en était tatouée dans ma mémoire. En tant que passager, je n'avais jamais bien prêté attention à la route, d'où ma surprise à être constamment confronté à des carrefours bizarres et à des embranchements inattendus, ce qui m'obligeait à aller à gauche pendant quelques kilomètres puis à droite pendant un certain temps avant de prendre à gauche de nouveau, et ainsi de suite. Il aurait été bien plus simple de prendre la nationale 92 jusqu'à Ainsworth puis de descendre au sud en direction de Mount Pleasant. Impossible de comprendre comment et par quel raisonnement mon père en était arrivé à choisir cet itinéraire. Et maintenant, bien sûr, je ne le saurai jamais. Je le regrette d'autant plus que rien n'aurait fait plus plaisir à mon père que d'étaler les cartes routières sur la table et d'envisager longuement les choix d'itinéraires possibles. En cela, il était comme beaucoup de gens du Middle West. Les points cardinaux ont pour eux une grande importance. Ils ont un besoin inné de s'orienter, même dans leurs anecdotes. N'importe quelle histoire racontée par un de nos compatriotes dérivera tôt ou tard vers une sorte de monologue intérieur confus, donnant à peu près ceci : « Notre hôtel était à huit rues au nord-est du palais du gouvernement. A la réflexion, c'était plutôt au nord-ouest. Et quand j'y pense, c'était probablement à neuf rues de là. Donc voilà cette femme qui n'avait rien sur le dos, nue comme le jour de sa naissance, sauf ce petit chapeau en ragondin sur la tête, qui déboule vers nous, venant du sud-ouest. Ou bien du sud-est ? »

Si par hasard deux gars du Middle West ont été témoins de l'incident, vous pouvez carrément faire votre deuil de l'histoire. Ils passeront le reste de l'après-midi à discuter chaque possibilité de la boussole et ne reviendront jamais à l'anecdote de départ. Il est facile de repérer un couple du Middle West en Europe : c'est celui qui, sur un rond-point, au milieu de la circulation, consulte une carte routière agitée par le vent et se dispute pour savoir de quel côté est l'ouest. Les villes européennes avec leurs rues tortueuses et leurs venelles indisciplinées rendent les gens du Middle West pratiquement fous.

Cette obsession géographique est peut-être liée à l'absence de points de repère dans tout le centre de l'Amérique. J'avais oublié à quel point ça peut être plat et vide. Montez sur deux annuaires téléphoniques pratiquement n'importe où en Iowa et vous aurez un panorama. D'où je me trouvais maintenant, j'embrassais du regard une étendue à peu près équivalente à la Belgique où il n'y avait rien à voir sauf quelques rares fermes dispersées, des rangées d'arbres çà et là et deux châteaux d'eau, éclats d'argent scintillants signalant deux villes lointaines, invisibles. Très loin, à mi-distance, un nuage de poussière poursuivait une voiture sur un chemin de pierre. Tout ce qui ressortait de ce paysage, c'étaient les silos à grains, mais ils étaient eux aussi tous semblables et il n'y avait donc pas grande différence entre un paysage et un autre.

Et c'est d'un calme. Mis à part le bruissement du maïs, il n'y a pas un bruit. Quelqu'un pourrait éternuer dans une maison à cinq kilomètres de là, qu'on l'entendrait (A vos souhaits! Merci!). On doit devenir à moitié fou dans une vie aussi dépourvue de stimuli, où il n'y a même pas un avion pour attirer le regard, pas même le bruit d'un klaxon, où le temps passe en traînant les pieds si lentement qu'on s'attend presque à ce que les gens regardent encore *Ozzie et Harriet* à la télé et votent pour Eisenhower. (Les gars, je ne sais pas où vous en êtes à Des Moines, mais ici à Fudd County on en est seulement à 1958.)

Les petites villes rivalisent dans l'absence de traits distinctifs. Il n'y a que leur nom qui les différencie. Elles ont toujours une station d'essence, une épicerie, un silo à grain, un magasin de matériel agricole et d'engrais, et puis l'inattendu : un marchand de fours à micro-ondes ou un nettoyage à sec, simplement pour que vous puissiez vous demander en traversant la ville : « Vraiment, qu'est-ce qu'ils peuvent bien faire avec un pressing à Fungus City ? » En général, toutes les quatre ou cinq bourgades, il y a le chef-lieu de canton, bâti autour d'une place. D'un côté s'élèvent le tribunal, élégante maison en brique, avec un canon de la guerre de Sécession, et le monument dédié aux morts d'au moins deux guerres. De l'autre il y a les commerces, le bazar, un snack-bar, deux banques, une quincaillerie, la librairie du livre chrétien, un barbier, deux coiffeurs — hommes et femmes — et un magasin qui vend ce style de vêtements pour messieurs que seul l'habitant d'une très petite ville acceptera de porter. Et deux de ces commerces au moins s'appellent Chez Vern. Au milieu de la place il y a un jardin public avec de gros arbres, un kiosque à musique, un mât avec le drapeau américain et des bancs un peu partout. Une bande de vieux en casquette John Deere y parlent du temps où ils avaient autre chose à faire qu'à rester assis à parler du temps où ils avaient autre chose à faire. Le temps, ici, est une mécanique qui grince.

Un des plus beaux chefs-lieux de comté de l'Iowa est Pella, à soixante kilomètres au sud-est de Des Moines. Pella a été fondée par des immigrants hollandais et, chaque année au mois de mai, se tient encore la grande fête des Tulipes à laquelle les habitants convient un hôte de marque comme le maire de La Haye qui vient en avion tout exprès pour admirer leurs tulipes. Quand j'étais gosse, j'adorais Pella pour les petits moulins à vent que bon nombre d'habitants mettaient devant leur maison, ce qui donnait à la ville une sorte d'intérêt. Je ne dirais pas que c'était d'un intérêt fracassant, mais on apprenait très vite, dès son plus jeune âge, à se contenter des plaisirs que pouvait vous offrir la traversée de l'Iowa. En plus, il y avait un Dairy Queen à la sortie de la ville où mon père s'arrêtait parfois pour nous acheter des cornets de glace enrobés de chocolat. Pour cette seule raison, l'endroit a toujours occupé une place à part dans mon cœur. Ce fut donc avec plaisir que je constatai, en traversant la ville par ce beau matin de septembre, que des moulins à vent continuaient à tourner dans plus d'un jardin. Je m'arrêtai sur la grand-place pour me dégourdir les jambes. C'était un dimanche, donc jour de congé pour les vieux des bancs publics — probablement de faction à somnoler pour la journée devant leur poste de télé. Mais à tout autre point de vue, Pella était aussi parfaite que dans mes souvenirs. La place était une masse de feuillage et de parterres de fleurs, salvias rutilants, soucis éclatants. Elle aussi avait son moulin à vent, un beau moulin peint en vert avec des ailes blanches, presque grandeur nature, installé sur un coin. Les commerces qui entouraient la place étaient tous de ce style boîte en carton très en vogue dans l'architecture commerciale du Middle West, mais agrémenté de frisettes en pain d'épices et autres enjolivures guillerettes. Chaque commerce portait un nom solide et fiable, d'origine hollandaise : pharmacie Pardekooper, boulangerie Jaarsma, assurances Van Gorp, librairie chrétienne Gosselink, boulangerie Vander Ploeg. Tous fermés, bien sûr. On ne badine pas avec la fermeture dominicale dans des endroits comme Pella. En fait, la ville tout entière était étrangement calme. Il y régnait cette forme de silence de mort qui, pour peu que vous soyez d'une nature un tantinet hystérique, vous inciterait à penser que la population a été empoisonnée la nuit précédente par une fuite de gaz inodore, un gaz qui pourrait maintenant encore envahir à votre insu tout votre système nerveux, transformant ainsi Pella en une sorte de Pompéi des plaines. J'imaginai en un éclair les gens venant de toute part pour contempler les victimes, tout particulièrement fascinés par cet homme jeune, à lunettes, le visage marqué par l'angoisse, figé pour l'éternité, d'une main serrant sa gorge et de l'autre essayant d'ouvrir la portière de sa voiture sur la grand-place de la ville. Mais c'est alors que j'aperçus un homme promenant son chien à l'autre bout de la place et que je compris que j'étais hors de danger.

Mon intention n'était pas de m'attarder mais la matinée était si belle que cela m'incita à flâner dans une rue voisine bordée de charmantes maisons de bois, avec coupoles, pignons et vérandas où des balancelles grinçaient au gré de la brise. Il n'y avait pas d'autre bruit que le craquement des feuilles mortes où je traînais les pieds. Au bas de la rue je tombai sur le campus de l'institut universitaire, établissement modeste dirigé par l'Église réformée hollandaise où des bâtiments de brique surplombaient un sentier sinueux enjambé par l'arche de bois d'une passerelle. L'ensemble avait la tranquillité d'une double dose de valium. C'était le genre d'établissement net, sympathique et propret qu'aurait pu fréquenter Clark Kent, le double gentil de Superman. Je traversai la passerelle et, à l'autre bout du campus, je reçus encore la preuve que je n'étais pas le seul à être vivant de tout Pella. D'une fenêtre ouverte en haut d'un des dortoirs, une chaîne stéréo braillait au maximum de sa puissance — un tube de *Frankie Goes To Hollywood*, je crois. Pendant un moment, le bruit fut assourdissant. Et puis, venant de je ne sais où, une voix se mit à hurler : « Si t'arrêtes pas cette putain de musique tout de suite, j'descends te casser la gueule ! » C'était la voix d'une personne corpulente, quelqu'un que j'imaginais bien surnommé Gros Lard. Immédiatement, la musique cessa et Pella se rendormit.

Je continuai vers l'est, traversant Oskaloosa, Fremont, Hedrick, Martinsburg. Les noms m'étaient familiers mais les villes elles-mêmes évoquaient peu de souvenirs. Arrivé à ce point du voyage, j'étais généralement allongé par terre dans cette sorte d'hébétude qu'engendre l'ennui, répétant toutes les quinze secondes : « C'est encore loin ? On est bientôt arrivés ? J'm'ennuie. J'ai mal au cœur. C'est encore loin ? On est bientôt arrivés ? » Je reconnus vaguement un tournant où un jour nous avions dû passer quatre heures dans le blizzard à attendre l'arrivée du chasse-neige. Je repérai aussi plusieurs endroits où nous avions dû nous arrêter pour permettre à ma sœur de vomir, notamment cette station-service de Martinsburg où elle s'était jetée hors de la voiture pour aller généreusement déverser tripes et boyaux aux pieds du pompiste (ce qu'il dansait bien, le mec !), et cet autre endroit à Wayland où mon père a failli m'abandonner au bord de la route en découvrant que j'avais passé mon temps à dévisser le panneau de la portière, ce qui exposait de façon très intéressante le mécanisme interne mais qui mettait du même coup vitre et serrure définitivement hors d'usage. Cependant il m'a fallu attendre le carrefour de Winfield, juste après Olds, l'endroit où mon père annonçait comme ivre de joie qu'on était presque arrivés, pour ressentir ce choc de la reconnaissance. Voilà au moins douze ans que je n'avais plus repris cette route et pourtant ses pentes douces et ses fermes isolées m'étaient aussi familières que ma propre jambe gauche. Mon cœur fit un bond dans ma poitrine. C'était comme si on remontait le temps. J'étais sur le point de redevenir gamin.

L'arrivée à Winfield était toujours un événement. Mon père quittait la nationale 78 et nous faisait dévaler bien trop vite une route de gravier, soulevant des nuages de poussière blanche. Puis, au grand effroi de ma mère, il abordait, dans un accès évident de folie, un virage sans la moindre visibilité qui débouchait sur une voie de chemin de fer et là il disait gravement : « J'espère qu'il n'y a pas de train en ce moment. » Ma mère devait découvrir bien des années plus tard qu'il n'y avait que deux trains par jour sur cette ligne, et seulement en plein milieu de la nuit. De l'autre côté de la voie ferrée se dressait dans un champ abandonné une belle maison victorienne isolée, telle qu'en dessinait Charles Addams dans le *New Yorker*. Elle n'avait pas été occupée depuis des dizaines d'années mais il y avait encore tous les meubles recouverts de draps humides. Avec mon frère et ma sœur, on se glissait par une fenêtre cassée pour fouinasser dans les malles de vêtements moisis, les collections de *Collier's Magazine* et les photos de gens qui semblaient curieusement préoccupés. En haut il y avait une chambre qui, selon mon frère, contenait le corps desséché du dernier occupant, une femme morte le cœur brisé, abandonnée la veille de ses noces. Nous n'y mettions jamais les pieds mais un jour, je devais avoir quatre ans, mon frère qui regardait par le trou de la serrure se mit à hurler : « Elle arrive ! » avant de dévaler l'escalier. Je le suivis en piaillant, répandant à chaque marche une traînée d'urine. De l'autre côté de la maison s'étendait une vaste prairie pleine de vaches noires et blanches et au-delà il y avait la maison de mes grands-parents toute jolie et blanche sous sa voûte de feuillage avec une vaste grange rouge et des hectares de pelouse. Mes grands-parents étaient toujours là, au portail, à nous attendre. Je me suis toujours demandé s'ils nous voyaient arriver et couraient alors prendre position ou bien s'ils y restaient en permanence, ce qui était sans doute le cas car, avouons-le, ils n'avaient pas grand-chose d'autre à faire. Et alors commençaient quatre ou cinq jours de fête. Mon grand-père avait une Ford modèle T qu'il nous permettait à nous autres gamins de conduire, au grand désarroi de la volaille et des vieilles femmes. En hiver il attachait une luge à l'arrière de sa Ford et nous entraînait dans de longues balades sur les routes froides et enneigées. Le soir on jouait aux cartes sur la table de la cuisine et on allait se coucher tard. C'était toujours Noël chez mes grands-parents, ou Thanksgiving Day, ou la fête nationale du 4 juillet ou bien l'anniversaire de quelqu'un. Chez eux, c'était la maison du bonheur.

Dès qu'on arrivait, grand-mère trottinait vers son four pour en retirer une de ses pâtisseries maison. C'était toujours quelque chose d'incongru. Ma grand-mère est la seule personne que je connaisse — probablement la seule personne au monde — qui ait réellement exécuté les recettes qu'on trouve imprimées au dos des paquets de nourriture, le genre : « Crème renversée aux Rice Crispies et aux morceaux de banane », ou bien : « Amuse-gueule aux haricots rouges Del Monte et aux bretzels ». Ce genre de préparation vous obligeait à utiliser des proportions tout à fait suspectes du produit alimentaire en question et généralement dans des mélanges compliqués auxquels vous n'auriez jamais songé, sauf en cas d'extrême famine. Tout ce qu'on peut dire en faveur de ces plats, c'est qu'ils innovaient. Quand ma grand-mère vous présentait une tranche de gâteau ou un morceau de tarte, vous étiez certains d'y trouver à peu près n'importe quoi : des grains de maïs, des granulés de chocolat, de la mortadelle, des morceaux de carotte, du beurre d'arachide. Généralement il y avait aussi des Rice Crispies quelque part. Ma grand-mère avait un petit faible pour les Rice Crispies et ne manquait pas d'en ajouter deux ou trois pelletées dans toutes ses préparations, même si la recette ne l'exigeait pas. Elle était à peu près aussi mauvaise cuisinière qu'on puisse l'être avant de devenir un vrai danger public.

Tout cela me semble si loin maintenant. Et ça l'est vraiment. Il est si loin le temps où mes grands-parents avaient un téléphone manuel, du genre qui pendait au mur et dont on tournait la manivelle avant de dire : « Mabel, passe-moi Gladys Scribbage. Je voudrais savoir comment elle fait ses petits pavés aux Frosted Flakes et au Cheez Whiz. »

Et il se trouvait que Gladys Scribbage était déjà en ligne — ou bien quelqu'un d'autre qui connaissait la recette. Tout le monde était branché sur la même ligne. Ma grand-mère se mettait souvent à l'écoute quand le rythme domestique marquait le pas. Elle couvrait le cornet d'une main et retransmettait au reste de la maisonnée des récits palpitants de lavements intestinaux, de descentes de matrices, d'époux enfuis à Burlington avec la barmaid de Chez Vern (taverne centrale et soupers fins) et autres grandes crises de la vie provinciale. Pendant ces sessions, nous étions tenus au silence le plus absolu. Je n'ai jamais bien compris pourquoi d'ailleurs, car quand les choses se corsaient vraiment grand-mère intervenait dans la conversation : « Eh bien moi je pense que Merle est un beau salaud, disait-elle. Oui, c'est Maud Bryson à l'appareil et je veux simplement dire que c'est une vraie crapule d'avoir fait ça à la pauvre Pearl. Et pendant que j'y suis, Mabel, il faut que je te dise que tu peux te procurer ces soutiens-gorge à armature un dollar moins cher à Columbus Jonction. »

C'est vers 1962 que la compagnie des téléphones est venue installer chez mes grands-parents un vrai téléphone, mettant fin au système des lignes multiples — probablement à la demande de toute la ville. Cela fit un vide dans la vie de ma grand-mère dont elle ne devait jamais entièrement se remettre.

Je ne peux pas dire que je m'attendais vraiment à voir mes grands-parents en faction au portail, vu qu'ils sont morts tous les deux depuis de nombreuses années. Mais je suppose que j'avais vaguement espéré y trouver un autre couple de charmants petits vieux qui m'auraient invité à entrer et à partager mes souvenirs. Peut-être m'auraient-ils même autorisé à devenir leur petit-fils. Ce ne fut pas le cas. La route d'accès était toujours empierrée de gravier de gypse scintillant. On avait toujours la satisfaction d'y soulever des nuages de poussière. Mais la voie ferrée avait disparu ; en fait, il n'y avait même pas trace de son existence. Plus de belle maison victorienne mais à la place une sorte de faux ranch avec dans la cour des bonbonnes de butane et des voitures un peu partout comme les jouets abandonnés d'un bambin. Plus triste encore, la prairie où paissaient les vaches était devenue un lotissement de cubes pavillonnaires. La maison de mes grands-parents qui se dressait bien en dehors de la ville, îlot de feuillage rafraîchissant au milieu de l'océan des terres labourées, était maintenant cernée de tous côtés par des petites bicoques bon marché. J'eus un vrai choc en m'apercevant que la grange avait disparu. Un abruti avait démoli *ma* grange. Quant à la maison elle-même, c'était devenu une masure. La peinture s'était écaillée par grandes plaques, des arbustes avaient été déracinés sans raison, des arbres abattus. L'herbe était trop haute et parsemée de tout un bric-à-brac déversé par la maisonnée. J'arrêtai ma voiture juste devant et ne pus que rester bouche bée. Impossible de vous décrire ce sentiment de perte : la moitié de mes souvenirs étaient dans cette maison. Au bout d'un moment, une femme en bermuda rose, énormément grosse et tenant à la main un téléphone au cordon apparemment sans fin, sortit sur le pas de la porte et se mit à me regarder fixement, se demandant bien ce que j'avais à la regarder fixement.

Je repris la route pour aller en ville. Quand j'étais gosse, la rue principale de Winfield avait deux épiceries, une salle de billard, un marchand de journaux, une banque, un coiffeur, une poste, deux stations-service, toutes ces choses qu'on s'attend à trouver dans une petite bourgade prospère. Tout le monde faisait ses courses en ville. Tout le monde se connaissait. Maintenant ne restaient plus qu'une taverne et un magasin de matériel agricole. Il y avait une demi-douzaine d'emplacements vides, couverts de plaques d'herbe, là où avaient été abattus des bâtiments qu'on n'avait pas remplacés. Ceux qui restaient étaient aveugles, leurs fenêtres condamnées par des planches. Ça ressemblait à un décor de film abandonné en ruine depuis longtemps.

Je n'arrivais pas à imaginer ce qui avait pu se passer. Désormais les gens devaient faire cinquante kilomètres pour acheter une miche de pain. Devant la taverne traînait une bande de jeunes à moto, le genre blousons noirs. Je m'apprêtais à m'arrêter pour leur demander ce qui était arrivé à leur ville quand l'un d'entre eux, me voyant ralentir, me fit un bras d'honneur. Sans raison. Un gamin de quatorze ans environ. Alors je repris la route, retournant vers la nationale 78, passant devant les fermes isolées et les douces collines que je connaissais comme ma poche. C'était la première fois de ma vie que je quittais un lieu sachant que je ne le reverrais plus jamais. Tout cela était bien triste mais j'aurais dû m'en douter ; comme je l'ai toujours dit à Marcel Proust, il y a trois choses qu'on ne peut pas faire dans la vie : triompher de l'administration, attirer l'attention d'un garçon de café qui a décidé de vous ignorer et partir à la recherche du temps perdu.

3

Je continuai ma route sans écouter la radio et l'esprit en roue libre jusqu'à Mount Pleasant où je m'arrêtai pour prendre un café. J'avais avec moi l'édition du dimanche du *New York Times* (une des améliorations les plus remarquables de la vie quotidienne depuis mon départ est que, même en Iowa, on trouve des distributeurs automatiques qui vous livrent le *New York Times* le jour de sa parution, une véritable prouesse) et je m'installai dans un box pour le lire à mon aise. C'est fou comme je peux aimer l'édition du dimanche du *New York Times*. En plus de toutes ses qualités proprement journalistiques, il a quelque chose de merveilleusement sécurisant dans son épaisseur même. Le numéro étalé devant moi devait bien peser dans les quatre ou cinq kilos et aurait pu stopper une balle tirée à vingt mètres. J'ai lu un jour qu'il fallait 75 000 arbres pour fabriquer un seul numéro du *Sunday New York Times*. Et il les mérite bien, jusqu'à la moindre petite brindille. Vous me direz que nos petits-enfants n'auront plus d'oxygène à respirer ? Qu'ils crèvent.

Ce que je préfère dans ce journal, ce sont les annexes, ces sections si ennuyeuses et si impénétrables qu'elles ont un pouvoir de fascination quasi hypnotique : la rubrique bricolage (*Je répare et je restaure*), la rubrique philatélique (*La Poste fête vingt-cinq ans d'émissions consacrées à l'aéronautique*). Mais ce que j'aime par-dessus tout, c'est la publicité. Si un Bulgare me demandait de lui donner une idée de la vie quotidienne aux USA, je lui recommanderais sans hésitation de se procurer une pile des suppléments publicitaires du *New York Times*. Ils vous donnent une idée de la richesse et de la variété de la vie américaine qui dépasse tout ce que les étrangers peuvent imaginer dans leurs rêves les plus fous. Comme pour prouver ce que j'avance, mon numéro contenait un catalogue d'idées-cadeaux, publié par la firme Zwingle de New York. Il offrait une gamme incroyable d'objets, de ceux dont on ne soupçonnait pas jusque-là qu'ils fussent indispensables : des embauchoirs musicaux, des parapluies avec radio incorporée dans le manche, des polissoirs à ongles électriques. Quel pays fabuleux ! Mon préféré était une petite plaque chauffante-à-poser-sur-son-bureau-pour-empêcher-le-café-de-refroidir. Une véritable aubaine pour ceux qui souffrent d'un dérangement cérébral qui les pousserait à partir à l'aventure en oubliant leur boisson. J'imaginais les lettres d'épileptiques reconnaissants, venues du pays tout entier. (Chère Zwingle Compagnie, Je ne peux vous dire combien de fois je me suis retrouvé sur le plancher, saisi du *grand mal**, en train de me dire : « Bon Dieu, mon café va encore être froid. ») Sérieusement, qui donc peut bien avoir l'idée d'acheter ces gadgets, cure-dents argentés, caleçons avec monogramme, miroirs ornés de l'inscription « homme de l'année » ? Si je dirigeais une de ces firmes, je produirais une petite planche d'acajou, avec une plaque de laiton où serait gravé : « Les mecs, j'ai dépensé 22 dollars 95 pour cette merde absolument inutile. » Je suis sûr que ça partirait comme des petits pains.

Un jour, dans un moment d'égarement, j'ai com-

---

* En français dans le texte *(NdT)*

mandé un de ces gadgets dans un catalogue, tout en sachant pertinemment que ça serait une catastrophe. C'était une petite lampe qu'on fixe à son livre pour pouvoir lire au lit sans troubler le repos de sa compagne. A cet égard, c'était réussi, la lumière émise était ridiculement faible (le catalogue donnait pourtant l'impression qu'on aurait pu s'en servir pour signaler sa position en cas de naufrage) et permettait à peine d'entrevoir les deux premières lignes. J'ai déjà rencontré des insectes qui donnaient plus de lumière que cette lampe. Après quatre minutes d'utilisation son faisceau se mit à vaciller pour s'éteindre tout à fait. Je ne m'en suis plus jamais servi. Le plus drôle est que je savais depuis le début que ça finirait comme ça et que ce serait une amère déception. Finalement si je dirigeais une de ces compagnies, je me contenterais d'envoyer une boîte vide avec un petit mot : « On a décidé de ne pas vous expédier l'objet que vous avez commandé car, comme vous vous en doutez, il ne fonctionnera jamais et vous ne pourriez qu'être déçus. Et qu'à l'avenir cela vous serve de leçon ! »

Du catalogue Zwingle je passai à la publicité pour les produits ménagers et alimentaires. En général il y a une tapée de ces incitations à la consommation, en couleur et sur papier glacé, destinées à vous faire essayer de nouveaux produits comme : « Le Ragoût de Bœuf à l'Ancienne » (toute la saveur du bœuf dans ses fibres végétales), « Prizza Snack » (L'extraordinaire petit en-cas à prendre par le nez), « Campagne Radieuse » (vos céréales du petit déjeuner enrobées de noix, de sucre et de miel — enrichies aux vitamines de synthèse, au substitut de chocolat et aux succédanés de raisins secs). Ma fascination pour ces nouveaux produits est sans limites. De toute évidence il y a un moment que les fabricants et consommateurs de « prêt-à-bouffer » ont franchi ensemble une sorte de barrière sensorielle dans leur recherche effrénée de nouvelles émotions gustatives. Ils ressemblent maintenant à ces camés désespérés qui ont essayé toutes les drogues dures et qui en sont réduits à se shooter au Harpic dans leur désir de planer toujours plus haut. Dans toute l'Amérique on voit d'innombrables couples à la fesse avachie qui explorent tranquillement les rayons des supermarchés en quête de nouvelles combinaisons de saveurs, espérant trouver le produit nouveau qui leur titillerait la langue et réussirait à exciter, même brièvement, leurs papilles gustatives de plomb.

Dans ce genre de marché, la concurrence est intense. Non seulement on vous propose des réductions de toutes sortes, mais aussi, contre trois ou quatre étiquettes, le fabricant vous offre la serviette de plage « Ragoût de Bœuf » ou le tablier de cuisine et maniques assorties « Campagne Radieuse » ou le chauffe-plat « Prizza Snack » pour garder votre café au chaud pendant vos crises d'inconscience provoquées par une overdose de sucre dans le sang. Il est intéressant de remarquer que les publicités de nourriture pour chiens sont à peu près les mêmes, sauf qu'elles ne sont généralement pas parfumées au chocolat. En fait tous les produits, du nettoyant-sanitaire-au-citron jusqu'aux sacs-poubelles-à-l'odeur-de-pinède, s'engagent à vous faire planer un moment. Pas étonnant que tant d'Américains aient un regard vitreux : ils sont tous complètement camés.

Je continuai vers le sud sur la nationale 218 qui va à Keokuk. Cette portion de route était signalée sur ma carte comme « parcours pittoresque », bien que ce genre de chose soit évidemment relatif. Parler d'un parcours pittoresque dans l'Iowa du Sud-Est c'est un peu comme parler d'un bon disque de Barry Manilow : il faut savoir être indulgent. Comparé à un après-midi passé dans une pièce noire, ce n'était pas mal. Comparé à la route en corniche de la presqu'île de Sorrente, c'était peut-être un peu fade. En tout cas c'était ni plus ni moins pittoresque que les routes que j'avais suivies ce jour-là. Keokuk est une ville au bord du Mississippi où, dans un large méandre de la rivière, se font face les États de l'Iowa, de l'Illi-

41

nois et du Missouri. J'étais en route pour Hannibal dans le Missouri et j'avais espéré pouvoir me faire une idée de la ville *en route** vers le pont situé au sud. Mais avant de m'en rendre compte, je me retrouvai sur un pont allant à l'est vers l'Illinois. J'en fus tout surpris : à peine le temps d'entrevoir la rivière, une tache marron scintillante, que je me retrouvai déjà, tout marri, en Illinois. Je m'étais vraiment fait une joie à l'idée de voir le Mississippi. Quand j'étais gosse, sa traversée était toujours une aventure. Papa s'écriait : « Hé, les petits, voilà le Mississippi ! » et on se précipitait aux fenêtres et on s'apercevait qu'on était sur un pont, pratiquement dans les nuages. Ça nous coupait le souffle d'être si haut et de voir le fleuve loin, loin, tout en bas, large et majestueux, coulant pour l'éternité dans une sérénité impassible. La vue portait à des kilomètres — une grande nouveauté pour l'Iowa. On voyait des péniches, des îles, des villes au bord de l'eau. C'était superbe. Et puis brutalement on se trouvait en Illinois et c'était plat et rempli de maïs et on se rendait compte, le cœur gros, que c'était fini. On avait eu notre stimulation visuelle pour la journée. Tout ce qui nous attendait maintenant c'était des centaines de kilomètres d'austères champs de maïs avant d'éprouver la moindre petite sensation de plaisir.

Et maintenant voilà que j'étais en Illinois. Et c'était plat, plein de maïs et ennuyeux. Une petite voix d'enfant criait dans ma tête : « Quand est-ce qu'on arrive ? Je m'ennuie. J'veux rentrer. On arrive bientôt ? »

Comme j'avais prévu de me retrouver dans le Missouri, j'avais ouvert mon atlas routier à la page Missouri. Dans un petit accès de mauvaise humeur, je m'arrêtai sur le bas-côté pour procéder à un réajustement cartographique. Je me trouvai sous un panneau routier recommandant : « BOUCLEZ VOTRE CEINTURE. CES LA LOI EN ILLINOIS. » De toute évidence, cependant, il n'était pas illégal de faire des fautes d'orthographe.

---

* En français dans le texte *(NdT)*.

Sourcil froncé, j'étudiai mes cartes. Je pouvais encore tourner à Hamilton, suivre la rive est du fleuve et traverser le Missouri à Quincy. Sur ma carte, c'était même indiqué comme « parcours pittoresque ». Finalement mon erreur allait peut-être se révéler une bonne chose.

Je traversai Warsaw, une petite ville délabrée au bord du fleuve. La route descendait en pente raide vers le fleuve puis repiquait à l'intérieur des terres. De nouveau je n'eus qu'un bref aperçu de l'eau. Immédiatement après, le paysage devint celui d'une vaste plaine alluviale. Le soleil baissait à l'horizon. A ma gauche des collines s'élevaient en pente douce, mouchetées d'arbres qui commençaient tout juste à s'empourprer des couleurs de l'automne. A droite, le pays était plat comme une table, des groupes de moissonneuses-batteuses, soulevant des nuages de poussière, s'activaient dans les champs jusqu'à la nuit tombante pour rentrer la moisson. Dans le lointain, les silos à grains captaient les derniers rayons du soleil et brillaient d'un blanc opalescent, comme éclairés de l'intérieur. Quelque part là-bas, le fleuve coulait, invisible.

Je poursuivis ma route. Il n'y avait aucun panneau routier. Ils aiment beaucoup vous faire ce coup-là en Amérique, tout particulièrement sur des routes de campagne qui vont de nulle part à nulle part. Tout ce qui vous reste à faire, c'est de vous en remettre à votre sens de l'orientation, ce qui dans mon cas, rappelons-le, venait tout juste de me conduire dans le mauvais État. Je calculai que si j'allais vers le sud, le soleil devrait être sur ma droite. J'arrivai à cette conclusion en m'imaginant dans une voiture miniature traversant la carte de l'Amérique. Mais comme la route n'arrêtait pas de se tortiller, le soleil avait tendance à me jouer des tours et à sauter d'un côté à l'autre de l'horizon. Pour la première fois de la journée, j'eus le sentiment d'être au cœur d'un immense continent, au milieu de nulle part.

Brutalement le macadam devint du gravier. Une pierraille de gypse, coupante comme des pointes de flèche, se mit à gicler sous la carrosserie dans un fracas épouvantable. J'eus des visions de tuyaux sectionnés, d'huile bouillante pulvérisée dans tous les coins du moteur et de voiture s'arrêtant avec un soubresaut et un jet de vapeur en rase campagne. Le soleil venait tout juste de terminer sa course à l'horizon en éclaboussant le ciel de rose délavé. Je poursuivis ma route, mal à l'aise, essayant de me forger un moral d'acier à la perspective d'une nuit à la belle étoile avec des créatures de l'espèce canine me reniflant les pieds et des reptiles cherchant un peu de chaleur humaine dans mes jambes de pantalon. Une tornade de poussière, venant à ma rencontre sur la route, se transforma finalement en une simple camionnette. Elle me croisa à une allure de kamikaze, projetant sur mon véhicule force projectiles pierreux qui vinrent se fracasser contre les portières et résonner bruyamment contre les fenêtres. Je me retrouvai alors à la dérive dans un nuage de poussière. J'essayai de maintenir le cap, incapable de rien voir dans ce brouillard. Il se dissipa juste à temps pour me montrer que j'étais à vingt mètres d'un carrefour et d'un panneau m'indiquant un stop. J'allais à soixante-dix kilomètres à l'heure, ce qui, sur des graviers, vous donne une distance de freinage d'environ cinq kilomètres. Je mis tout ce que j'avais de pieds sur les freins et imitai Tarzan qui vient juste de rater une liane tandis que la voiture se mettait à déraper. Elle fit une glissade et s'arrêta au milieu de la chaussée, au-delà du panneau stop, en se balançant gentiment. C'est à ce moment qu'un énorme semi-remorque — klaxon et lumières à fond la caisse — me frôla dans un fracas de tous les diables, relançant la voiture dans son effet de tangage. A trois secondes près je me serais trouvé sur la nationale où la voiture aurait été réduite à quelque chose de la taille d'un bouillon Kub. Je me mis sur le bas-côté pour inspecter les dégâts. La voiture donnait l'impression d'avoir été bombardée de sacs de farine. Des portions de tôle étaient à nu, là où la peinture avait été arrachée. Je rendis grâces au ciel d'avoir une maman beaucoup moins forte que moi. Je poussai un soupir, me sentant soudain perdu et abandonné et remarquai alors le panneau routier indiquant la route de Quincy. Je m'étais arrêté juste dans la bonne direction, ce qui prouve que tout a un côté positif.

Il était temps de faire halte. Non loin de là, la route traversait une petite ville que je baptiserai Bled City de peur que ses habitants ne la reconnaissent et me traînent devant les tribunaux ou bien viennent jusque chez moi me démolir à coups de batte de base-ball. Aux abords de la ville il y avait un vieux motel décrépi. Mais comme il n'y avait pas de carcasse de mobilier calciné dans la cour, je le situai dans la catégorie supérieure à celle que mon père aurait choisie. Je me garai sur les graviers du parking et entrai. Une dame probablement septuagénaire était au comptoir. Elle avait des lunettes en forme de papillon et une coiffure style choucroute laquée. Elle était occupée à remplir une de ces grilles où il faut trouver des mots à travers une masse de lettres. Je crois que ça s'appelle « Mots Croisés pour Débiles ».

« Peux vous aider ? dit-elle d'une voix traînante et sans lever les yeux.

— J'aimerais une chambre pour la nuit, s'il vous plaît.

— Ça f'ra trente-huit dollars et cinquante cents », et son crayon relia triomphalement les lettres OUAIS.

J'étais confondu. De mon temps une chambre de motel coûtait environ douze dollars.

« Je ne désire pas *acheter* la chambre, je veux simplement y dormir une nuit », expliquai-je.

Elle m'observa gravement par-dessus ses lunettes : « C'est trente-huit dollars et cinquante cents. La nuit. Plus les taxes. Vous la voulez ou non ? »

Elle avait un de ces accents désagréables qui consiste à ajouter une syllabe supplémentaire à chaque mot. Taxe devenait ainsi taxeu.

Nous savions pertinemment tous les deux qu'on était à des kilomètres de tout. « Oui, s'il vous plaît », dis-je tout penaud. Après avoir signé le registre je traversai la cour en faisant crisser le gravier pour gagner ma *suite royale**. Apparemment j'étais le seul client. Je posai mon sac dans la pièce que j'inspectai du regard, comme on le fait habituellement. Il y avait un poste télé en noir et blanc — du genre à n'avoir qu'une chaîne — et trois cintres tordus. Le miroir de la salle de bain était fêlé et les rideaux de la douche étaient dépareillés. Le siège des toilettes était barré d'une bande de papier : « Désinfecté pour votre sécurité » mais un mégot flottait dans la cuvette dans une auréole de nicotine. Papa aurait adoré cet endroit.

J'ai pris une douche — disons qu'une pomme plantée dans le mur m'aspergea la tête de quelques gouttes — puis je suis sorti faire l'inspection de la ville. Je me suis payé un frichti graillonneux dans un endroit qui, comme il se doit, s'appelait Chez Chuck. Je n'avais jamais imaginé qu'il fût possible de faire un vrai mauvais repas dans le Middle West mais Chuck avait relevé le défi. C'était ce que j'avais mangé de pire — et rappelez-vous que j'ai vécu en Angleterre. Ça avait toute la consistance et les qualités du chewing-gum mais sans le parfum. Aujourd'hui encore, quand je rote, le goût m'en revient.

Ensuite je fis le tour de la ville. Il n'y avait pas grand-chose : une rue avec un silo à grains, une voie ferrée à une extrémité et mon motel à l'autre, deux stations-service et des épiceries au milieu. Tout le monde me considérait avec intérêt. Je me rappelai avoir lu, il y a bien longtemps, quand j'étais encore un jeune homme impétueux et impressionnable, une histoire de Richard Matheson à vous faire dresser les cheveux sur la tête. Ça se passait dans un hameau perdu où les habitants guettaient chaque année l'arrivée d'un étranger solitaire qu'ils immolaient et faisaient rôtir au cours de leur barbecue annuel. Tous les gens qui me regardaient avaient des lueurs de barbecue dans les yeux.

---

* En français dans le texte *(NdT)*.

Pas très à mon aise, je suis rentré dans un bar obscur appelé Chez Vern et je me suis installé au comptoir. J'étais le seul client, à part dans un coin un vieux qui n'avait plus qu'une jambe. La barmaid était avenante. Elle avait des lunettes-papillon et une coiffure style choucroute laquée. On voyait tout de suite que c'était la fille facile de l'endroit depuis les années trente. Son visage disait clairement « Prête à la bagatelle » mais le reste de son corps suggérait plutôt « Prévoir un sac poubelle ». Elle avait réussi tant bien que mal à glisser un arrière-train plantureux dans un pantalon rouge toréador et à étirer un corsage moulant sur son opulente poitrine. Elle semblait avoir mis par erreur les vêtements de sa petite-fille. Elle devait avoir dans les soixante ans. Une vraie catastrophe. Je comprenais tout à fait pourquoi l'unijambiste avait choisi le coin le plus éloigné pour s'asseoir.

Je lui demandai ce qu'on pouvait faire à Bled City pour s'amuser. « Et à quoi tu penses exactement, mon chou ? » dit-elle en me roulant des œillades suggestives. L'inscription « Prête à la bagatelle » se mit à clignoter, à mon grand désarroi. Je n'ai jamais eu l'habitude de me faire draguer par des femmes mais j'ai toujours eu le pressentiment que le jour où ça m'arriverait ce serait au fin fond de l'Illinois et par une grand-mère de soixante ans.

« Eh bien, je pensais à une soirée au théâtre... Ou peut-être à un congrès international d'échecs », ai-je articulé faiblement. Finalement quand il fut clairement établi entre nous que je ne l'aimerais jamais que pour son esprit, elle devint tout à fait sensée et même plutôt charmante.

Elle me fit le récit de sa vie, avec tous les détails et sans rien cacher. C'était, semble-t-il, une succession vertigineuse de mariages avec des messieurs qui étaient maintenant ou bien en prison ou bien décédés à la suite de règlements de comptes à l'arme à feu. Elle laissait naïvement tomber des phrases à vous couper le souffle :

« Alors Jimmy il a tué sa mère, j'ai jamais su pourquoi. Mais Curtis, lui, il a tué personne, sauf une fois, sans faire exprès, quand il braquait la station-service mais son pétard était parti tout seul et c'était un accident. Et Floyd, c'est mon quatrième mari, lui non plus il a tué personne mais y vous cassait le bras si on lui cherchait des crosses. »

Je risquai poliment une remarque : « On ne doit pas s'ennuyer dans vos réunions de famille. »

« Floyd, je sais pas ce qu'il est devenu, poursuivit-elle, il avait une petite fossette juste là sur le menton. On aurait un peu dit crique de glace. » C'était la version Illinois profond de Kirk Douglas, comme je le compris vite.

« Il était mignon tout plein mais c'était pas un commode. J'ai une cicatrice de cinquante centimètres dans le dos, là où il m'a flanqué un coup de pic à glace. Tu veux voir ? »

Elle commença à remonter son corsage mais je l'arrêtai. Elle poursuivit comme ça pendant des heures. De temps en temps, le type dans le coin qui n'en perdait visiblement pas une miette nous adressait un sourire qui dévoilait ses grandes dents jaunâtres. Je pense que Floyd avait dû lui arracher la jambe, un jour où il était particulièrement en forme. A la fin de la conversation, la barmaid me lança un regard en biais, comme si j'avais habilement essayé de la faire marcher et me dit : « Et d'abord d'où tu viens, mon chou ? » Je n'avais pas tellement envie de lui raconter ma vie aussi j'abrégeai : « De Grande-Bretagne. »

« Eh ben, je vais te dire un truc, mon chou. Pour un étranger tu causes rudement bien anglais », dit-elle.

Après ça, je me retirai avec un pack de six bières dans mon motel. Je découvris que le lit, à en juger par son parfum et les empreintes, avait été encore tout récemment occupé par un cheval. Il y avait un creux si prononcé que je devais écarter les jambes pour regarder la télé placée au pied du lit. J'avais l'impression d'être couché dans une brouette. La nuit était chaude et l'air conditionné — un vieil engin Philco placé en haut de la fenêtre — mettait toute son énergie à faire autant de bruit qu'un haut-fourneau, ce qui lui laissait juste assez de force pour émettre de brèves et rares bouffées d'air frais. J'étais allongé avec mes bières sur le ventre, bien calé, et je les bus l'une après l'autre. La télé passait un débat animé par un connard mielleux en blazer dont je ne saisis pas le nom, visiblement le genre de type qui accorde une priorité absolue au soin de sa chevelure. Il échangea quelques reparties badines et sans humour avec un chef d'orchestre qui avait, comme il se doit, une petite barbiche argentée, puis, se tournant vers la caméra, annonça d'un ton solennel :

« Et maintenant, Mesdames, Messieurs, soyons sérieux. Vous avez tous eu un jour des problèmes personnels, des ennuis au travail, ou des difficultés dans la vie. C'est pourquoi vous vous sentirez particulièrement concernés par notre première invitée, le docteur Joyce Brothers ! »

L'orchestre attaqua un petit air d'introduction guilleret et Joyce Brothers arriva sur le plateau. Du coup, pour autant que le lit le permettait, je me mis en position assise, et m'écriai : « Joyce Brothers, Joyce Brothers », comme lorsqu'on retrouve une vieille amie. Je n'avais pas vu Joyce Brothers depuis des années et elle n'avait pas changé du tout. Rien chez elle n'avait bougé d'un poil depuis que je l'avais vue pour la dernière fois en 1962 quand elle faisait ses conférences sur les règles douloureuses. C'était comme si on l'avait gardée dans de la naphtaline pendant vingt-cinq ans. Je ne pouvais pas être plus près d'un voyage à remonter le temps. Tout ému, je la regardai discuter avec M. Bellâtre des problèmes d'envie de pénis et de trompes de Fallope. Je m'attendais à ce qu'il lui demande :

« Sérieusement, Joyce, il y a des questions que toute l'Amérique voudrait bien vous poser : quelles sortes de mixtures utilisez-vous pour rester comme on vous voit ? Quand est-ce que vous vous déciderez à changer de coiffure ? Et finalement comment expliquez-vous que des guignols de mon genre continuent à vous inviter dans leurs émissions ? »

Parce que, soyons sincères, Joyce Brothers est carrément barbante. Prenez le Johnny Carson Show : si Joyce Brothers est parmi les invités, vous pouvez être sûr que c'est parce que tout le monde en ville est à une soirée vraiment importante ou à une grande première. Elle est l'incarnation vivante de l'Illinois profond. Pourtant, comme toutes les choses intensément ennuyeuses, il y a en elle quelque chose de merveilleusement rassurant. Son visage réjoui sur l'écran scintillant au bout du lit me donnait un étrange sentiment de chaleur, de bonne santé et de paix universelle. Et dans ce motel pourri, au milieu de cette vaste plaine vide, j'ai commencé pour la première fois à me sentir chez moi. Je ne sais pas pourquoi, mais je sentais qu'au réveil je verrais ce pays étranger sous un jour nouveau et vaguement familier. Le cœur content, je me suis endormi et j'ai sombré dans des rêves gentillets où je retrouvais les collines de l'Illinois, les flots du Mississippi et le docteur Joyce Brothers. Et ce n'est pas souvent que vous entendrez quelqu'un dire ça.

4

Dans la matinée, j'ai traversé le Mississippi à Quincy. Curieusement, le fleuve n'avait plus l'air aussi grand ni aussi majestueux que dans mes souvenirs. C'était imposant. C'était grandiose. Il fallait des minutes pour le traverser. Mais c'était surtout, en un sens, plat et ennuyeux. La météo y était certainement pour beaucoup ; le temps était lui aussi plat et ennuyeux. L'État du Missouri ressemblait comme deux gouttes d'eau à l'Illinois qui lui-même avait ressemblé à l'Iowa. La seule différence venait des plaques minéralogiques qui, elles, étaient de couleur différente.

Près de Palmyra, je fis halte pour le petit déjeuner dans un café en bord de route. Je pris place au comptoir. A cette heure-là, peu après huit heures du matin, le café était rempli de fermiers. S'il y a bien une chose que les fermiers adorent, c'est aller en ville passer une demi-journée (une journée complète en hiver), assis au comptoir avec d'autres fermiers à boire du café et à taquiner bêtement la serveuse. J'avais imaginé qu'en cette période de l'année ils devaient être submergés de travail. Mais visiblement ce n'était pas la panique. Périodiquement, l'un d'entre eux posait vingt-cinq cents sur le comptoir, se levait avec l'allure d'un homme qui vient de se mettre trente litres de café dans la panse, disait à Tammy, la serveuse, de ne pas faire de bêtises et partait. Quelques instants plus tard, on entendait le crissement des pneus de sa camionnette sur le gravier, quelqu'un faisait une remarque à son propos, entraînant des rires connaisseurs, et la conversation reprenait son cours paisible : les cochons, la politique de l'État, les grands matchs de football* et, quand Tammy ne pouvait pas entendre, les préférences sexuelles, celles de Tammy en particulier.

Le fermier assis à côté de moi n'avait plus que trois doigts à la main droite. C'est un détail qu'on ne remarque pas souvent mais la plupart des fermiers ont des morceaux qui leur manquent. Cela m'a toujours intrigué quand j'étais gamin. Pendant longtemps je l'ai mis sur le compte des risques du métier : après tout les fermiers travaillent avec des tas de machines dangereuses. Mais quand on réfléchit, il y a une foule de gens qui travaillent avec des machines dangereuses et seule une petite minorité s'en sort avec des invalidités permanentes. En revanche, dans le Middle West, il est rare de trouver un fermier de plus de vingt ans qui n'ait pas eu un doigt ou un membre arraché par quelque engin agricole et projeté dans le champ d'à côté. Pour être tout à fait sincère, je crois que les fermiers le font exprès. A force de travailler tous les jours avec ces énormes moissonneuses-batteuses-lieuses, dans le grincement des engrenages et les vibrations des courroies de transmission, ils finissent par être hypnotisés par tout ce bruit et ce mouvement. Ils restent plantés là, fascinés par cette mécanique vrombissante et une pensée leur vient : « Qu'est-ce qui se passerait si je mettais un peu le doigt par ici ? » Je sais que ça a l'air idiot. Mais il faut bien vous dire que les fermiers manquent de jugeote en ce domaine parce que, pour eux, la douleur n'existe pas.

Et c'est vrai. Vous trouvez tous les jours dans *L'Écho*

---

* Il s'agit bien sûr de football américain *NdT)*.

de Des Moines un article relatant l'histoire d'un fermier qui s'est fait arracher un bras par inadvertance et qui a parcouru calmement dix kilomètres pour le faire recoudre à la ville la plus proche. C'est toujours la même histoire : « Monsieur Jones, tenant fermement son bras arraché, a déclaré au docteur : "J'ai bien l'impression que ce sacré bras a besoin d'une couture, toubib !" »

Ce n'est jamais : « Monsieur Jones, le sang giclant de tous côtés, a fait des bonds hystériques pendant vingt minutes, est tombé en syncope puis s'est mis à courir dans tous les sens comme un cinglé », ce que nous ferions précisément, vous et moi. C'est que, tout simplement, les fermiers ne ressentent pas la douleur. Cette petite voix qui vous empêche de faire quelque chose parce que c'est idiot et que ça vous fera un mal de chien et que pour le restant de vos jours vous devrez demander à quelqu'un de couper votre viande, cette petite voix ne leur parle jamais. Mon grand-père était comme ça. Souvent, quand il réparait la voiture, le cric glissait et il vous criait de venir le remonter vu que c'était un peu gênant à la longue pour respirer. Ou bien il se passait la tondeuse à gazon sur le pied. Ou alors il touchait un fil dénudé et privait ainsi d'électricité toute la ville de Winfield. Mais lui s'en sortait indemne, avec peut-être un léger bourdonnement dans les oreilles ou une faible odeur de chair brûlée flottant autour de lui. Comme la plupart des gens du Middle West agricole, il était pratiquement indestructible. Il n'y a que trois choses qui peuvent tuer un fermier : la foudre, un tracteur qui se renverse et la vieillesse. C'est la vieillesse qui a eu mon grand-père.

J'ai poursuivi ma route jusqu'à Hannibal, soixante kilomètres au sud de là, pour aller visiter la maison où vécut Mark Twain, une maison blanchie à la chaux, propre et nette avec des volets verts, et plantée de façon incongrue en plein cœur de la ville. Il fallait donner deux dollars pour visiter et ça ne les valait pas. La maison se voulait une reproduction fidèle de l'intérieur d'origine mais, dans chaque pièce, des fils électriques et des valves de tuyaux à incendie étaient maladroitement en évidence. Et je doute très fort que la chambre du jeune Samuel Clemens ait eu un revêtement de sol en vinyle de marque Armstrong (je notai avec intérêt que c'était le même dessin que dans la cuisine de ma mère). Je ne pense pas non plus que la chambre de sa sœur ait eu une cloison en contre-plaqué. En fait, pour visiter, on ne pénètre même pas à l'intérieur de la maison : on regarde par les fenêtres. Devant chaque fenêtre, on vous diffuse un message enregistré sur la pièce en question comme si vous étiez complètement débile : « Et maintenant la cuisine, l'endroit où la maman de Mark Twain, Mme Clemens, préparait les repas. »

L'ensemble est assez miteux, ce qu'on pourrait admettre si la maison appartenait à une petite société littéraire locale faisant de son mieux pour l'entretenir sans moyens financiers. Mais c'est la propriété de la ville d'Hannibal, l'endroit attire 135 000 visiteurs par an et c'est une vraie mine d'or pour la ville. Je progressais d'une fenêtre à l'autre derrière un gros type chauve dont les multiples bourrelets de graisse ondulaient sous la chemise comme une série de chambres à air.

« Qu'est-ce que vous en pensez ? » lui demandai-je.

Il me regarda avec cet air d'affabilité qu'adoptent sur-le-champ les Américains dès qu'ils rencontrent un étranger. C'est un de leurs traits les plus attachants.

« Moi, je trouve ça super. Je viens ici chaque fois que je passe à Hannibal, deux ou trois fois par an. Parfois même, je fais le détour exprès.

— Vraiment ? dis-je en essayant de cacher mon ahurissement.

— Ouais. Ça doit faire dans les vingt ou trente fois maintenant. C'est un vrai sanctuaire, vous savez.

— Vous trouvez que c'est bien fait ?

— Ça, c'est sûr.

— Vous pensez que la maison est bien telle que Mark Twain l'a décrite dans ses livres ?

— Je pourrais pas vous dire, dit-il tout pensif, j'ai jamais lu un seul de ses livres. »

En annexe, contre la maison, il y avait un petit musée. C'était déjà mieux. Des souvenirs de Mark Twain étaient exposés dans des vitrines : des éditions originales, une de ses machines à écrire, des photos, quelques lettres, mais pas grand-chose qui puisse le rattacher à la ville ou à la maison. Il faut rappeler que Mark Twain a fichu le camp d'Hannibal et du Mississippi dès qu'il a pu et qu'il n'a jamais montré un grand enthousiasme à y remettre les pieds. Je suis sorti du musée pour jeter un coup d'œil aux alentours. A côté de la maison une palissade peinte en blanc portait un écriteau : CECI EST LA PALISSADE DE TOM SAWYER. ICI SE DRESSAIT LA PALISSADE EN PLANCHES POUR LAQUELLE TOM CONVAINQUIT SA BANDE DE COPAINS QU'ILS DEVAIENT LE PAYER POUR AVOIR LE PLAISIR DE LA REPEINDRE. TOM S'ASSIT PAS TRÈS LOIN POUR SURVEILLER QUE LE TRAVAIL ÉTAIT BIEN FAIT. Tout à fait le genre de prose à éveiller une passion pour la littérature, vous ne trouvez pas ?

Tout à côté, et je veux vraiment dire absolument tout contre la maison et le musée, se tenait le Drive-In Mark Twain, Restaurant et Cafétéria. Les voitures étaient garées dans des sortes de petits boxes tandis que leurs occupants bâfraient dans des plateaux de bouffe amarrés aux portières. Cela donnait à l'endroit une classe folle. Je commençais à comprendre pourquoi Samuel Clemens avait non seulement quitté la ville mais aussi changé de nom.

Je fis un petit tour dans le quartier commercial. C'était un assemblage déprimant de magasins de pièces pour automobiles, de bâtiments déserts et d'emplacements à louer. J'avais toujours pensé que les villes situées au bord des fleuves, même les plus pauvres d'entre elles, devaient avoir un petit quelque chose, un je-ne-sais-quoi, mélange d'élégance fanée et d'air canaille, qui les rendaient plus intéressantes que les autres. Que la rivière agissait comme un chenal ouvert au vaste monde, et que ses rives devaient récolter des détritus plus sophistiqués, d'une tout autre classe. Mais pas Hannibal. La ville avait dû connaître des jours meilleurs mais même ceux-là n'avaient certainement pas été bien fameux. L'hôtel Mark Twain était muré de planches et c'était un bien triste spectacle, ce grand édifice avec du contre-plaqué à chaque fenêtre. Tous les commerces semblaient exploiter à fond le filon Twain, homme et œuvres : les charpentes Mark Twain, le motel Tom et Huck, le camping et la piste de go-car Joe l'Indien, le supermarché Huckleberry Finn. On pouvait même se permettre de devenir fou et d'aller se faire soigner au centre psychiatrique Mark Twain, une possibilité qui, selon moi, devait croître avec chaque journée passée à Hannibal. Tout l'endroit était morne et triste. J'avais pensé m'arrêter pour le déjeuner mais la seule idée d'affronter un hamburger Mark Twain et un Cola Joe l'Indien me coupait le goût de manger et celui de rester à Hannibal. J'ai regagné ma voiture. Toutes les voitures en stationnement portaient une plaque d'immatriculation : « Missouri, the Show Me State » (l'État de ceux qui disent « Montrez-moi »). L'idée m'effleura que ça devait être une abréviation pour « Montrez-moi où est la sortie ». En tout cas je retraversai le Mississippi, toujours boueux, toujours aussi ennuyeux, en empruntant un pont haut et interminable, et je tournai ainsi le dos au Missouri sans aucun regret. Sur l'autre bord il y avait un panneau : « BOUCLEZ VOTRE CEINTURE. CES LA LOI DE L'ILLINOIS », suivi d'un deuxième : « ET NOUS NE CONNAISSONS TOUJOURS PAS L'ORTHOGRAPHE. »

En Illinois je pris la route de l'est en direction de Springfield, la capitale de l'État, et de New Salem, un village restauré où Abraham Lincoln a passé sa jeunesse. Mon père nous y avait conduits quand je devais avoir cinq ans et j'avais trouvé l'endroit merveilleux. Je voulais savoir s'il l'était encore et si Springfield pouvait représenter la ville idéale. Car un des buts de mon voyage était de trouver la ville parfaite. J'ai toujours eu la conviction que, quelque part en Amérique, cette ville doit exister. A Des Moines, quand j'étais gosse, la chaîne de télévision WHO passait de vieux films tous les après-midi, après la classe. Et, pendant que les autres gamins jouaient au foot avec des boîtes de conserve, attrapaient des crapauds ou forçaient le petit Bobby Birnbaum à avaler des vers de terre, ce qu'il faisait avec une bonne volonté surprenante, moi j'étais tout seul devant le poste de télévision, rideaux tirés, perdu dans un monde à part avec une assiette de biscuits Oreo sur les genoux et la magie d'Hollywood scintillant sur mes lunettes. Je ne m'en rendais pas compte à l'époque mais WHO nous passait surtout de grands classiques. Il y avait une constante dans ces films : l'arrière-plan. Ça se passait toujours au même endroit : une petite ville coquette et ensoleillée dont la rue principale était bordée d'arbres et pleine de commerçants affables (« Bonjour, madame Smith »). Il y avait la Grand-Place et aussi des quartiers verdoyants où de belles maisons somnolaient à l'ombre d'ormes élégants. On voyait toujours un gamin à vélo qui distribuait des journaux en les jetant sur les porches d'entrée, un vieux schnoque sympathique en tablier blanc qui balayait le trottoir devant le drugstore et deux types qui marchaient d'un pas résolu. Ces deux hommes à l'arrière-plan portaient toujours un costume et ils arpentaient toujours la chaussée de la même allure élégante. On ne les voyait jamais flâner ou traîner : ils marchaient d'un pas vif, parfaitement synchrones, et ils étaient excellents dans ce rôle. Peu importe ce qui se passait au premier plan : Humphrey Bogart abattait un méchant avec son 6.35, James Stewart expliquait sérieusement ses ambitions à Donna Reed, W.C. Fields allumait un cigare encore entouré de cellophane, l'arrière-plan, lui, restait inchangé, tranquille, hors du temps. Même au milieu des situations les plus catastrophiques, quand les fourmis

57

géantes envahissaient les rues, quand les immeubles s'effondraient, conséquence des expériences scientifiques inconsidérées de l'université locale, on arrivait toujours à voir dans un coin du décor le gamin à vélo qui lançait ses gazettes et ces deux types en costumes arpentant le pavé comme des frères siamois, absolument imperturbables.

Et ce n'était pas seulement vrai dans les films : tout le monde à la télévision — Ozzie et Harriet, Wally et Beaver Cleaver, George Burns et Gracie Allen — vivait aussi dans ce paradis élyséen des classes moyennes. Tout comme d'ailleurs les gens qu'on voyait dans les publicités des magazines ou dans les réclames à la télé, ou dans les dessins de Norman Rockwell, en couverture du *Saturday Evening Post*. Et dans les livres c'était la même chose. Je lisais, sans en manquer un seul épisode, les histoires policières des Hardy Boys, pas vraiment pour l'intrigue dont même à huit ans je mesurais la ridicule invraisemblance. *(Dis Frank, tu penses que c'est des pêcheurs, ces gars au drôle d'accent qu'on a vus au lac de Caribou ? Moi, je crois plutôt que c'était des espions allemands. Et cette belle fille couchée au fond du canot, la bouche entourée de sparadrap, moi je pense qu'elle ne souffrait pas de gingivite mais que c'était en réalité la fille du professeur Rorshack. Et puis j'ai dans l'idée que ces types auraient pu nous en apprendre long sur l'affaire de la fusée volée.)* Non, je les lisais pour le talent de Franklin W. Dixon à nous décrire, de façon évocatrice bien qu'accessoire, la ville de Bayport où vivaient les Hardy Boys, un endroit d'un pittoresque indicible où les maisons avaient des rocking-chairs sur les vérandas, où les piquets des palissades se profilaient sur le fond azuréen d'une baie pleine de voiliers et de vedettes rasant les flots. C'était un endroit d'aventures éternelles et d'étés sans fin.

Je n'avais jamais trouvé cette ville et ça commençait à me travailler. Chaque année, pendant les vacances, nous parcourions en voiture des centaines et des centaines de kilomètres en quête d'un bonheur estival devenu une obsession, progressant péniblement à travers des collines bleutées, des prairies brunes et d'innombrables villes et villages. Mais jamais nous ne passions dans un endroit qui ressemblât même de loin à cette ville mythique du monde de l'écran. Les villes que l'on rencontrait étaient étouffantes et poussiéreuses, pleines de chiens galeux, de cinémas fermés, de cafés-routiers et de stations-service minables où deux clients par semaine représentaient une bonne moyenne pour les affaires. Mais j'étais persuadé que cette ville devait exister quelque part. Il me semblait inconcevable qu'une nation si fortement attachée à l'idéal de la petite ville, si imprégnée de notions provinciales, n'ait pas construit quelque part une de ces bourgades parfaites, un endroit harmonieux, industrieux, dépourvu de centres commerciaux et de parkings aux dimensions océaniques, sans usines, sans églises drive-in, sans ces supermarchés de merde et sans cette crasse mercantile omniprésente. Dans cette ville hors du temps, Bing Crosby serait le curé, James Stewart le maire, Fred Mac Murray le proviseur du lycée, Henry Fonda un fermier quaker, Walter Brennan serait le patron de la station-service, Mickey Rooney serait garçon livreur et d'une des fenêtres s'échapperait la voix mélodieuse de Deanna Durbin. En arrière-plan il y aurait obligatoirement le gosse aux journaux sur sa bicyclette et ces deux types qui marchent d'un pas décidé. L'endroit que je cherchais serait l'amalgame de toutes ces villes rencontrées dans le monde de la fiction. Et, pourquoi pas, c'était peut-être son nom : AMALGAME, Ohio ou AMALGAME, Dakota du Nord. Elle pouvait être n'importe où mais c'est certain : elle devait exister. Et, cette fois-ci, je comptais bien la trouver.

J'accumulais les kilomètres, traversant des terres agricoles sans relief et des villes sans vie : Hull, Pittsfield, Barry, Oxville. Sur la carte routière, Springfield était située à cinq centimètres à droite d'Hannibal, mais le voyage m'a semblé durer une éternité. En fait, il a vraiment duré une éternité. Je commençais tout juste à me réhabituer aux dimensions du continent américain où les États ont la taille de pays entiers — l'Illinois est grand comme deux fois l'Autriche, comme quatre fois la Suisse. C'est fou le vide et l'espace qu'il y a entre deux villes. Vous traversez une ville où la gargote du coin semble un peu encombrée et vous vous dites : « Tiens, je vais attendre d'être à Ploucville pour prendre un café, c'est le prochain patelin », et vous reprenez la nationale où le premier panneau routier indique : PLOUCVILLE 180 KM. Alors vous vous rendez compte que vous êtes passé à une tout autre échelle géographique. Et que cela entraîne du même coup un manque de détails sur les cartes routières. Sur une carte anglaise, chaque église et chaque « pub » sont dûment indiqués. Des cours d'eau de dimensions dérisoires, qu'on pourrait enjamber, deviennent des points de repère de première importance, connus à des kilomètres à la ronde. Mais en Amérique, des villes entières sont portées manquantes, des bourgades avec écoles, commerces et des centaines de vies tranquilles disparaissent aussi sûrement que si elles avaient été atomisées.

Et tout le système routier n'est indiqué que d'une manière très approximative. On consulte la carte et on s'imagine trouver un raccourci entre, disons, Weinerville et Consternation, un bout de départementale rectiligne, indiqué en gris, qui vous fera gagner une demi-heure de voiture. Mais dès que vous quittez la nationale, vous vous retrouvez dans un réseau de routes secondaires dépourvues de signalisation qui rayonnent dans tous les sens comme les fentes d'une vitre brisée.

Trouver sa route peut devenir une opération lourde de frustrations, surtout si vous quittez le réseau principal. C'est ainsi que près de Jacksonville, ayant raté la bifurcation pour Springfield, j'ai dû faire un détour de plusieurs kilomètres pour revenir là où je voulais. C'est un coup classique aux États-Unis. Les autorités chargées de la signalisation routière sont curieusement réticentes à vous communiquer des renseignements utiles comme le nom de la ville ou le numéro de la route. C'est d'autant plus étrange qu'elles se donnent un mal fou pour vous fournir un tas de renseignements accessoires — DISTRICT DE PRÉSERVATION DES SOLS DE BUBB COMTÉ — ÉLEVAGE NATIONAL D'ANCHOIS A 5 KM — INTERDICTION DE STATIONNER LES VENDREDIS DE 3 H A 5 H DU MATIN — VOL DE CANARDS À BASSE ALTITUDE — FIN DU DISTRICT DE PRÉSERVATION DES SOLS.

Souvent, en rase campagne, on arrive à un carrefour sans indications et on doit alors prendre le risque de parcourir vingt ou trente kilomètres à l'aveuglette avant de savoir où l'on est. Et puis brusquement, sans préavis, on découvre à la sortie d'un virage un carrefour de huit routes avec quatorze feux et une série déconcertante de panneaux routiers dont les flèches pointent dans toutes les directions. Parc national du lac de l'Asticot par ici. Mémorial de Curtis Dribble par là. Nationale 43 direction sud. Nationale 53 direction nord. Voie rapide 11/78. Centre commercial par ici. École normale du comté de Dextrose par là. Échangeur 17 direction ouest. Échangeur 17 direction non-ouest. La file de gauche doit tourner à gauche. Mettez votre ceinture. Tenez-vous droit. Vous êtes-vous brossé les dents ce matin ?

Et c'est juste au moment où vous venez enfin de comprendre qu'il faudrait vous mettre dans la file de gauche que les feux changent et vous êtes alors emporté par la circulation comme un bouchon de liège à la surface d'un torrent impétueux. C'est ce qui arrivait constamment à mon père. Je ne pense pas qu'il ait jamais pu aborder un carrefour important sans être aspiré du côté où il ne voulait pas aller, dans un dédale de sens uniques, sur une voie rapide pour le désert, un interminable pont à péage vers quelque île côtière qui nous obligeait à un voyage de retour coûteux et embarrassant (« Dites, monsieur, c'est pas vous qu'on vient de voir passer dans l'autre sens ? »). Mais là où mon père était absolument imbattable, c'était pour son aptitude à s'égarer alors que notre objectif était bien en vue. Avant d'arriver dans un parc d'attractions ou tout autre lieu touristique, il nous fallait réaliser une série d'approches successives, un peu comme un pilote survole en reconnaissance un aérodrome inconnu. Ma sœur, mon frère et moi étions les premiers à repérer l'endroit de l'autre côté de l'autoroute et on se mettait à sauter sur la banquette arrière en criant : « C'est là ! C'est là ! » Puis, quelques kilomètres plus loin on l'apercevait sur un autre angle derrière une cimenterie, ensuite sur la rive opposée d'un large fleuve puis à nouveau de l'autre côté de l'autoroute. Parfois, seul un grillage nous séparait de notre but. De l'autre côté on voyait des familles heureuses et décontractées qui garaient leur voiture et qui se préparaient à passer une journée sensationnelle. « Mais comment ont-ils fait pour entrer ? » s'écriait mon père, les veines de son front toutes palpitantes. « Pourquoi la ville ne met-elle pas de panneaux indicateurs, que diable ? » « Ce n'est pas étonnant qu'on ne trouve pas l'entrée », ajoutait-il, oubliant au passage que 18 000 individus, certains d'un quotient intellectuel très limité, avaient réussi à se trouver du bon côté du grillage sans trop de difficultés.

Springfield me déçut. Je n'en fus pas tellement étonné. Si l'endroit valait le coup, ça se saurait : « Dites, vous devriez visiter Springfield, c'est charmant. » J'avais fondé beaucoup d'espoir sur cette ville simplement parce que son nom « Prairie du Printemps » me semblait prometteur. Dans une région où tant de villes portent des noms aux sonorités râpeuses, discordantes ou de consonance étrangère — De Kalb, Du Quoin, Keokuk, Kankakee —, Springfield tinte comme un poème et la promesse de prairies verdoyantes et de sources fraîches. En fait Springfield n'est rien de tout ça. Comme toutes les villes américaines, son centre se résume à de grands parkings, des bâtiments plutôt élevés, noyés dans une multitude de centres commerciaux, de stations-service, et de restaurants fast food. L'ensemble n'est ni repoussant ni plaisant. Je fis quelques tours en voiture et, ne trouvant rien qui méritât une halte, je continuai jusqu'à New Salem, à vingt kilomètres au nord.

La ville de New Salem a eu une destinée courte et peu remarquable. Les premiers colons espéraient profiter du commerce qui passait sur le fleuve, mais en fait ce commerce fluvial ne fit précisément que cela : passer. Et la ville ne devint jamais prospère. En 1837 elle fut abandonnée et aurait sans doute sombré dans l'oubli si, de 1831 à 1837, un de ses habitants n'avait été le jeune Abraham Lincoln. Par conséquent on a rebâti sur deux cents hectares la ville de Salem telle qu'elle était à l'époque où Lincoln y habitait, ce qui permet d'aller voir aujourd'hui pourquoi tout le monde s'est empressé de ficher le camp de là. En fait c'est très joli. Il y a environ trente ou quarante cabanes en rondins de bois éparpillées dans des clairières verdoyantes. J'ai visité New Salem par un magnifique après-midi d'automne où une brise tiède et des rayons de soleil jouaient dans la ramure. L'ensemble était presque trop pittoresque et charmant pour être réel. On n'a pas le droit d'entrer dans les maisons mais on peut s'en approcher, regarder par les fenêtres ou par la porte d'entrée et ainsi se faire une idée sur la vie quotidienne des gens de l'époque (entre nous, ça devait surtout être inconfortable). Chaque maison a une notice qui vous renseigne sur ses habitants, ce qui a sans doute nécessité des recherches historiques impressionnantes. Le seul ennui c'est que ça devient vite répétitif. Après avoir inspecté l'intérieur de quatorze cabanes, on se surprend à aborder la quinzième avec un certain fléchissement dans l'enthousiasme. Et ce n'est plus que la politesse qui vous pousse à aller jusqu'au numéro vingt. Mais comme des gens ont pris la peine de construire toutes ces cabanes et de ratisser le pays à la recherche de tous ces vieux berceaux et de tous ces vieux pots de chambre, on se sent moralement obligé de les visiter en faisant semblant de trouver ça passionnant. Mais, en son for intérieur, on se dit qu'on serait sacrément content de ne plus jamais voir une seule cabane en rondins de toute sa vie. Je suis sûr que c'était aussi l'avis du jeune Abraham Lincoln au moment où il a fait ses valises et décidé de devenir émancipateur de nègres et président des États-Unis, carrière beaucoup plus gratifiante que le commerce du bois de chauffage.

Au bout du site, j'ai croisé un couple âgé venant vers moi, la démarche pesante et l'air fatigué. En passant à ma hauteur, l'homme m'a jeté un regard complice et dit : « Plus que deux et c'est fini. » Sur le sentier qu'ils venaient d'emprunter, j'apercevais l'une de ces deux cabanes. Elle paraissait toute petite et bien éloignée. J'ai attendu que les deux vieux aient disparu au détour du chemin et je me suis assis sous un arbre, un magnifique chêne dont les feuilles saignaient sous les premières atteintes d'un automne doré. Je me sentais soulagé d'un grand poids. Comment expliquer que cet endroit m'ait tellement enthousiasmé quand j'avais cinq ans ? La vie des enfants était-elle si ennuyeuse à cette époque ? Je sais que mon propre fils, arrivé ici, se jetterait par terre et piquerait une crise en découvrant qu'il vient de passer un jour et demi enfermé dans une voiture et tout ça pour voir un tas de cabanes en bois sans intérêt. Et, entre nous, je ne lui donnerais pas tort. Je me livrai à quelques spéculations : qu'est-ce qui est pire, une vie si ennuyeuse que tout vous enthousiasme ou une vie si pleine de stimuli que tout vous ennuie ?

Puis il m'apparut que ce genre de spéculations ne menait à rien et je me mis plutôt à la recherche d'un magasin vendant des paquets de Baby Ruth, exercice bien moins stérile.

Après New Salem, je pris l'autoroute 55 vers le sud, direction Saint Louis, pour une étape d'une heure et demie. C'était toujours aussi ennuyeux. Sur une route aussi droite et aussi large qu'une autoroute américaine, quatre-vingt-dix kilomètres à l'heure est une limitation de vitesse ridicule. On a l'impression de marcher. Voitures et camions venant en sens inverse semblent voyager sur un trottoir roulant comme on en trouve dans les aéroports. On a tout loisir de jeter un coup d'œil sur les occupants du véhicule et de partager brièvement leur intimité tandis qu'ils vous croisent au ralenti. On n'a pas du tout l'impression de conduire. On met la main au volant de temps à autre pour maintenir le cap mais à part ça, on peut se consacrer à des tâches plus complexes, compter son argent, se donner un coup de peigne, mettre un peu d'ordre dans les bagages, utiliser le rétroviseur pour répertorier et extirper ses points noirs, consulter cartes et guides, enlever ou mettre un pull... Si de surcroît votre voiture est équipée d'un régulateur de vitesse, vous pouvez presque passer sur la banquette arrière et faire la sieste. On oublie très facilement qu'on est responsable de deux tonnes de métal en plein mouvement et c'est seulement quand on commence à éparpiller les cônes de chantier ou à entendre les coups de klaxon du camion vers lequel on dérive, qu'on est brutalement ramené à la réalité et qu'on se dit qu'à l'avenir on ne quittera plus son siège pour partir à la recherche d'un petit casse-croûte.

Un des avantages, cependant, c'est que ça vous donne le temps de penser et d'envisager certains problèmes. Par exemple, pourquoi les arbres au bord des nationales ne grandissent-ils jamais ? Certains sont là depuis bientôt quarante ans et ils ne dépassent pas un mètre quatre-vingts et n'ont jamais plus de quatorze feuilles. C'est peut-être une variété spécialement sélectionnée pour son faible coût d'entretien ? Autre question : pourquoi ne fabrique-t-on pas des boîtes de céréales avec bec verseur ? Est-ce qu'il y a un type chez Kellogg's qui s'éclate à l'idée qu'en se servant un bol de corn-flakes les gens en mettent toujours la moitié à côté ? Et pourquoi, lorsque vous nettoyez un évier, vous avez beau attendre que l'eau s'écoule et bien récurer avec une éponge, il restera toujours un cheveu et des petits bouts de peluche humides ?

Et qu'est-ce que les Espagnols peuvent bien trouver au flamenco ?

Dans un dernier effort pour ne pas perdre complètement l'esprit, j'ai mis la radio. Mais j'avais oublié que la radio américaine vise un public qui a déjà perdu l'esprit. D'abord, on vous diffuse un clip publicitaire pour le café « Folger ». Le présentateur chuchote confidentiellement : « Nous nous sommes rendus dans un restaurant mondialement connu de Napa Valley en Californie. Là, à l'insu de la clientèle, nous avons remplacé la marque qu'utilise habituellement le restaurant par du café instantané Folger. Puis, grâce à nos micros cachés, nous avons écouté les réactions des clients. » Suit alors une série d'exclamations flatteuses du genre : « Hé, ce café est extraordinaire ! » « Je n'ai jamais bu un café aussi riche et corsé de ma vie ! » « Ce café est si bon que c'est presque trop ! », etc. A ce moment-là, le présentateur sort de sa cachette et révèle aux convives qu'ils viennent de boire du café Folger. Hilarité générale suivie d'une leçon de morale sur les vertus du café instantané.

J'ai tourné le bouton. Une voix annonçait : « Et nous allons reprendre dans un instant notre causerie sur la virilité. » J'ai tourné le bouton. Une chanteuse de musique country roucoulait :

> *Ses bras sont trop petits*
> *Ses jambes sont bancales*
> *Mais j'compte sur lui*
> *Pour les alloc'familiales.*

Je suis passé plus loin. « Et voici un bulletin d'informations offert par le salon de coiffure de l'aéroport de Biloxi. » Suivait la publicité pour le coiffeur en question puis trente secondes de nouvelles entièrement consacrées aux morts par accidents de la route, incendies et règlements de comptes de la ville de Biloxi dans les dernières vingt-quatre heures. On ne vous laissait même pas entrevoir qu'il pouvait exister un autre univers plus vaste voire plus violent au-delà des strictes limites municipales. Puis nouvelle publicité pour le coiffeur au cas où vous seriez assez colossalement crétin pour l'avoir oubliée après trente secondes d'informations. J'ai coupé la radio.

A Litchfield, je pris la nationale 127 en direction de Murphysboro et Carbondale, en me jurant d'éviter si possible les autoroutes à l'avenir. Presque aussitôt, la vie devint plus intéressante. Il y avait des fermes, des maisons, des petites villes à regarder. Je maintenais toujours mes quatre-vingt-dix kilomètres à l'heure mais maintenant j'avais vraiment l'impression d'avancer. Le paysage défilait, plus animé qu'avant, plus vallonné et plus varié. Le feuillage lui-même était d'un vert plus intense. Les panneaux publicitaires se succédaient : TIPEE TIPIK SUPERMARCHÉ. DISCOUNT TOUPOURIEN. VIT'FEE COIFFURE EXPRESS. ÉPICERIE PRI-K-C. CHEZ BETTY C-S-KI. Entre ces temples dédiés à la dyslexie et à la libre entreprise, des fermes se blottissaient dans les clairières ou sur les pentes des vallons. Elles étaient presque toujours équipées d'une antenne parabolique tournée vers le ciel, donnant un peu l'impression de puiser leur énergie vitale dans quelque force céleste. Et je suppose qu'en un sens c'était le cas. Ici, sur les hauteurs, le jour baissait rapidement. Je constatai avec surprise qu'il était plus de six heures. Il était temps de trouver un gîte. Et, comme si elle n'attendait que ça, la ville de Carbondale apparut à l'horizon.

Autrefois, aux abords des villes, on trouvait un poste à essence, un Dairy Queen, peut-être même un motel ou deux si la route était très fréquentée ou si la ville avait une université. De nos jours, une ville, si modeste soit-elle, a deux ou trois kilomètres de restauroutes, de motels, d'entrepôts à prix discount, de centres commerciaux — tous surmontés d'enseignes mobiles d'une dizaine de mètres et accompagnés de parkings de la taille des Ardennes. Apparemment Carbondale ne possédait rien d'autre : la route se transformait en cinq kilomètres de supermarchés, hypermarchés, stations-service, K-Marts, J.C. Penney et MacDonalds, et brutalement on se retrouvait en rase campagne. Je fis donc demi-tour et pris une route parallèle à la première. Elle offrait la même sélection en ordre légèrement différent et c'était la rase campagne. Il n'y avait pas de centre ville. Il s'était fait dévorer par les centres commerciaux.

Je pris une chambre à l'Heritage Motor Inn et sortis faire une promenade à pied, bien décidé à trouver Carbondale. Mais il n'y avait rien. J'étais perplexe et déçu. Avant d'entreprendre ce voyage, j'avais passé des nuits, éveillé dans mon lit en Angleterre, à me l'imaginer : je m'arrêterais chaque soir dans un petit motel, j'irais faire une petite balade sur la grand-place de la ville, je me paierais un bon plat du jour chez Betty-Cuisine familiale. Ensuite je me voyais bien, un cure-dents mentholé en bouche, continuant ma promenade en ville, m'arrêtant sans doute à la taverne du coin pour prendre une ou deux bières et faire une partie de billard avec les jeunes du pays, ou me payant une toile au cinéma Royal, ou passant au bowling de la Vallée pour aller voir et commenter le tournoi hebdomadaire de la Ligue des Coiffeurs, avant de terminer la soirée par quelques parties de flipper et un croque-monsieur.

Mais ici, il n'y avait pas de grand-place où se balader, ni de Betty-Cuisine familiale, ni plat du jour, pas de taverne du coin, pas de cinéma, pas de bowling. Il n'y avait pas de ville du tout, seulement des routes à six voies et des centres commerciaux. Il n'y avait pas de trottoirs non plus. J'appris à mes dépens qu'une promenade à pied était une entreprise ridicule et vouée à l'échec. Il fallait traverser des parcs de stationnement et des aires de stations-service et je me heurtais sans cesse à des murettes blanchies à la chaux marquant la frontière entre, disons, La Grotte du Pirate, spécialité de fruits de mer, et le Kentucky Fried Chicken. Pour aller de l'un à l'autre il fallait escalader la murette, grimper le long d'un talus herbeux et chercher son chemin dans le dédale des voitures en stationnement. C'est en imaginant que vous soyez à pied. Mais visiblement, à en juger par les regards que les gens me jetaient alors que je gravissais le talus hors d'haleine, personne n'avait jamais encore essayé de se déplacer d'un endroit à l'autre mû par sa seule force pédestre. La procédure normale consiste à monter dans sa voiture, faire cinq mètres jusqu'au prochain parking, garer la voiture et descendre. J'ai fini tristement mon escalade à la Pizza Hut où une serveuse m'a offert une table avec vue sur le parking.

Autour de moi, tout le monde mangeait des pizzas de la taille d'une roue d'autobus. En face de moi, bloquant mon champ de vision, un gros type dans la trentaine s'enfilait des parts de pizzas entières à la manière d'un avaleur de sabres. Le menu était si varié qu'on en prenait le vertige. Il s'étalait sur des pages et des pages avec une telle variété dans les garnitures et les dimensions, avec tant d'options possibles que je me sentis tout à fait perdu.

La serveuse arriva. « Vous avez choisi ?

— Excusez-moi, il me faut encore quelques minutes.

— Sans problème, dit-elle, prenez votre temps. »

Elle disparut de mon champ de vision, compta jusqu'à cinq et revint. « Vous avez choisi, maintenant ?

— Désolé, j'ai vraiment besoin de plus de temps.

— Ça va », dit-elle et elle repartit.

Cette fois-ci elle dut bien compter jusqu'à vingt mais j'étais toujours loin d'avoir compris les centaines d'options qui s'offraient à moi, heureux client de la Pizza Hut, quand elle revint prendre la commande.

« V's êtes pas du genre rapide, vous ! » fit-elle remarquer gaiement.

J'étais gêné. « Désolé, je ne suis plus dans le coup, je... je sors de prison. »

Ses yeux s'agrandirent. « Sans blague ?

— Oui, j'ai assassiné une serveuse qui me bousculait. »

Le sourire incertain, elle battit en retraite et me laissa beaucoup, beaucoup de temps pour me décider. En fin de compte je choisis la Super-Pizza aux poivrons, taille moyenne, avec supplément d'oignons et de champignons et je peux vous la recommander sans réserves.

Enfin, pour terminer cette soirée de rêve, j'ai repris ma course d'obstacles en direction du prochain K-Mart pour y jeter un coup d'œil. Les K-Marts sont une chaîne de magasins à prix réduits et ils sont vraiment déprimants. Ils colleraient une dépression nerveuse à Mère Teresa. Ce n'est pas tellement le magasin en lui-même qui est déprimant, c'est la clientèle. Les K-Marts sont toujours pleins de cette catégorie d'individus qui donnent à leurs enfants des prénoms qui riment : Lonnie, Donnie, Ron-nie, Connie, Bonnie, des gens qui choisissent de rester à la maison pour regarder *Les Monstres* à la télé. Chaque femme traîne derrière elle au moins quatre enfants qui semblent tous avoir eu un père différent. Elle pèse tou-jours dans les cent kilos et passe son temps à envoyer des baffes en hurlant : « Si t'es pas sage, Ronnie, j't'emmè-nerai plus ici », comme si Ronnie pouvait se soucier de ne plus jamais remettre les pieds dans un K-Mart. C'est l'endroit où vous venez pour trouver une chaîne stéréo à moins de trente-cinq dollars, pourvu que ça ne vous dérange pas que l'orchestre ait l'air de jouer dans une boîte aux lettres immergée au fond d'un lac. Quand on met les pieds dans un K-Mart, on sait qu'on ne peut pas tomber plus bas. Mon père adorait les K-Marts.

J'entrai y faire un tour. Je pris des rasoirs jetables, un petit calepin et puis, pour marquer l'occasion, un paquet de gâteaux Reese au beurre de cacahuète au prix irré-sistible de 1,29 dollar. Je payai et sortis. Il était sept heu-res et demie du soir. Les étoiles se levaient sur le parking. J'étais tout seul avec mon paquet de friandises minables dans la ville la plus ennuyeuse des États-Unis et franche-ment je me sentais misérable. J'escaladai une murette, esquivai quelques voitures, et allai m'acheter un pack de bière Pabst Blue Ribbon bien glacée au mini-super-marché Crados et Cie le plus proche. Je regagnai ma chambre où je regardai la télé câblée, bus mes bières, m'empiffrai de gâteaux en m'essuyant les mains sur les draps et tirai un maigre réconfort de penser qu'à Carbondale, Illinois, c'est à peu près tout le bon temps qu'on peut espérer avoir.

5

Le lendemain matin, je suis reparti sur la nationale 127 en direction du sud. La carte l'indiquait comme « route panoramique » et pour une fois c'était vrai. La campagne était vraiment charmante, bien plus belle que tout ce que l'Illinois, à ma connaissance, pouvait offrir, avec des vallonnements vert sombre, des fermes prospères et d'épaisses forêts de chênes et de hêtres. Je fus surpris de constater qu'en allant plus au sud, les feuillages portaient davantage les marques de l'automne. Les pentes des collines étaient tachées d'un mélange de jaune moutarde, d'orange pâle et de vert clair tout à fait ravissant, et l'air transparent et ensoleillé possédait une sorte de fraîcheur piquante très agréable. Je pourrais sans problème vivre ici, dans ces collines, pensai-je.

Au bout d'un moment, je me suis rendu compte qu'il manquait quelque chose dans ce paysage : les panneaux publicitaires. Quand j'étais enfant, il y avait des panneaux de dix mètres sur cinq dans tous les champs en bordure de route. Dans certains endroits, comme l'Iowa ou le Kansas, c'était même la seule stimulation visuelle. Dans les années soixante, Lady Bird Johnson s'est lancée dans une de ces campagnes malencontreuses qu'affectionnent tout particulièrement les femmes de chefs d'État et a fait arracher pratiquement tous ces panneaux du bord des routes dans le cadre d'un projet d'embellissement du paysage. J'admets que dans les montagnes Rocheuses, cela se justifiait sans doute. Mais ici, au cœur de ce pays perdu, les panneaux étaient presque un service public. On en repérait un à deux kilomètres de distance, on le voyait approcher avec intérêt et pendant quelques minutes, le temps qu'il disparaisse, on était presque passionné. Dans le registre des grandes aventures routières, ça valait les petits moulins à vent de Pella. C'était toujours mieux que rien. Les panneaux publicitaires vraiment haut de gamme s'agrémentaient d'éléments en trois dimensions — la tête d'une vache s'il s'agissait de promouvoir des produits laitiers, la silhouette d'une boule renversant des quilles s'il s'agissait d'un bowling. Parfois le panneau signalait la prochaine attraction des environs. C'était par exemple une silhouette de fantôme avec en légende : VISITEZ LES GORGES DE LA TERREUR ! LA GRANDE ATTRACTION FAMILIALE DE L'IOWA ! À 120 KM SEULEMENT ! Cinq kilomètres plus loin, on trouvait un deuxième panneau : PARKING GRATUIT ET ILLIMITÉ AUX GROTTES DE LA TERREUR ! PLUS QUE 115 KM ! et ainsi de suite. Panneau après panneau on promettait aux familles l'après-midi le plus instructif et le plus passionnant qu'elles auraient jamais, du moins en Oklahoma. Ces promesses étaient confirmées par des images de chambres souterraines à l'éclairage inquiétant, aux dimensions de cathédrale, où stalactites et stalagmites s'étaient par magie transformées en maisons de sorcières, chaudrons bouillonnants, chauve-souris et Casper-le-gentil-fantôme. C'était extrêmement prometteur. Alors nous, les gosses, suggérions qu'on s'y arrête, nous relayant pour dire de notre voix la plus émouvante et la plus convaincante : « S'il te plaît, papa ! oh, s'iiil te plaît ! »

Les cent kilomètres suivants, les réactions de mon père passaient par une série d'étapes bien rodées. D'abord, c'était un refus clair et net : c'était sans aucun doute trop cher et de toute façon notre comportement depuis le petit déjeuner avait été si déplorable qu'on ne méritait aucune récompense. Puis venait la phase d'indifférence (durée : onze minutes, en principe) puis la phase où il demandait à ma mère, à voix basse, ce qu'elle en pensait ; ayant reçu une réponse équivoque, il passait à la deuxième phase d'indifférence dans l'espoir évident qu'on allait oublier l'affaire (durée : une minute douze secondes). Puis il disait qu'on irait *peut-être*, à condition d'être sages et de bien se tenir, disons jusqu'à la fin de nos jours. Il y avait ensuite la phase où il était *hors de question* qu'on y mette les pieds parce que vraiment on dépassait les bornes à se disputer comme ça alors qu'on n'était même pas arrivés ; et finalement on s'entendait dire — parfois d'un ton exaspéré, parfois d'une voix mourante — que oui, d'accord, on irait. On savait toujours quand notre père allait accepter : son cou devenait alors tout rouge. Invariablement il finissait par dire oui (entre nous, je n'ai jamais compris pourquoi il n'acceptait pas dès le début, ce qui lui aurait épargné trente minutes désagréables). Il ajoutait toujours : « Mais on ne restera qu'une demi-heure et on n'achètera rien. Compris ? », ce qui semblait lui donner le sentiment d'avoir repris la situation en main.

Pendant les cinq derniers kilomètres, on avait droit à un panneau des Grottes de la Terreur tous les deux cents mètres, ce qui faisait monter en conséquence notre niveau d'excitation. Pour terminer, un panneau de la taille d'un porte-avions nous indiquait que c'était à droite et à trente kilomètres. « Trente kilomètres ? » hurlait mon père, les veines du front déjà toutes palpitantes à l'idée de ce qui l'attendait, trente kilomètres de routes défoncées avec des nids-de-poule comme des trous d'obus pour aboutir à un carrefour isolé où il n'y aurait plus la moindre mention des Grottes de la Terreur et où il prendrait bien sûr la mauvaise direction. Et quand finalement on les avait trouvées, ces Grottes de la Terreur, elles se révélaient beaucoup moins prometteuses que les annonces, en fait elles donnaient carrément l'impression d'être prêtes à fermer pour cause de faillite. Les cavernes, humides, chichement éclairées et sentant le vieux cadavre de cheval, avaient à peu près la taille d'un garage. Les stalactites et les stalagmites ne ressemblaient en rien à des maisons de sorcières ou à Casper-le-gentil-fantôme, mais tout simplement à des stalactites et à des stalagmites. C'était toujours une grosse, grosse déception. Et la seule façon d'atténuer notre grand chagrin était, à notre avis, que nos parents nous achètent un couteau de trappeur en caoutchouc et des dinosaures en plastique dans la boutique-souvenirs, juste à côté des grottes. Ma sœur et moi, nous nous jetions alors sur le sol avec force lamentations pitoyables pour rappeler à notre père quelle violence peut prendre un grand chagrin d'enfant si on néglige de l'atténuer.

Et c'est avec le soleil se couchant sur l'horizon brunâtre de l'Oklahoma et un retard considérable sur l'horaire prévu que papa attaquait la dernière partie du programme : comment ne pas trouver de chambre pour la nuit, ceci avec l'aide précieuse de ma mère qui se trompait en lisant la carte et qui prenait tous les bâtiments rencontrés pour un motel. Nous, les enfants, passions le temps de notre mieux, engagés dans des luttes sauvages à coups de couteaux de trappeur, nous interrompant à intervalles réguliers pour signaler nos blessures, notre envie de manger, notre ennui et l'urgence de trouver des toilettes. C'était vraiment l'enfer. Et dire qu'aujourd'hui il n'y a même plus de panneaux publicitaires le long des routes. Quelle perte considérable.

Je me dirigeais vers Cairo, que les gens prononcent Kèro, je ne sais pourquoi. C'est très courant dans le Sud et le Middle West. Au Kentucky, Athens se prononce « AI-thens », Versailles « VeurSAIL ». Bolivar, Missouri, devient BOO-liver, etc. Je me demande si les gens du coin adoptent ces prononciations parce que ce sont des culs-terreux sans éducation ou bien si, connaissant parfaitement la prononciation correcte, ils s'en fichent carrément et se moquent de passer pour des culs-terreux sans éducation. Et il est difficile de leur poser la question. A Cairo je me suis arrêté pour prendre de l'essence et j'ai demandé au vieux, venu en clopinant me faire le plein, pourquoi on prononçait Cairo de cette façon bizarre.

« Parce que ça s'appelle comme ça, m'expliqua-t-il, certain que j'étais débile.

— Mais pour la ville d'Égypte on dit Kaille-ro, non ?

— Ah oui, c'est ce qu'on m'a dit, reconnut-il.

— Et quand on voit le nom, on a tendance à prononcer Kaille-ro, vous ne croyez pas ?

— Eh bien à Cairo, on dit Kèro », répliqua-t-il, un brin énervé.

N'ayant pas le sentiment de faire avancer le débat, j'en suis resté là et je ne comprends toujours pas pourquoi on prononce « Kèro ». Pas plus d'ailleurs que je ne comprends les raisons qui peuvent pousser le citoyen d'un pays libre et démocratique à venir s'installer dans un trou pareil, quelle qu'en soit la prononciation. Cairo est situé au point où la rivière Ohio, artère fluviale d'importance, se jette dans le Mississippi, ce qui double d'un coup sa largeur. On pourrait penser qu'au confluent de ces deux grands fleuves on trouverait une ville importante. Au lieu de ça, on a Cairo, une pauvre petite bourgade de six mille habitants. On y arrive par une route bordée de maisons délabrées et d'immeubles en mal de peinture. Des vieux Noirs sont assis dans les vérandas ou sur des marches, affalés dans des canapés défoncés ou sur des rocking chairs, attendant la mort ou le dîner, selon ce qui se présentera en premier. C'est un spectacle qui étonne car on ne s'attend pas à voir des maisons et des vérandas pleines de Noirs dans le Middle West, en tout cas pas en dehors des grandes métropoles comme Chicago ou Detroit. Et j'ai pris conscience à ce moment-là que je n'étais plus vraiment dans le Middle West. Les accents et les intonations étaient devenus nettement sudistes. J'étais presque à la latitude de Nashville ; l'État du Mississippi n'était qu'à 250 km et le Kentucky juste sur l'autre rive du fleuve. Je l'ai traversé sur un pont long et élevé. A partir de là et jusqu'en Louisiane, le Mississippi est extrêmement large. Il donne l'impression d'une brave rivière indolente mais en réalité c'est un fleuve dangereux qui, chaque année, tue des centaines de gens. Des fermiers vont à la pêche et se disent en fixant l'eau : « Je me demande ce qui se passerait si je mettais un peu mes doigts de pied là-dedans. » Et on retrouve leurs cadavres à la dérive dans le golfe du Mexique, un peu boursouflés mais étrangement sereins. Ce fleuve est d'une férocité surprenante : en 1927, il a inondé une superficie égale à celle de l'Écosse. C'est un fleuve qui ne badine pas.

Sur l'autre rive, du côté de l'État du Kentucky, je fus accueilli par d'immenses panneaux annonçant : « FEUX D'ARTIFICE. » C'est qu'en Illinois les feux d'artifice sont interdits par la loi mais pas au Kentucky. Les habitants de l'Illinois qui ont envie de se faire déchiqueter la main n'ont que le fleuve à traverser. Autrefois c'était encore plus courant : si un État taxait moins fortement les cigarettes que son voisin, toutes les stations-service et tous les cafés le signalaient par de grandes pancartes sur les toits : CIGARETTES HORS TAXES, 40 CENTS LE PAQUET, SANS TAXES ! et tous les gens des États voisins se précipitaient pour remplir leurs coffres de cigarettes à prix réduit, Dans le Wisconsin, la vente de la margarine a longtemps été interdite pour protéger les producteurs laitiers. Ce qui fait que tous les gens du Wisconsin, les producteurs laitiers les premiers, se précipitaient en Iowa où l'on trouvait partout de ces grandes pancartes : MARGARINE À VENDRE. Pendant ce temps-là, les gens de l'Iowa se ruaient en Illinois où il n'y avait pas de taxes du tout ou bien en Missouri où la taxe sur l'essence était à moitié moins élevée. Vous aviez aussi à tenir compte de l'autonomie des États en matière d'heure officielle : en été, l'Illinois avait deux heures de décalage avec l'Iowa et une heure de retard avec l'Indiana. C'était complètement fou mais au moins on prenait vraiment conscience du fait que les États-Unis étaient constitués de cinquante États (quarante-huit à l'époque) tout à fait indépendants. De nos jours, tout cela a changé, encore quelque chose de bien triste.

Je retraversai le Mississippi en songeant mélancoliquement à toutes ces pertes quand brutalement je fus frappé par la plus triste de toutes : la disparition de la publicité Burma Shave, une crème à raser en tube qu'on ne fabrique probablement plus. A dire vrai, je n'ai jamais rencontré quelqu'un qui l'ait vraiment employée. Mais la firme Burma plantait très astucieusement ses panneaux en bord de route, généralement par série de quatre ou cinq régulièrement espacés, chacun portant un texte qu'on pouvait lire au passage comme un petit poème : JIM A LA BARBE DRUE / ÇA IRRITE LA PETITE LULU / JIM SE L'ENLÈVE / MERCI BURMA SHAVE. Génial, non ? Hélas, déjà en 1950 les publicités Burma Shave appartenaient au passé. Je n'en ai vu qu'une demi-douzaine sur les milliers de kilomètres que nous avons parcourus dans mon enfance. Mais comme éléments récréatifs, ils avaient une valeur exceptionnelle, ils étaient mille fois supérieurs aux panneaux de publicité ordinaire et aux petits moulins de Pella. Rien ne leur arrivait à la cheville pour faire diversion, sauf les collisions en série avec cadavres jonchant le macadam.

Le Kentucky ressemblait beaucoup à l'Illinois du Sud, vallonné, ensoleillé, attrayant, mais les maisons isolées étaient moins soignées et avaient l'air moins cossues que dans le Nord. On traversait maintes vallées ombragées et des cours d'eau sinueux sur des ponts en fer. On rencontrait aussi beaucoup de cadavres de bestioles tartinés sur l'asphalte des routes. Chaque vallée avait sa petite église baptiste blanche et tout au long de la route des panneaux vous rappelaient que vous aviez atteint le pays chrétien, le Bible Belt. JÉSUS EST TON SAUVEUR. LOUÉ SOIT LE SEIGNEUR. CHRIST EST ROI.

Je sortis du Kentucky presque sans m'en rendre compte. L'État se termine en pointe vers l'ouest et la partie que je venais de traverser n'avait guère plus de soixante kilomètres de large. En un clin d'œil — du moins à l'échelle des déplacements sur le continent américain —, je me retrouvai dans le Tennessee. Il n'arrive pas souvent qu'on visite un État en moins d'une heure mais le Tennessee n'allait pas me prendre beaucoup plus longtemps. Cet État a une forme bizarre, un peu celle d'une brique hollandaise large de 800 kilomètres d'est en ouest et longue de 160 kilomètres dans le sens nord-sud. Le paysage rappelait celui du Kentucky et de l'Illinois, des terres agricoles sans grand caractère, remplies de rivières, de collines et de fanatiques religieux. Ce qui me surprit, quand je m'arrêtai manger dans un Burger King de Jackson, ce fut la chaleur. Il faisait bien 25° d'après le thermomètre posé sur la façade de la banque-drive-in de l'autre côté de la rue, facilement dix degrés de plus qu'à Carbondale le matin même. De toute évidence, j'étais encore en plein Bible Belt. Le panneau de la cour de l'église proclamait : « LA BONNE RÉPONSE, C'EST LE NOM DE DIEU » (la question devait être : Que dit-on quand on se donne un coup de marteau sur le doigt ?). J'entrai dans le Burger King. La fille au comptoir me dit : « Chpeu vous aider ? » Je venais de changer de pays.

6

Au sud de Grand Junction, Tennessee, j'ai franchi la limite de l'État et je me suis retrouvé dans le Mississippi. Au bord de la nationale, un panneau vous accueillait : « BIENVENUE DANS LE MISSISSIPPI. ICI ON DÉGAINE ET ON TUE ! » Enfin, pas vraiment, je viens de l'inventer. C'était seulement mon second voyage dans le Sud profond et je dois dire que je ne me sentais pas tellement à l'aise. Ce n'est sûrement pas pure coïncidence si tous les films qui se passent dans le Sud — *Easy Rider, Dans la chaleur de la nuit, Luke la main froide, Brubaker, Delivrance* — mettent en scène des racistes, des criminels, des incestueux, des *rednecks** culs-terreux. C'est vraiment un tout autre pays. A l'époque de la guerre du Vietnam, voici des années, j'étais parti avec deux copains en voiture passer mes vacances universitaires de printemps en Floride. En route, nous avions pris un raccourci qui nous avait conduits en plein cœur de la Georgie et en fin d'après-midi nous nous sommes arrêtés pour manger un hamburger dans le café-restaurant d'un petit bled sinistre. A

---

* Surnom donné aux fermiers blancs du Sud considérés comme réactionnaires et racistes *(NdT)*.

peine étions-nous assis au comptoir qu'une chape de silence tombait sur la salle. Quatorze personnes ont interrompu la mastication de leur hamburger pour nous regarder fixement. Le silence était si intense qu'on aurait entendu une mouche péter. La salle était remplie de ces braves p'tits gars du Sud aux bonnes joues rouges et en bleus de travail, qui nous dévisageaient silencieusement en essayant de se rappeler si leur fusil était bien chargé. C'était très déconcertant. Pour ces gens vivant en plein bled, nous étions tout à la fois un objet de curiosité — certains d'entre eux n'avaient encore jamais vu en chair et en os un de ces hippies gauchistes à longs cheveux, un de ces intellos négrophiles des universités du Nord — et, en même temps, un objet d'intense répulsion. C'était une sensation bizarre de se sentir aussi violemment haïs alors qu'on n'avait même pas eu le temps de leur dévoiler tous nos défauts. Je me rappelle avoir pensé à ce moment-là que nos parents n'avaient pas la moindre idée de l'endroit où nous étions — ils nous savaient simplement quelque part dans cette immensité continentale entre l'Iowa et Florida Keys — et que si nous disparaissions, on ne nous retrouverait jamais. J'imaginais déjà ma famille dans quelques années, tout le monde assis au salon et ma mère en train de dire : « Je me demande bien ce qui a pu arriver à Billy et à ses copains. Ils auraient tout de même pu nous envoyer une carte postale depuis le temps. Quelqu'un veut un sandwich ? »

Et vous savez que ce genre de chose se produisait souvent, dans ces coins-là. Cinq ans à peine auparavant, trois militants des droits civiques avaient été assassinés dans l'État du Mississippi. C'était James Chaney, un Noir de vingt et un ans originaire de cet État, et deux Blancs de New York, Andrew Goodman et Michael Schwerner, âgés de vingt ans. Je donne leurs noms parce qu'ils méritent qu'on se souvienne d'eux. Ils s'étaient fait arrêter pour excès de vitesse, avaient été conduits à la prison du comté de Neshoba, et on ne devait plus jamais les revoir. Du moins pas avant de nombreuses semaines, quand on a finalement retiré leurs corps d'un marécage. Ce n'étaient que des gamins et la police les avait livrés à la populace massée devant la prison, des gens qui les avaient ensuite enlevés pour leur faire ce qu'un enfant n'oserait même pas faire à un insecte. Lawrence Rainey, le shérif impliqué dans l'affaire, un jeune type graisseux au sourire satisfait, mâchonnant une éternelle chique de tabac, fut acquitté. On l'avait accusé de « négligence ». Personne ne fut jamais inculpé de meurtre. Pour moi, c'est l'image du Sud, celle que j'allais toujours garder.

J'ai pris la nationale 7, direction sud, pour me rendre à Oxford. C'est une route qui longe le côté ouest de la forêt domaniale de Holly Springs, une forêt qui semble principalement composée de marécages et de broussailles. J'étais déçu. Je m'étais attendu, en me retrouvant dans le Mississippi, à découvrir des mousses espagnoles pendues aux arbres, des femmes en robe froufroutante jouant de leur ombrelle, des colonels à cheveux blancs et à la moustache en croc sirotant un mint-julep sur la pelouse tandis que des négros ramasseraient le coton en chantant de beaux cantiques. Mais il n'y avait que des broussailles, il faisait chaud et c'était sans intérêt. De temps en temps on apercevait une bicoque posée sur des moellons avec, dans la véranda, un vieux Noir se balançant sur un rocking chair, mais partout ailleurs, aucun signe de vie ni d'activité.

A Holly Springs, je remarquai une pancarte indiquant la direction de Senatobia. Cela me redonna un peu de tonus : Senatobia ! Quel nom magnifique pour une ville du Sud. Toute la stupidité et la pompe du Vieux Sud résumées dans ces quatre syllabes dorées. Finalement les choses allaient peut-être s'améliorer ! Finalement j'allais peut-être enfin voir des forçats enchaînés trimer sous les ardeurs du soleil, un prisonnier clopinant, fers aux pieds, à travers champs et pataugeant dans les cours d'eau pour échapper à la meute des limiers hurlant à ses trousses, des foules prêtes au lynch écumant les rues de la ville, des croix du Ku Klux Klan embrasées sur les pelouses.

J'en fus tout ragaillardi mais je dus vite me calmer : un policier de la route venait de se ranger le long de ma voiture à un feu rouge et il m'observait avec cet air de mépris désinvolte qu'on voit souvent chez les crétins dangereux à qui on a donné un pistolet de service et une voiture de patrouille. Il était gras, il transpirait et il était calé au fond de son siège. Je suppose qu'il devait descendre du singe comme tout le monde mais il était évident que dans son cas la chute n'avait pas été trop brutale. Je regardais droit devant moi avec un air qui devait évoquer, du moins je l'espère, fermeté et bonhomie ainsi qu'un comportement au-dessus de tout soupçon. Je sentais son regard posé sur moi. Je m'attendais, pour le moins, à recevoir une giclée de jus de chique sur le coin de la figure. Au lieu de ça, il me dit : « Comin t'vas ? »

J'étais tellement abasourdi que je ne pus que couiner : « Pardon ?

— J'dis, comin t'vas ?

— Très bien, et j'ajoutai, ayant vécu quelques années en Angleterre : merci beaucoup.

— T'in vacinces ?

— Ouais,

— A t'plaît, Miss Hippy ?

— Plaît-il ?

— Je dis : a t'plaît Miss Hippy ? »

Je me suis senti envahi d'une douce panique. Cet homme avait une arme, c'était un gars du Sud et je ne comprenais pas un traître mot de ce qu'il racontait.

« Désolé, dis-je, je suis sans doute un peu lent mais je ne comprends pas ce que vous dites.

— Je dis, et il fit un gros effort, ça t'plaît l'Mississippi ? »

Cette fois, je compris.

« Oh, j'aime bien, j'adore, c'est vraiment super ! Les gens sont tellement sympa, tellement serviables. »

J'allais ajouter que ça faisait une heure que je m'y trouvais et que personne ne m'avait encore tiré dessus une seule fois, mais les feux avaient changé et il était parti. J'ai poussé un soupir. « Merci, mon Dieu. »

J'ai continué vers Oxford, siège de l'université du Mississippi, Ole Miss, comme on dit. Les gens ont donné ce nom à la ville pour rappeler Oxford en Angleterre et pour inciter l'État à y construire aussi une université. Et c'est ce qui s'est passé. Ça vous en dit long sur le fonctionnement de l'esprit des gens du Sud. A première vue, Oxford me sembla une ville agréable, bâtie autour d'une place sur laquelle on trouve les bâtiments administratifs du comté de Lafayette surmontés d'un clocheton et ornés de colonnes doriques. L'ensemble était noblement alangui dans la chaleur de l'été indien. La place était entourée de magasins engageants, parmi lesquels je repérai l'office du tourisme. J'allai m'y renseigner sur la route à prendre pour trouver Rowan Oak, la maison de William Faulkner. Faulkner a passé toute sa vie à Oxford et sa maison est devenue un musée, préservée comme au jour de sa mort en 1962. Ça doit être inconfortable de devenir célèbre au point de savoir qu'à la minute où vous allez claquer, on envahira votre maison pour mettre des cordons de velours à l'entrée de chaque pièce et admirer le moindre objet. Vous imaginez la honte si vous avez laissé un numéro du *Reader's Digest* sur la table de nuit.

Au comptoir de l'office du tourisme, j'ai trouvé une grande femme, élégamment vêtue, une Noire. J'en fus un peu surpris, vu qu'on était dans le Mississippi. Elle portait un tailleur sombre qui devait être horriblement chaud dans ce genre de climat. Je lui demandai comment aller à Rowan Oak.

« Vous êtes sur la place ? » dit-elle. Plus exactement, elle dit : « V'zêtes su la plince ?

— Oui.

— OK, chéri. Tu prinds ta voiture et tu t'fais la plince. A l'aut'bout, vars l'univarsité, tu passes trois blocs à droite, au rouge et t'y es. OK ?

— Non. »

Elle poussa un profond soupir et reprit :

« Tu prinds ta voiture, tu t'fais la plince...

— Vous voulez dire : je fais le tour de la place ?

— Tout juste, chéri, tu t'fais la plince... »

Elle me parlait comme moi je parlerais à un Français. Elle acheva de me donner toutes les instructions que je fis semblant de comprendre mais j'étais complètement largué. Une seule pensée occupait mon esprit : comment une femme aussi élégante pouvait-elle émettre des sons aussi étranges ? Au moment où je sortais, elle me rappela.

« Tout'façon, ça fait rin pass'que c'est farmé. Tout l'monde sont parti. »

Elle a vraiment dit « sont parti ».

Je dis : « Plaît-il ?

— C'est farmé maint'nint, T'peux ch'ter un coup d'œil mais c'est farmé. »

Je sortis et « farmai » la porte. Je me dis alors que Miss Hippy n'allait pas être une partie de plaisir.

Je fis le tour de la place en regardant les vitrines. Les magasins qui vendaient en majorité des articles style Country Club étaient fréquentés par d'élégantes jeunes femmes. Elles étaient toutes bronzées, dynamiques et visiblement riches. J'allai jeter un coup d'œil chez le libraire qui faisait aussi marchand de journaux. Je pris un exemplaire de *Playboy* que je me mis à feuilleter. Comme tout le monde. Je constatai avec grand regret que *Playboy* est désormais imprimé sur cet horrible papier glacé qui fait que les pages collent l'une à l'autre comme autant de Kleenex humides. Fini le temps où on pouvait le parcourir à son aise. Désormais il faut détacher chaque feuillet un à un, comme on le fait pour l'emballage d'une motte de beurre. Finalement j'arrivai à tout décoller jusqu'à la double page centrale. Et là, il y avait la photo d'une paraplégique à poil. Je le jure devant Dieu. Elle était étalée les quatre fers en l'air, si j'ose employer l'expression, dans des poses variées, sur des lits ou sur des divans, coquine et incontestablement séduisante, mais ses pauvres jambes, atrophiées sans doute, étaient chaque fois savamment cachées par un drapé de satin. Je suis peut-être spécial mais j'ai trouvé ça un petit peu bizarre.

De toute évidence, *Playboy* n'était plus ce qu'il était. Et du coup je me suis senti vieux, triste, étranger car j'ai toujours considéré *Playboy* comme la pierre angulaire de la vie américaine. Tous les garçons, tous les hommes que je connaissais lisaient *Playboy*. Certains, comme mon père, refusaient de l'admettre. Il était tout gêné quand on le surprenait en train de le feuilleter au supermarché et il faisait aussitôt mine de chercher *Maisons et Jardins*, mais en fait il le lisait vraiment. Il possédait même une pile de ces magazines pour hommes, cachés au fond de sa penderie dans un carton à chapeaux. Tous mes copains avaient un père qui cachait une de ces piles au fond d'un carton à chapeaux, un secret qu'ils croyaient bien gardé mais que tous les gamins connaissaient. De temps en temps on s'échangeait les magazines paternels et on imaginait leur surprise quand ils découvraient en visitant leur penderie qu'au lieu de la dernière édition de *Penthouse* ils possédaient un exemplaire de *Nugget* vieux de deux ans avec en prime une édition de poche du *Ranch de la débauche*. On pouvait continuer ce petit jeu pendant longtemps, certains que les pères ne piperaient mot. Au pire, la pile changeait de place. Je ne sais pas si les épouses des années cinquante négligeaient leurs devoirs conjugaux ou quoi, mais cet engouement pour les magazines de nanas était quasiment universel. A mon avis, tout ça, c'était à cause de la guerre.

Les magazines que lisaient nos pères portaient des titres comme *Épatant* ou *L'Homme chic* et montraient des photos de femmes vraiment tartes avec des seins flasques comme des ballons dégonflés et des hanches de matrone. Les filles de *Playboy* étaient jeunes et jolies. Elles ne ressemblaient pas à ces femmes qu'on trouve dans le quartier des docks. En plus du service public inestimable que représentait la publication de ces jolies filles nues, *Playboy* vous offrait un véritable modèle de style de vie. C'était une sorte de manuel qui, mois après mois, vous enseignait la vie, vous apprenait à jouer en bourse, à choisir une stéréo haute fidélité, à préparer des cocktails et à séduire les dames en jouant de votre esprit et de votre classe. Pour un jeune homme grandissant en Iowa, un peu d'aide en la matière n'était pas superflue. Je lisais chaque numéro de la première à la dernière page, sans même sauter la rubrique consacrée aux conditions d'abonnement. Tous les jeunes de ma génération faisaient comme moi. Hugh Hener était notre héros. Avec le recul, j'ai de la peine à le croire car, avouons-le, Hugh Hener me semble un parfait connard. Franchement, si vous aviez son fric, est-ce que vous iriez vous payer un lit circulaire? Est-ce que vous passeriez toute votre vie à traîner en pyjama de soie et en babouches? Est-ce que vous rempliriez votre maison de belles filles à poil qui adorent se laisser photographier en train de faire des batailles de polochons dans le plus simple appareil? Est-ce que vous aimeriez trouver chaque soir dans votre salon Buddy Hackett, Sammy Davis Jr et Joey Bishop rassemblés autour du piano? Est-ce que j'entends tout le monde crier: « Non, jamais. Plutôt crever! » ? Et pourtant, moi, je me suis fait avoir. On se faisait tous avoir.

Playboy était un peu le grand frère des garçons de ma génération. Et comme tous les grands frères, il a changé. Il a eu quelques ennuis financiers, quelques problèmes de jeu et, finalement, s'est installé sur la côte. Comme tous les grands frères. Et voilà qu'ici à Oxford, Mississippi, le dernier endroit auquel j'aurais pensé, qu'est-ce que je retrouvais: *Playboy*! C'était un peu comme de retrouver l'ancien tombeur de filles de vos années de lycée et de découvrir qu'il était devenu chauve, pantouflard et qu'il portait toujours ces mêmes chandails criards en polyester et ces mêmes chaussures en vernis noir avec lacets dorés qu'on trouvait follement chic en 1961. Ce fut un choc d'avoir à admettre que *Playboy* et moi avions tous deux pris de la bouteille et que nous n'avions plus rien en commun. Je remis tristement la revue à sa place en me jurant de ne plus toucher à un autre numéro — du moins pas avant le mois suivant.

Je jetai un coup d'œil sur les autres magazines. Il y en avait bien deux cents avec des titres comme *Je collectionne les mitrailleuses, Mariées obèses, Bricoleurs chrétiens, L'ABC de la chirurgie familiale,* rien pour l'individu normal. Je sortis donc. Je quittai la ville par South Lamar Street pour aller à Rowan Oak après avoir « fait » la place et suivi aussi fidèlement que possible les indications de la dame de l'office du tourisme. Mais impossible de trouver l'endroit. En vérité, cela ne me dérangea pas outre mesure car je savais que c'était fermé et de toute façon je n'ai jamais pu dépasser la page trois d'un roman de Faulkner, c'est-à-dire le milieu de la première phrase. L'idée de visiter sa maison ne me passionnait donc pas tant que ça. Mais au cours de mes recherches, je suis arrivé sur le campus de l'université du Mississippi et c'était beaucoup plus intéressant. C'est un beau campus avec d'élégants bâtiments qui ressemblent à des banques et à des palais de justice, qui projettent leurs longues silhouettes sur les pelouses. Des jeunes gens, l'allure aussi saine et hygiénique qu'une bouteille de lait, s'y promenaient avec des livres sous le bras ou étudiaient sur des tables. Un étudiant noir partageait le même banc que d'autres étudiants blancs. Vraiment les choses avaient bien changé ! Il se trouvait que vingt-cinq ans auparavant, à une semaine près, ce même campus avait été le théâtre de violentes émeutes quand James Meredith, un jeune Noir escorté de cinq cents policiers fédéraux, s'était fait inscrire à l'université. Pour les gens d'Oxford, l'idée d'avoir à partager leur campus avec un négro était tellement insupportable qu'ils avaient blessé trente policiers et tué deux journalistes. Parmi les émeutiers jetant des pierres et incendiant les voitures, il y avait probablement les parents de ces jeunes gens si paisibles aujourd'hui. Il était difficile de croire qu'une haine d'une telle intensité ait pu s'éteindre en une seule génération. Pourtant on imaginait mal ces étudiants tranquilles en train de manifester pour un problème de race. A vrai dire, on imaginait mal un tel groupe de jeunes gens, tirés à quatre épingles et l'air si comme-il-faut, manifester pour quoi que ce soit, sinon peut-être pour l'augmentation du nombre de gaufrettes au chocolat accompagnant les desserts du restaurant universitaire.

Pris d'une soudaine impulsion, je décidai d'aller jusqu'à Tupelo, la ville natale d'Elvis Presley, à cinquante kilomètres à l'est. Ce fut un agréable bout de route avec le soleil bas sur l'horizon et la température idéale. Les deux côtés de la route étaient bordés d'épaisses forêts. Çà et là, dans des clairières, on apercevait des cabanes devant lesquelles une bande de jeunes Noirs jouaient au ballon ou faisaient des tours à vélo. Parfois les maisons avaient plus d'allure, c'étaient des maisons de Blancs, et il y avait alors de gros breaks dans l'allée, un panneau de basket sur la porte du garage et des pelouses bien entretenues. Ces maisons étaient souvent étonnamment proches des cabanes, en fait tout à côté. C'est une chose que vous ne verriez pas dans les États du Nord. L'ironie remarquable du phénomène me frappa : les Sudistes détestent cordialement les Noirs et pourtant ils semblent cohabiter avec eux sans problème, tandis qu'au Nord, les gens n'ont rien en règle générale contre les Noirs, les considèrent même comme des êtres humains dignes de respect et sont prêts à leur souhaiter bonne chance dans la vie, mais désirent surtout ne pas avoir à les fréquenter de trop près.

Quand je suis arrivé à Tupelo, la nuit était tombée. C'était beaucoup plus grand que je ne l'avais imaginé. Mais maintenant je commençais à prendre l'habitude de trouver les choses différentes de ce que j'avais imaginé, si vous me suivez. C'était une piste lumineuse de galeries marchandes, de motels et de stations-service. Affamé et fatigué, j'en vis pour la première fois les côtés positifs. Car tout est là, à portée de main, dans un étalage scintillant d'établissements qui mettent à votre disposition tout le confort imaginable, des endroits propres, confortables, sérieux où, pour un prix raisonnable, on va pouvoir se reposer, se restaurer, s'équiper avec le minimum d'effort physique ou mental. Et en plus, on vous offre des verres d'eau glacée et des secondes tasses de café gratuites, sans parler des pochettes d'allumettes et des cure-dents parfumés pour vous remonter le moral quand vous reprenez la route. Quel pays merveilleux, me suis-je dit en me glissant avec reconnaissance dans le giron accueillant de Tupelo.

7

Le lendemain matin, je me suis rendu à la maison natale d'Elvis Presley. Il était tôt et je pensais la trouver fermée mais c'était ouvert et des visiteurs étaient déjà là, en train de prendre des photos et prêts à faire la queue devant l'entrée. La maison, toute blanche et bien entretenue, s'élevait dans un bouquet d'arbres au cœur d'un parc. Elle avait la forme compacte d'une boîte à chaussures et ne comprenait que deux pièces : celle de devant, avec un lit et une commode, et une cuisine toute simple à l'arrière. Malgré cela, elle donnait une impression de confort et de vrai foyer. Cette maison était sans doute bien supérieure à la plupart des cabanes vues le long de la route. Une dame sympathique, aux bras potelés, était assise sur une chaise et répondait aux questions. On devait bien lui poser les mêmes questions mille fois par jour mais ça ne semblait pas la déranger. Parmi la douzaine de visiteurs, j'étais le seul à avoir moins de soixante ans. Je ne sais si c'est parce qu'Elvis était tellement naze à la fin de sa carrière qu'il n'a plus que des vieux comme fans ou bien simplement parce qu'il n'y a plus que les vieux à avoir le temps et l'envie de visiter les maisons des célébrités décédées.

Derrière la maison, un sentier conduisait à une boutique où l'on vendait des souvenirs à la mémoire d'Elvis : disques, badges, assiettes, posters. Partout son visage vous regardait, ce visage de beau gosse au large sourire. J'ai acheté deux cartes postales et six pochettes d'allumettes que j'ai perdues ensuite quelque part, ce qui, bizarrement, m'a plutôt soulagé. Près de la porte, il y avait un livre d'or pour les visiteurs. Ils venaient tous de villes aux noms invraisemblables : Choucroute, Indiana — Dead Squaw, Oklahoma — Frigid, Minnesota — Haut-le-Cœur, New Mexico — Colostomy, Montana. Une colonne était prévue pour les commentaires. On y lisait : « C'est joli », « C'est très joli », « Vraiment joli », « Joli »... Quelle éloquence. J'ai regardé une des pages précédentes. Quelqu'un avait mal compris l'intention de ces remarques et avait inscrit dans la colonne : « On visite ». Tous les autres visiteurs avaient suivi et avaient inscrit sur la page et celle d'en face : « On visite », « Je visite », « Notre deuxième visite », « Première visite » jusqu'à ce qu'on tourne la page et qu'on reparte sur la bonne voie.

La maison d'Elvis Presley se trouve dans le parc Elvis Presley sur l'avenue Elvis Presley qui conduit à la nationale Elvis Presley. Vous pouvez en déduire que Tupelo est vraiment fière de son célèbre enfant. Et pourtant, c'est une justice à rendre aux habitants, ils n'ont rien fait de vulgaire pour exploiter cette gloire. On n'y trouvait pas ces tapées de boutiques-cadeaux, de musées de cire, tous ces bazars à souvenirs essayant de profiter au maximum de la célébrité déclinante d'Elvis. Non, rien d'autre qu'une jolie petite maison dans un parc ombragé. J'étais ravi de m'y être arrêté.

En quittant Tupelo, je pris la direction du sud, vers Columbus, dans la chaleur du soleil levant. Je vis mes premiers champs de coton. Ils étaient sombres et broussailleux mais de chaque plante s'échappait une petite boule duveteuse de vrai coton. Les champs étaient étonnamment petits. Dans le Middle West on prend l'habitude de fermes qui s'étendent jusqu'à l'horizon. Ici les champs avaient la taille de deux jardins potagers. Il y avait aussi davantage de bicoques au bord de la route, en ligne presque continue. On avait l'impression de visiter le bidonville le plus spacieux de la planète. Et c'étaient de vraies cahutes. Certaines semblaient dangereusement inhabitables avec leurs toits effondrés et des murs qui paraissaient avoir été attaqués au canon. Et pourtant, en passant, on apercevait quelqu'un tapi près de la porte qui vous observait furtivement. Il y avait aussi de nombreuses boutiques le long de la route, beaucoup plus qu'une population aussi pauvre et clairsemée ne semblait le justifier, et elles portaient toutes de grands panneaux annonçant une variété d'articles : ESSENCE, FEUX D'ARTIFICE, POULETS RÔTIS, ASTICOTS VIVANTS. (Je me demande quelle faim pourrait bien me pousser à manger un poulet rôti préparé par un homme qui manipule aussi des asticots vivants.) Devant toutes ces boutiques il y avait des distributeurs de Coca-Cola et des pompes à essence. Et elles étaient presque toutes entourées de carcasses de voitures rouillées et de ferrailles variées. Il aurait été difficile de déterminer le degré de solvabilité de ces commerces à la seule vue de leur état de décrépitude.

De temps à autre je traversais une petite ville poussiéreuse où un tas de Noirs traînaient devant les magasins et les pompes à essence, sans rien faire. C'était ce qui me frappait le plus dans le Sud : la quantité de Noirs, partout. Évidemment, je n'aurais pas dû m'en étonner. Les Noirs représentent 35 pour 100 de la population au Mississippi, presque autant en Alabama, en Georgie et en Caroline du Sud. Dans certains comtés du Sud, les Noirs sont quatre fois plus nombreux que les Blancs. Et pourtant, dans bon nombre de ces comtés, il y a seulement vingt-cinq ans, pas un seul de ces Noirs n'était inscrit sur les registres électoraux.

Au milieu de toute cette misère, Columbus fut une agréable surprise. C'est une magnifique petite ville de 30 000 habitants, patrie de Tennessee Williams. Pendant la guerre de Sécession, elle a été la capitale de l'État durant une brève période et elle en a gardé quelques belles demeures « d'avant guerre » en bordure de l'avenue ombragée qui vient de l'autoroute. Mais le vrai joyau c'est son centre ville qui semble ne pas avoir changé depuis 1955. La boutique du coiffeur Crenshaw est encore surmontée de son enseigne style sucre d'orge rotatif. En face il y a un authentique bazar Five and Dime du nom de Mac Crory, et à l'angle, la Banque du Mississippi dresse son imposant édifice avec une grosse horloge surplombant le trottoir. Le palais de justice, l'hôtel de ville et la poste sont aussi des bâtisses imposantes mais restent à l'échelle d'une petite ville. Les gens y donnent une impression de prospérité. La première personne que j'ai vue était un Noir, visiblement instruit, en costume trois-pièces et le *Wall Street Journal* à la main. C'était un spectacle tout à fait plaisant et réconfortant. La ville méritait trois étoiles. Ajoutez-y la belle place de Pella et vous auriez presque eu mon Amalgame tant recherché. Je commençais à me rendre à l'évidence : je ne la trouverais jamais en un seul endroit. Je serais obligé de l'assembler pièce par pièce : un palais de justice par ici, une caserne de pompiers par là. En tout cas, à Columbus, j'avais trouvé plusieurs de ces pièces.

Je suis allé prendre un café dans la rue principale et j'ai acheté le quotidien local, le *Commercial Dispatch* (le Journal Le Plus Progressiste du Mississippi). C'était un journal démodé, avec un gros titre barrant les huit colonnes de la une : « Visite prochaine d'un groupe d'hommes d'affaires de Taiwan. » Venait ensuite une série de sous-titres sur une colonne, tous de dimensions, de caractères et de degrés de cohérence variables.

Des visiteurs à l'affût de possibilités d'investissements

DANS LE CADRE
D'UNE MISSION
DE COMMERCE

Groupe attendu
Au Triangle d'Or
Jeudi

LES AUTORITÉS DE L'ÉTAT
COORDONNENT LA VISITE

Tous les articles du journal suggéraient une ville où régnaient calme, tranquillité et gentillesse : « Les aides familiales de Trinity Place aident nos concitoyens du troisième âge », « On discute d'un projet de remblai à Lamar », « Adoption du budget de l'école Pickens ». Je passai à la rubrique des faits divers : « Dans les dernières vingt-quatre heures, la police a dû s'engager dans 34 opérations », lisait-on. Quel endroit merveilleux où la police ne s'occupait pas de crimes mais « s'engageait dans des opérations ». D'après la rubrique, l'opération la plus sensationnelle avait été l'arrestation d'un automobiliste qui conduisait malgré un retrait de permis. Plus loin je lus que six personnes étaient mortes dans les dernières vingt-quatre heures — ou plutôt, comme aurait dit la police, s'étaient engagées dans des opérations mortelles — et qu'on avait enregistré trois naissances. Je conçus instantanément une grande tendresse pour le *Commercial Dispatch* (que je rebaptisai mentalement *Amalgame Dispatch*) et pour la ville qu'il couvrait. Finalement, c'est un endroit où je pourrais vivre, pensai-je. Mais à ce moment-là, la serveuse arriva et me dit :

« Tu veux voir mon minou sans t'gêner, chéri ? »

Et je compris que c'était hors de question. Je ne comprenais pas un traître mot de ce que les gens me disaient. Ils auraient tout aussi bien pu me parler chinois. Il nous fallut de longues minutes et force gesticulations du cou-

95

teau et de la fourchette pour rétablir ce que la serveuse avait vraiment dit :

« Tu veux voir le menu du p'tit déjeuner, chéri ? »

En fait, j'avais espéré voir le menu du repas de midi mais plutôt que de passer l'après-midi à essayer de transmettre le message, je demandai un Coca-Cola, ce qui, à mon grand soulagement, n'amena aucune question subsidiaire.

Ce n'est pas seulement la diction confuse des Sudistes qui rend leur discours difficile à suivre, c'est aussi leur lenteur. On finit par en prendre conscience au bout d'un moment. La moyenne des gens du Sud a une élocution qui rappelle celle d'un individu en train d'entrer dans le coma ou d'en sortir. Je peux changer de souliers et de chaussettes en moins de temps qu'il n'en faut aux gens du Mississippi pour sortir une phrase. Vivre dans ce pays me rendrait fou. Lentement.

Columbus se trouvant aux confins de l'État, il ne me fallut que vingt minutes pour me retrouver en Alabama, roulant vers Tuscaloosa, via Ethelsville, Coal Fire et Reform. Sur la nationale, il y avait un panneau : « NE JETEZ PAS VOS DÉTRITUS. GARDEZ ALABAMA LA PROPRE. » OK, je la garderai, répliquai-je gaiement.

Je mis la radio. J'avais tendance à beaucoup l'écouter depuis deux ou trois jours. J'espérais tomber sur des stations ringardes et nasillardes où les chanteurs auraient des noms comme Hank La Branlette et Brenda Les Belles Doudounes. Autrefois c'était comme ça. Mon frère, qui était une sorte de petit génie de la technique, avait fabriqué une radio à ondes courtes à partir de boîtes de conserve et autres matériaux de ce style. Tard dans la nuit, alors qu'on était au lit et supposés dormir, il tripotait son bouton, si j'ose dire, à la recherche de radios lointaines. Souvent il arrivait à capter des stations du Sud. Elles étaient toujours animées par des professionnels du coin et diffusaient une musique nasillarde. Il y avait de la friture et des grésillements, comme si l'émission nous venait d'une autre planète. Mais aujourd'hui on n'entend plus guère d'accents péquenots, et même plus d'accents sudistes du tout. Tous les disc-jockeys parlent comme s'ils étaient nés dans l'Ohio.

A l'entrée de Tuscaloosa, je me suis arrêté pour prendre de l'essence. A ma grande surprise, le jeune homme qui me servit parlait comme s'il était né dans l'Ohio. En fait, il y était né. Il avait sa petite amie à l'université de l'Alabama mais il détestait le Sud qu'il trouvait lent et arriéré. Comme il me semblait le genre de mec branché, je lui ai parlé de l'accent des disc-jockeys. Il m'a alors expliqué que les Sudistes étaient tellement fatigués de leur réputation de rednecks culs-terreux que tous leurs présentateurs radio ou télé essayaient de prendre l'accent du Nord et de jouer au type qui n'avait jamais vu un champ de coton ni mangé une seule galette de maïs de sa vie. De nos jours, c'était le seul moyen de trouver un emploi. Il faut dire aussi que le rythme verbal des gens du Nord permet aux chaînes de radio et de télé de comprimer trois ou quatre spots publicitaires dans le laps de temps qu'il faudrait à un Sudiste pour se racler la gorge. C'était certainement exact et j'ai laissé trente-cinq cents au jeune homme pour le remercier de ces précieuses informations.

A Tuscaloosa, j'ai pris la 69 qui va au sud vers Selma. Pour moi, Selma évoquait de vagues souvenirs liés à la campagne pour les droits civiques dans les années soixante. Martin Luther King y avait pris la tête d'une marche de soixante-dix kilomètres, avec des centaines de Noirs, pour aller à Montgomery, la capitale de l'État, s'inscrire sur les registres électoraux. C'était encore une ville étonnamment belle — cette partie du Sud paraissait en être remplie — qui avait la même taille que Columbus et semblait tout aussi ombragée et charmante. On avait planté des arbres le long des avenues du centre ville et les trottoirs venaient juste d'être refaits en brique. On avait installé des bancs et nettoyé les abords de la rivière Alabama que la ville dominait par un escarpement. A l'office du tourisme, je récupérai quelques brochures à la gloire de la ville. L'une vantait même particulièrement son héritage noir. Cela me fit plaisir. Je n'avais rien vu au Mississippi qui fasse, même de façon discrète, l'apologie des Noirs. Ici, en revanche, Blancs et Noirs me semblaient en bien meilleurs termes. Je les voyais discuter aux arrêts d'autobus. Il y avait même deux infirmières, une noire et une blanche, dans la même voiture, donnant l'impression d'être de vieilles amies. Dans l'ensemble, l'atmosphère semblait plus détendue que dans le Mississippi.

J'ai poursuivi ma route dans un paysage de campagne dégagée et vallonnée. Il y avait encore quelques champs de coton mais on était plutôt dans un pays d'herbages avec de vertes prairies sous le soleil brillant. En fin d'après-midi, presque en début de soirée, je suis arrivé à Tuskegee où se trouve l'Institut du même nom, fondé par Booker T. Washington et agrandi par George Washington Carver. C'est la principale université pour étudiants noirs d'Amérique. C'est aussi un des comtés les plus pauvres des États-Unis. 82 pour 100 de la population est noire. Plus de la moitié des habitants de ce comté ont un niveau de vie en dessous du seuil de pauvreté. Un tiers des maisons n'a pas d'installation sanitaire. C'est vraiment la misère. Où je suis né, on est pauvre si on ne peut pas se payer un frigo qui fabrique des cubes de glace ou si on a une voiture sans vitres électriques. Ne pas avoir l'eau courante dans la maison dépasse l'entendement de la plupart des Américains.

Ce qui impressionne le plus à Tuskegee, c'est que tout le monde est noir. A tous points de vue, c'est une petite ville américaine typique, excepté qu'elle est misérable, qu'il y a des tas de boutiques barricadées de contreplaqué ou dans un état de complet délabrement, et que tous les individus, tous les automobilistes, tous les piétons, tous les commerçants, tous les pompiers, tous les facteurs, le moindre être humain, tout le monde est noir. Sauf moi. Je ne me suis jamais senti aussi encombré par mon propre corps, aussi visible. Je compris soudain ce que peut éprouver un Noir dans le Dakota du Nord. Je me suis arrêté dans un Burger King prendre un café. Il y avait bien cinquante Noirs à l'intérieur et j'étais le seul Blanc. Mais personne n'a eu l'air de le remarquer ou de s'en soucier. C'était néanmoins une sensation étrange — et je dois avouer que c'est avec soulagement que je me suis retrouvé sur la nationale.

J'ai continué vers Auburn, à trente kilomètres au nord-est. C'est aussi une ville universitaire, à peu près de la même taille que Tuskegee. Mais le contraste était frappant. Les étudiants d'Auburn étaient blancs et riches. La première chose que j'y ai vue, ce fut une jolie blonde au volant d'une copie de Duesenberg qui avait bien dû coûter 25 000 dollars à son papa, sans doute comme cadeau de fin d'études secondaires. Si j'avais pu courir assez vite pour rester à sa hauteur, j'aurais volontiers uriné sur ses portières. Venant tout de suite après la pauvreté de Tuskegee, cette richesse me donnait un étrange sentiment de honte. Cependant je dois reconnaître qu'Auburn paraissait une ville agréable. De toute manière, j'ai toujours aimé les villes universitaires. Ce sont bien les seules villes américaines qui arrivent à mêler au charme de la vie provinciale un peu de la sophistication des grandes métropoles. En général, ces villes ont des bars et des restaurants sympathiques, des magasins plus attrayants et semblent plus civilisées. Et il est toujours agréable de fréquenter vingt mille jeunes gens en train de profiter des meilleures années de leur vie.

De mon temps, les principales occupations des étudiants étaient le sexe, les joints, les manifs et les études. Les études, c'était seulement quand les trois autres n'étaient pas disponibles. Mais enfin on étudiait. De nos jours, il semble que le seul souci des jeunes Américains soit le sexe et les fringues. Je n'ai pas l'impression que les études comptent beaucoup. Au moment de mon voyage, il y avait justement un tollé aux États-Unis contre cette épidémie d'ignorance qui semble envahir la jeunesse du pays. Ce grand « Mea Culpa » national était illustré par le rapport du *National Endowment for the Humanities*. Cette étude avait soumis 8 000 étudiants en fin d'études secondaires à des séries de tests et les résultats avaient établi qu'ils étaient tous bêtes à manger du foin. Plus des deux tiers d'entre eux ne connaissaient pas les dates de la guerre de Sécession, ne savaient pas qui étaient Staline ou Churchill, ne connaissaient pas l'auteur des *Contes de Cantorbery*. La moitié pensait que la Première Guerre mondiale s'était déroulée avant 1900. Un tiers pensait que Roosevelt était président des États-Unis pendant la guerre du Vietnam, que Christophe Colomb avait découvert l'Amérique après 1750. Et — pour moi, c'était le pompon — 42 pour 100 d'entre eux ne pouvaient pas citer un seul pays d'Asie. J'aurais difficilement pu le croire si je n'avais pas eu moi-même l'occasion de faire un constat similaire. L'été précédent, j'avais emmené deux jeunes Américaines dans le Dorset ; c'étaient des filles intelligentes qui se préparaient à entrer dans des universités réputées. Eh bien, aucune des deux n'avait entendu parler de Thomas Hardy. Vous vous imaginez, vivre dix-huit ans sans même entendre parler de Thomas Hardy.

Je ne sais pas comment on peut l'expliquer, mais j'ai bien l'impression qu'on aurait pu passer une semaine dans la ville d'Auburn à baiser le cul de tous ceux qui avaient entendu parler de Thomas Hardy sans risquer d'attraper des gerçures aux lèvres. Mais c'est peut-être là un commentaire tout à fait injustifié. Après tout, Auburn est peut-être une pépinière de spécialistes de Thomas Hardy. Tout ce que je sais pour y avoir brièvement séjourné, c'est qu'il n'y a pas une seule librairie digne de ce nom dans toute la ville. Comment une ville universitaire peut-elle exister sans une bonne librairie ? Il y en avait bien une mais elle ne vendait que les livres au programme et tout un bric-à-brac sans aucun rapport avec la littérature, sweat-shirts, animaux en peluche et autres gadgets aux armes de l'université d'Auburn. En général, les universités américaines de la taille d'Auburn comptent 20 000 étudiants ou même davantage, et environ 800 à 1 000 professeurs et chargés de cours. Comment une communauté rassemblant un tel nombre de personnes instruites ne peut-elle faire vivre une seule librairie sérieuse ? Si je faisais partie du *National Endowment for the Humanities*, c'est une question que je trouverais aussi importante que les raisons de l'échec lamentable des lycéens aux tests de culture générale.

En passant, je vais vous dire pourquoi leurs résultats sont si lamentables. C'est parce qu'ils répondent aux questions au hasard, le plus rapidement possible, pour pouvoir dormir après. C'était ce qu'on faisait tout le temps. Une fois par an au lycée, le proviseur, M. Paillasson, nous rassemblait dans l'auditorium et nous obligeait à passer une journée mortelle à répondre à des questions portant sur des sujets divers, dans le cadre d'un examen national quelconque. Comme c'était des questions à choix multiples, on avait vite compris qu'en cochant les réponses au hasard sans même lire les questions, on pouvait terminer en un rien de temps et attendre le prochain test en fermant les yeux, à se faire un petit cinéma érotique. Tant que notre crayon restait bien en place et qu'on ne ronflait pas, M. Paillasson, dont le travail consistait à arpenter les travées à la recherche des tricheurs, nous laissait tranquilles. C'était son métier, à M. Paillasson : passer ses journées à la recherche de ceux qui ne respectaient pas les règlements. Je le voyais bien chez lui, le soir, en train de tourner autour de la table de la salle à manger et de coller des coups de règle à sa femme chaque fois qu'elle ne se tenait pas droite. La vie avec lui devait être un enfer. Son vrai nom n'était pas Paillasson, évidemment. Il s'appelait M. Superducon.

8

Je poursuivis ma route sous un soleil matinal déjà vif. A certains endroits, la route plongeait dans d'épaisses forêts de pins et traversait des séries de bungalows de vacances construits au milieu des bois. Atlanta ne se trouvait qu'à une heure de voiture plus au nord et, visiblement, les gens du coin essayaient de tirer bénéfice de cette proximité. Je traversai une petite localité baptisée Pine Mountain (la Montagne du Pin) qui semblait offrir tout ce qu'on pouvait demander à une station de vacances. La ville était charmante et avait de beaux magasins. La seule chose qui lui manquait, c'était une montagne. Un peu décevant, vu son nom. J'avais pris cette route justement parce que le nom de « Montagne du Pin » avait fait surgir dans mon esprit candide des visions d'air pur, de précipices escarpés, de forêts odorantes, de torrents bouillonnants — le genre de paysage où l'on s'attend à rencontrer quelqu'un comme Davy Crockett. Mais, après tout, pouvait-on reprocher aux gens du pays cette légère entorse à la vérité quand il s'agissait de faire rentrer les dollars ? On ne peut pas s'attendre à voir les automobilistes faire un détour de plusieurs kilomètres pour visiter un coin qui s'appellerait « Bourg La Plaine ».

Le paysage devenait de plus en plus vallonné, bien que désespérément dépourvu de précipices, à mesure qu'on entamait la descente vers Warm Springs. Depuis des années, je nourrissais le projet d'y aller, je ne sais pas trop pourquoi. Je ne savais rien de l'endroit sauf que Franklin Roosevelt y était mort. Le couloir principal du siège du *Register and Tribune* de Des Moines était tapissé de premières pages historiques qui me passionnaient quand j'étais gamin. L'une d'entre elles portait en gros titre « Le Président Roosevelt meurt à Warm Springs » et, déjà à l'époque, je trouvais que ça devait être un endroit bien agréable pour terminer ses jours.

En l'occurrence, Warm Springs est un endroit agréable. Il y a une rue principale avec un vieil hôtel d'un côté et une rangée de magasins de l'autre. Mais on les a restaurés et transformés en boutiques haut de gamme et échoppes à cadeaux pour les touristes venus d'Atlanta. Tout est visiblement artificiel — il y a même à l'extérieur de la musique d'ascenseur pour ceux qui arrivent à supporter ça — mais l'ensemble n'est pas déplaisant.

Je suis allé en voiture à la Petite Maison Blanche, à quatre kilomètres de la ville. Le parking était pratiquement désert, à part un vieil autocar dont descendait un chargement de personnes du troisième âge. L'autocar appartenait à l'Église baptiste du Calvaire d'un bled comme Pétard (Georgie) ou Sans-Culotte (Alabama). Les vieux étaient bruyants et tout excités, de vrais écoliers. Ils me bousculèrent pour arriver avant moi au guichet, sans savoir que je suis tout à fait capable de donner un coup de poing à un vieillard, surtout s'il est membre de l'Église baptiste. Mais je me contentai de sourire avec bienveillance et je leur cédai la place, réconforté par la certitude que bientôt ils seraient morts.

J'achetai mon billet et doublai rapidement la bande de

vieux sur la pente qui montait au complexe Roosevelt. Le sentier passait à travers un bois de pins si hauts qu'ils bloquaient totalement la lumière du jour si bien que le sol était nu et semblait balayé de frais. Le sentier était bordé de larges rochers venant de tous les États d'Amérique. Apparemment on avait demandé à chaque gouverneur d'offrir un morceau de pierre du pays et elles étaient là, toutes bien alignées, comme une garde d'honneur. On ne voit pas tous les jours une idée aussi stupide arriver à bonne fin. De nombreuses pierres avaient été taillées selon la forme de l'État puis polies et gravées. Mais d'autres, qui n'avaient visiblement pas saisi l'esprit du projet, n'étaient que des morceaux de rochers quelconques portant une plaque avec une légende : « Delaware. Morceau de granit. » La contribution de l'Iowa était, comme il fallait s'y attendre, d'une prudente médiocrité. La pierre avait été taillée pour reproduire la forme de l'État mais par un sculpteur qui, à l'évidence, en était à son coup d'essai. J'imagine qu'il avait dû, juste pour voir, soumettre l'offre la plus basse et être tout étonné de décrocher le contrat. Au moins l'Iowa avait-il trouvé un bout de rocher. Je m'étais presque attendu à trouver une motte de terre.

Après cette diversion d'un genre inhabituel, on tombait sur un bungalow blanc qui était autrefois la maison voisine et dont on avait fait un musée. Comme toujours aux États-Unis, c'était réussi et intéressant. Les murs étaient couverts de photographies de Roosevelt à Warm Springs et un grand nombre de ses effets personnels étaient exposés dans des vitrines : chaises roulantes, béquilles, prothèses métalliques pour ses jambes et autres objets de ce style. Certains étaient d'une complexité surprenante et éveillaient une curiosité morbide. F.D.R. avait en effet toujours pris soin de cacher au public à quel point il était handicapé. Et ici on nous le montrait en caleçon, pour ainsi dire. La pièce qui contenait les cadeaux qu'il avait reçus pendant son mandat de président me plut tout particulièrement. C'était le genre de cadeaux faits main qu'on flanque généralement au fond d'un vaste placard. Il y avait des douzaines de cannes sculptées, des cartes des États-Unis en marqueterie, des portraits du Président taillés dans des défenses de morse ou gravés à l'acide sur des plaques d'ardoise. Tout était magnifiquement réalisé. Chaque objet était le résultat de centaines d'heures de gravure délicate et de patientes finitions — et chacun était destiné à un étranger qui ne verrait là qu'un exemplaire de plus à ajouter à une interminable collection de souvenirs personnalisés. J'étais tellement absorbé par l'examen de ces objets que je ne remarquai pas l'entrée mouvementée des vieux, quelque peu essoufflés mais toujours aussi remuants. Une dame à la chevelure bleutée me poussa sans ménagement pour examiner une des vitrines. Elle me lança un regard qui disait : « Je suis vieille donc je peux me mettre où je veux » et me raya de ses pensées. « Dis, Hazel, s'écriat-elle, tu savais que tu es née le même jour qu'Eleanor Roosevelt ?

— Sans blague ? répondit une voix rauque venue de la salle d'à côté.

— Personnellement, je suis née le même jour qu'Eisenhower », reprit toujours aussi fort la dame aux cheveux bleus. Et elle renforça sa position en tortillant son vaste fessier.

« Et j'ai un cousin né le même jour qu'Harry Truman. »

Je caressai un moment l'idée de saisir la dame par les deux oreilles et de lui enfoncer mon genou dans le crâne, mais au lieu de le faire je passai dans la salle suivante. Là, on entrait dans un petit cinéma qui projetait un vieux film grésillant en noir et blanc sur la lutte de Roosevelt contre la polio et ses longs séjours à Warm Springs où il essayait de redonner un peu de vie à ses jambes atrophiées comme si elles s'étaient simplement endormies. C'était vraiment bien fait. Écrit et commenté par un correspondant d'UPI, c'était émouvant sans tomber dans la guimauve. Ces films muets amateurs, dont le rythme sac-

105

cadé suggérait que quelqu'un hors champ hurlait à tous les participants de se dépêcher, exerçaient la même fascination voyeuriste que les appareils orthopédiques de F.D.R. Après quoi on était enfin libres de passer à la visite de la Petite Maison Blanche elle-même. Je bondis littéralement en avant pour éviter d'avoir à partager cette expérience avec la bande de vieux. On devait descendre un autre sentier et passer une guérite blanche. Je fus surpris par la petite taille de la maison. Ce n'est qu'une petite chaumière blanche dans les bois, toute de plain-pied, avec cinq petites pièces lambrissées de bois foncé. On a peine à imaginer que ça puisse être la propriété d'un président, surtout d'un riche président comme Roosevelt. Après tout, il possédait la plupart des terres des alentours, y compris l'hôtel de la grand-rue, plusieurs maisons et les sources elles-mêmes. Cependant c'est justement la petite taille de la chaumière qui lui donne cet air confortable et charmant. Et de nos jours encore, elle paraît douillette et habitée. On aurait envie d'être le propriétaire, même si cela implique d'habiter en Georgie pour en profiter. Dans chaque pièce, un bref commentaire enregistré vous décrit comment Roosevelt travaillait ou subissait sa physiothérapie dans la petite maison. Ce qu'on ne vous dit pas, c'est qu'en réalité il y venait principalement pour se livrer à quelques galipettes pastorales avec sa secrétaire Lucy Mercer. Leurs deux chambres n'étaient séparées que par le salon. L'enregistrement ne le souligne pas trop mais on vous précise cependant que la chambre d'Eleanor, située à l'arrière et de standing nettement inférieur à celle de la secrétaire, était utilisée surtout comme chambre d'amis, Eleanor ne venant pratiquement jamais dans le Sud. En quittant Warm Springs, j'ai fait un détour de quelques kilomètres pour emprunter la route panoramique jusqu'à Macon. Mais elle n'avait pas grand-chose de panoramique. On ne pouvait pas dire qu'elle manquait totalement de panorama mais elle n'avait rien de spécialement panoramique. Je commençais à soupçonner que les indications « panoramique » de ma carte avaient été attribuées quelque peu au hasard. J'imaginais bien un type qui n'aurait jamais mis les pieds au sud de Jersey City, assis dans son bureau de New York, déclarant : « Voyons un peu, de Warm Springs à Macon... Mais ça m'a l'air charmant ! » Et saisissant son crayon, la langue légèrement tirée, il avait dû tracer la ligne pointillée orange qui signifie route panoramique.

Macon était une ville charmante — toutes les villes du Sud semblaient être charmantes. Je me suis arrêté pour prendre de l'argent à la banque où j'ai découvert que la dame du guichet venait de Great Yarmouth en Angleterre, ce qui fut pour tous les deux l'événement de la journée. Puis j'ai repris ma route en empruntant le pont *Memorial* Otis Redding. C'est une mode, dans bien des coins en Amérique, et surtout dans le Sud, d'honorer certaines réalisations en béton en leur donnant le nom d'une gloire locale : le pont *Memorial* Sylvester C. Gravosse, la digue Chester Utérus, par exemple. Ça me paraît complètement dingue. Vous travaillez toute votre vie, vous vous battez bec et ongles pour arriver au sommet, vous faites des heures supplémentaires, négligez votre vie familiale, poignardez vos collègues dans le dos, vous passez pour un vrai salaud aux yeux de tout le monde et tout ça pour qu'on donne votre nom au pont routier qui enjambe la rivière Tappaloosa. Il y a quelque chose qui cloche quelque part. En tout cas, ce pont-là portait au moins le nom de quelqu'un que je connaissais.

Je faisais route vers l'est, pour aller à Savannah par l'autoroute 116. Ce furent deux cent soixante-dix-huit kilomètres à travers les terres d'argile rouge de la Georgie, un voyage d'un ennui indescriptible. Il m'a fallu cinq heures de chaleur, sans le moindre intérêt, pour atteindre Savannah. Tandis que vous, heureux lecteurs, il vous suffit de baisser les yeux pour passer au paragraphe suivant.

107

Je me suis retrouvé bouche bée sur la place Lafayette parmi les sentiers pavés de briques, les fontaines jaillissantes et le sombre feuillage des arbres tapissés de mousse espagnole. Devant moi se dressait une cathédrale d'une blancheur exquise, fraîche comme du lin, surmontée de deux flèches gothiques et entourée de maisons de briques patinées vieilles de deux cents ans, dont les volets étaient visiblement encore utilisés de nos jours. Je ne me serais jamais douté qu'une telle perfection puisse exister aux États-Unis. Il y a vingt places de ce style à Savannah, fraîches et tranquilles sous leur voûte de verdure, entourées d'avenues longues et droites, toutes aussi ombragées et sereines. Et ce n'est qu'en quittant cette forêt tropicale urbaine, quand vous vous heurtez aux grandes artères dénudées de la ville moderne exposée à l'éclat aveuglant d'un soleil brûlant, que vous prenez conscience de l'écrasante chaleur qui peut régner dans le Sud. On était au mois d'octobre, saison des grogs et des chemises de flanelle en Iowa. Mais ici l'été n'avait pas dit son dernier mot. Il n'était que huit heures du matin et déjà les hommes d'affaires desserraient leur cravate et s'épongeaient le front. On imagine ce que ça doit être au mois d'août ! Tous les magasins, tous les restaurants ont l'air conditionné. Vous entrez quelque part et vous avez la sueur qui forme des glaçons sous vos aisselles. Vous ressortez et l'air vous agresse comme l'haleine chaude et déplaisante d'un vieux chien. Ce n'est que sur les places qu'on retrouve une sorte d'heureux équilibre climatique.

Savannah est une ville pleine de séduction et presque sans m'en rendre compte, je m'y suis promené pendant des heures. La ville est riche d'un millier de maisons historiques, et la plupart d'entre elles sont encore habitées. C'était la première ville américaine que je visitais, New York mise à part, dont le centre fût encore habité. Et quelle différence cela fait ! Tout est plus animé, plus vivant, on voit des enfants qui jouent au ballon dans la rue ou qui sautent à la corde devant les maisons. Je suis allé tout en flânant sur les trottoirs pavés de l'avenue Oglethorpe jusqu'au cimetière du parc colonial, plein de monuments décrépits et de pierres tombales à la mémoire de gens célèbres ayant marqué l'histoire de l'État — Archibald Bulloch, premier président de la Georgie, James Habersham, « illustre négociant », et Button Gwinnett, très connu aux USA pour avoir signé la Déclaration d'Indépendance et être affublé du prénom (Bouton) le plus ridicule de l'histoire coloniale. Les gens de Savannah semblent avoir perdu, dans un moment de distraction, ce malheureux Button. D'après l'inscription de la stèle, il pouvait être sous mes pieds, ou là-bas dans l'angle, ou tout aussi bien quelque part ailleurs. On peut arpenter Savannah toute la journée sans jamais savoir si on n'est pas en train de marcher sur ce sacré « Bouton », pour ainsi dire.

Le centre commercial de Savannah n'a pas bougé depuis 1959. Le Woolworth ne semble pas avoir renouvelé son stock depuis cette époque. Il y a un bon vieux cinéma, le Weis, mais il était fermé. Trouver un cinéma en plein cœur de la ville est une chose qui appartient presque au passé en Amérique. Hélas, hélas, hélas. On raconte partout que l'industrie du cinéma est florissante aux États-Unis et pourtant toutes les salles de cinéma sont reléguées dans les complexes commerciaux de la banlieue. Et là, on vous offre le choix entre une douzaine de films mais chaque salle a la taille d'un grand réfrigérateur et n'est guère plus confortable. Il n'y a plus de balcons. Vous imaginez ? Vous imaginez des salles de cinéma sans balcons ? Pour moi, aller au cinéma, c'est se mettre au premier rang du balcon, les pieds sur le rebord, c'est pouvoir balancer des emballages de bonbons sur les gens de l'orchestre ou bien, pendant les scènes d'amour particulièrement barbantes, les arroser de Coca et jeter des Nibs sur l'écran. Les Nibs étaient ces bonbons à la réglisse, qu'on disait fabriqués à partir des restes de caoutchouc de la guerre de Corée, une friandise extraordinairement populaire dans les années cinquante. C'était quasiment immangeable mais si on les mâchouillait pendant quelques instants et qu'on les catapultait sur l'écran, ils s'y collaient avec un petit « ploc » très intéressant. Rituellement, le samedi, on descendait en ville en autobus pour se rendre au cinéma Orpheum. On achetait une boîte de Nibs et on passait l'après-midi à bombarder l'écran. Mais il fallait faire attention. Le gérant employait des ouvreuses particulièrement vachardes, des filles renvoyées de l'école technique dont le grand regret était de ne pas avoir connu l'Allemagne hitlérienne et qui patrouillaient le long des rangées, cherchant à la lueur de leur puissante lampe de poche les jeunes qui se tenaient mal. Deux ou trois fois par projection, leur faisceau lumineux se braquait sur quelque infortuné à moitié levé, un Nib mouillé à la main, prêt au lancer. Et elles se précipitaient sur lui pour le maîtriser et elles l'emportaient, piaillant. C'est le genre de chose qui ne m'est jamais arrivée, ni à mes copains, Dieu merci ! On était persuadés que les victimes étaient emmenées pour être torturées à l'électricité avant d'être livrées à la police et finir en rééducation dans une maison de redressement. Ah, quelle époque ! N'allez pas me dire que ces complexes de banlieue avec leurs salles de la taille d'une boîte à chaussures et leur écran grand comme une serviette de bain peuvent offrir quelque chose de comparable à l'ambiance fascinante et conviviale de ces cavernes ténébreuses du centre ville. Personne ne semble s'en être aperçu jusqu'à présent mais notre génération pourrait bien être la dernière à avoir connu ce que le cinéma peut avoir de magique.

Sur ces réflexions profondes, je me suis dirigé vers Water Street, au bord de la rivière Savannah, où l'on a aménagé une nouvelle promenade. L'eau de la rivière y est sombre et malodorante. Du côté de la Caroline du Sud, sur la rive opposée, on ne voit que des entrepôts déglingués et en aval des usines qui recrachent des nuages de fumée. Mais les vieux entrepôts de coton qui dominent la rivière, côté Savannah, sont splendides. On les a restaurés sans trop en faire dans le genre mignon ;

leur rez-de-chaussée est occupé par des boutiques et des bars à huîtres, mais les étages supérieurs sont restés un brin miteux, ce qui leur donne cet air canaille que je recherchais depuis Hannibal. Certaines boutiques en font un peu trop, je l'admets. Il y en a une : « La Boutique La Plus Chou De La Ville » qui m'a donné « La Plus Grosse Envie De Gerber Du Pays ». Une pancarte sur la porte disait : « Enterdiction Apsolue d'entré avec boisson ou nouriture ». Je suis tombé à genoux pour remercier le Seigneur de ne pas avoir à fréquenter le propriétaire. La boutique étant fermée, je ne pourrai jamais vous dire ce qu'elle avait de tellement chou.

Au bout de la rue, il y a le nouvel hôtel Hyatt Regency qui vous flanque instantanément la déprime. Ses formes massives en béton appartiennent visiblement à l'école d'architecture tendance « on n'en a rien à foutre » que les chaînes hôtelières américaines ont en prédilection. Rien dans le style de l'hôtel ou dans ses dimensions ne montre la moindre considération pour les vieux bâtiments qui l'entourent. Le message est simple : « Savannah, on n'en a rien à foutre ! » La ville est particulièrement défavorisée de ce point de vue. Toutes les deux ou trois rues, on tombe sur un morceau de béton en complète discordance avec l'environnement : le De Soto Hilton, le Ramada Inn, le Best Western Riverfront. Tous à peu près aussi alléchants qu'un crachat sur un gâteau de maïs, comme on dit en Georgie. En fait, personne n'emploie cette expression en Georgie, je viens de l'inventer. Mais cela a une sonorité sudiste bien sympathique, vous ne trouvez pas ? Je commençais à me sentir personnellement agressé par tous ces hôtels et risquais de devenir assez désagréable lorsque mon attention fut attirée par un ouvrier devant le palais de justice, un grand édifice surmonté d'un dôme doré. Il manipulait un « souffleur de feuilles », appareil bruyant relié au bâtiment par des kilomètres de tuyaux. Je n'avais jamais rien vu de pareil. Ça ressemblait un peu à un aspirateur, en fait on aurait dit le Martien dans le film *La Chose qui venait*

111

de l'espace et c'était très bruyant. Le principe était, si j'ai bien compris, de « souffler » les feuilles pour les rassembler en tas et ensuite de les ramasser à la main. Mais toutes les fois que l'homme avait réussi à les entasser, une petite brise se levait et démolissait le monticule. Parfois il s'acharnait sur une feuille qu'il poursuivait de son « souffleur » le long du pâté de maisons. Pendant ce temps, toutes les autres feuilles en profitaient pour s'éparpiller dans toutes les directions. C'était de toute évidence le genre d'appareil qui avait dû sembler génial sur catalogue mais qui ne marcherait jamais dans la vie réelle. Je me suis demandé un instant si par hasard la société Zwingle ne serait pas dans le coup...

J'ai quitté Savannah par le pont *Memorial* Herman Talmadge, une grande structure en armatures de fer qui s'élève de plus en plus haut au-dessus de la rivière Savannah et qui vous jette, yeux écarquillés et cœur battant, sur la rive de la Caroline du Sud. Je voulais suivre une route indiquée sur ma carte comme faisant des méandres côtiers ; en fait elle faisait des méandres terrestres. Cette partie de la côte est parsemée d'îlots, de criques, de plages couvertes de dunes ondulantes, mais j'eus peu de chances de m'en apercevoir. La route est longue et étroite, et doit être un enfer l'été quand des millions de vacanciers venus de la côte Est se dirigent vers les plages de Tybee Island, Hilton Head, Laurel Bay, Fripp Island.

Ce n'est qu'en arrivant à Beaufort (prononcez Bioufeurte) que j'ai vraiment pu voir la mer. A la sortie d'un virage je me suis retrouvé brutalement devant un paysage d'une beauté à vous couper le souffle, une baie remplie de bateaux et de bancs de roseaux dont l'eau calme et scintillante était aussi bleue que le ciel. Selon mon guide touristique *Mobil*, les trois principales sources de revenus de la région sont le tourisme, les militaires et les retraités. Pas très réjouissant, semble-t-il. Mais en réalité Beaufort est une petite ville adorable, avec de belles maisons cossues et un centre commercial à l'ancienne. Je me garai dans Bay Street, la rue principale où j'eus la surprise de constater la modestie de la somme exigée par le parcmètre : dix cents. Ça doit bien être la dernière chose qu'on peut se payer en Amérique pour un nickel : trente minutes de tranquillité d'esprit à Beaufort, Caroline du Sud. Je suis allé me balader à pied du côté du parc public et de la marina, une réalisation récente, apparemment. Ce n'était que la quatrième fois que je voyais l'océan Atlantique, côté américain. Pour nous, originaires du Middle West, l'océan est une chose qu'on a rarement l'occasion de rencontrer. Le petit parc était rempli de panneaux interdisant toute forme d'amusement et toute attitude déplacée. Il y en avait tous les mètres : INTERDICTION DE NAGER OU DE PLONGER DE LA JETÉE. INTERDICTION DE FAIRE DU VÉLO DANS LE PARC. IL EST INTERDIT DE COUPER OU D'ABÎMER LES FLEURS, LES MASSIFS OU LES ARBRES. INTERDICTION DE CONSOMMER VIN, BIÈRE OU BOISSONS ALCOOLISÉES DANS LES PARCS DE LA VILLE SANS AUTORISATION SPÉCIALE DES AUTORITÉS MUNICIPALES. TOUT CONTREVENANT SERA POURSUIVI.

Je ne sais pas quel petit Staline ils ont à la tête du conseil municipal de Beaufort mais j'ai rarement visité un endroit vous réservant un accueil aussi peu chaleureux. Cela m'a incommodé au point où ça m'a coupé l'envie d'y rester une minute de plus. Et je suis parti sur-le-champ, ce qui est dommage car il restait encore douze minutes de stationnement au compteur de mon parcmètre.

En conséquence, je suis arrivé douze minutes plus tôt que prévu à Charleston, ce qui tombait bien. Savannah m'était apparue comme la plus charmante petite ville américaine que j'aie jamais vue. Mais elle fut rapidement reléguée en deuxième position à mesure que je découvrais Charleston. Quand on dépasse le port, la ville se rétrécit en un promontoire arrondi sur lequel se dressent de magnifiques vieilles demeures, alignées l'une à côté de l'autre le long d'avenues droites et ombragées, comme de gros livres sur une étagère bien remplie. Certaines sont dans le style victorien le plus chargé, une vraie dentelle, et d'autres sont très sobres, en bois blanc avec des volets noirs. Mais elles ont toutes au moins trois étages et leur hauteur est d'autant plus impressionnante qu'elles sont bâties tout près de la chaussée. Puisqu'il n'y a pour ainsi dire pas de jardins — encore qu'on voie partout des jardiniers vietnamiens soignant minutieusement des bouts de gazon grands comme des napperons — les enfants jouent donc dans la rue et les femmes, toutes blanches, jeunes et riches, bavardent sur les marches d'entrée. Ça ne correspond pas aux normes américaines. En Amérique, les gosses de riches ne jouent pas dans la rue. Ce n'est pas nécessaire : ils se prélassent au bord de la piscine ou bien ils fument du hasch dans la maison de trappeur que papa leur a fait construire pour trois mille dollars quand ils avaient neuf ans. Et les mères de ces gamins, quand elles veulent papoter avec une voisine, prennent le téléphone ou montent dans leur break climatisé et font les cinquante mètres en voiture. Cela me fit comprendre à quel point l'automobile, les banlieues et la richesse mal répartie ont abîmé la vie américaine. Charleston a le climat et l'ambiance de Naples avec le niveau de vie et le style d'une ville américaine ; j'étais sous le charme. J'ai passé mon après-midi à marcher, à flâner dans ces rues paisibles, admirant en secret tous ces gens incroyablement beaux et heureux, toutes ces merveilleuses demeures, toutes ces vies de luxe, parfaites.

Le promontoire se terminait en un parc où des enfants faisaient des acrobaties sur leurs vélos tout-terrain, où de jeunes couples se promenaient main dans la main et des Frisbees virevoltaient dans les longues zébrures d'ombre et de lumière que le soleil couchant dessinait dans le feuillage des magnolias. Les gens étaient tous beaux, jeunes, bien récurés. J'avais l'impression de me promener dans un clip publicitaire pour Pepsi-Cola. Au bout du parc, un boulevard-promenade dominait le port, vaste, vert et scintillant. Je m'approchai du bord : l'eau frappait la pierre et sentait le poisson. A deux milles au large, on voyait le Fort Sumter où la guerre de Sécession a commencé. La promenade était bondée de cyclistes et de joggers en sueur qui se faufilaient adroitement dans la foule des piétons et des flâneurs. Je fis demi-tour pour retourner à la voiture. Le soleil me chauffait le dos et je sentis obscurément qu'après une telle perfection les choses ne pourraient aller qu'en se dégradant.

9

Pour gagner du temps, j'ai pris l'Interstate 26, cette autoroute qui traverse la Caroline du Sud en diagonale sur trois cent vingt kilomètres, dans un paysage assoupi de champs de tabac et de terres couleur saumon. D'après mon guide touristique *Mobil*, je n'étais plus dans le Sud profond mais dans les États du « Middle Atlantique ». Cependant c'était toujours la chaleur et la luminosité intense du Sud et les gens qu'on rencontrait aux pompes à essence ou dans les cafés le long de la route avaient tous l'accent du Sud. Même les animateurs de radio appartenaient au monde du Sud, dans leurs intonations comme dans leur façon de voir les choses. Selon un des bulletins d'informations, la police de Spartanburg recherchait « deux Noirs qui avaient violé une femme blanche ». Il n'y a vraiment que dans le Sud qu'on peut entendre ça.

En approchant de Columbia, les champs en bordure de route se remplissent de grands panneaux faisant de la publicité pour des motels et des restaurants fast food. Ce ne sont plus les panneaux de ma jeunesse, bas sur pattes, remplis d'illustrations attrayantes et de vaches en trois dimensions, mais simplement de grandes surfaces agressives perchées sur des poteaux métalliques de quinze mètres. Leur message est sec et n'a rien d'une incitation à la détente ou au plaisir. Les panneaux d'autrefois étaient bavards et vous disaient des choses comme : PENDANT VOTRE SÉJOUR À COLUMBIA, POURQUOI NE PAS VOUS ARRÊTER AU SKYLINER MOTOR INN, UN HÔTEL MODERNE OÙ VOUS POURREZ ESSAYER NOS NOUVEAUX LITS SENSUMATIC À VIBRATIONS ? VOUS ADOREREZ ÇA ! CONDITIONS SPÉCIALES POUR LES ENFANTS. TV ET AIR CONDITIONNÉ DANS TOUTES LES CHAMBRES. GLACE À RAFRAÎCHIR GRATUITE. PARKING ILLIMITÉ. ANIMAUX DOMESTIQUES ACCEPTÉS. BUFFET À GOGO TOUS LES MARDIS DE 17 À 19 HEURES, DANCING EN SOIRÉE AVEC L'ORCHESTRE VERNON STURGES ET SES GUITARES ENCHANTÉES (SVP, PAS DE NÈGRES). Ces anciens panneaux ressemblaient plutôt à des cartes postales géantes, pleines d'informations utiles où l'on trouvait matière à lecture et à réflexion ainsi qu'un bref aperçu de la culture locale. La capacité d'attention du public s'est de toute évidence amenuisée depuis lors. Maintenant les panneaux se contentent de vous donner l'identité du commerce et les renseignements directionnels. On les voit de très loin : HOLIDAY INN, SORTIE 26E, 7 KM. Parfois c'est plus compliqué et ça donne : BURGER KING. 21 MILES. EXIT 17B, 5 MILES, VERS US 49 SUD. À DROITE AUX FEUX. DIRECTION OUEST 4 MILES APRÈS AÉROPORT. Il faut vraiment avoir désespérément envie d'un Big Mac ! Et pourtant ce genre de publicité est efficace. Vous êtes au volant, l'esprit tournant à vide, souffrant légèrement de la faim et d'une carence en lipides, vous voyez le panneau « MCDONALD — SORTIR ICI » et c'est presque une réaction instinctive de prendre la bretelle et d'obéir. Plus d'une fois, au cours de ces semaines, je me suis retrouvé assis devant une petite boîte de plastique avec de la nourriture dont je n'avais pas envie ou que je n'avais pas le temps de manger, simplement parce qu'un panneau m'en avait donné l'ordre.

A la frontière de la Caroline du Nord, le paysage ennuyeux prend fin brutalement, comme si une loi l'avait décrété. Soudain la campagne ondule en collines majestueuses couvertes de buissons rampants de lauriers, de rhododendrons et de palmiers nains. Au sommet de chaque butte, l'horizon s'ouvre et offre des perspectives brumeuses sur les Blue Ridge Mountains qui font partie de la chaîne des Appalaches. Les Appalaches s'étendent sur 3 360 kilomètres, entre l'Alabama et le Canada. Autrefois elles étaient plus hautes que l'Himalaya (je l'ai lu un jour sur une pochette d'allumettes et ça fait des années que j'attends de le replacer) mais aujourd'hui elles ont quelque peu diminué de hauteur et se sont arrondies, gagnant en charme ce qu'elles perdaient en intensité dramatique. Sur toute leur longueur, les Appalaches portent des noms différents : les Adirondacks, les Poconos, les Catskills, les Alleghanys. J'allais vers les Smokies mais je voulais m'arrêter tout d'abord au domaine de Biltmore, à côté d'Asheville, Caroline du Nord. Biltmore a été construit par George Vanderbilt en 1895 ; c'est une des plus grandes résidences jamais construites en Amérique, un tas de pierres de 255 pièces dans le style des châteaux de la Loire, entouré de 400 hectares de terres. Quand vous arrivez à Biltmore, on vous invite à garer votre voiture et à acheter votre billet d'entrée avant de pénétrer dans le domaine. Cela m'a paru bizarre jusqu'à ce que j'arrive au guichet et découvre qu'une folle après-midi à Biltmore allait exiger un sérieux investissement financier. Les panneaux indiquant les tarifs étaient pratiquement invisibles mais on devinait à voir la figure blême des visiteurs qui quittaient le guichet en chancelant que ça devait coûter un paquet. Mais, même en y étant préparé, j'ai vraiment eu un choc quand au guichet une dame peu sympathique m'a annoncé que l'entrée était de 17 dollars 50. « Quoi, dix-sept dollars cinquante ? ai-je fait, la voix rauque. Le dîner et le spectacle compris, j'espère ? »

De toute évidence, cette dame avait pris l'habitude des crises d'hystérie et des remarques sarcastiques. D'un ton monocorde, elle reprit : « L'entrée comprend la visite du château Vanderbilt dont cinquante pièces sur les deux cent cinquante-cinq sont ouvertes au public. La visite non accompagnée dure deux à trois heures. Cela comprend aussi l'accès aux jardins, prévoyez trente à soixante minutes, ainsi que la visite guidée des caves avec explications audiovisuelles et dégustation. On vous recommande d'acheter le guide, non compris dans le prix d'entrée. Vous pouvez aussi dépenser une petite fortune au restaurant du Bois des Biches ou, si vous êtes plus radin, au Café des Étables. Vous aurez aussi l'occasion de vous ruiner en cadeaux et souvenirs dans notre boutique de la Diligence. »

Mais à ce point-là de son discours, j'avais déjà repris la route en direction des Great Smoky Mountains, qui, Dieu merci, sont gratuites.

Je fis un détour de seize kilomètres pour passer la nuit à Bryson City, petite faiblesse personnelle. C'est un endroit modeste et insignifiant, où motels et cafés-grils s'alignent le long d'une vallée fluviale étroite à la limite du parc national des Great Smoky Mountains. Il y a peu de raisons d'aller à Bryson City, à moins de s'appeler Bryson et, même dans ce cas, je dois admettre que c'est un plaisir qui atteint vite ses limites. J'ai pris une chambre au Bennett's Court, un vieux motel adorable qui ne semble pas avoir changé du tout depuis 1956, à part un léger époussetage épisodique. Il ressemble tout à fait aux motels d'autrefois avec des chambres alignées le long d'un passage couvert qui donnait sur une pelouse ornée de deux arbres et une petite piscine de béton qui en cette saison ne contenait rien d'autre qu'un petit tas de feuilles pourrissantes et une grenouille neurasthénique. Devant chaque porte se trouvait un fauteuil métallique avec un dossier en forme de coquille Saint-Jacques. Près du trottoir, une vieille enseigne au néon bourdonnait et annonçait : BENNETT'S COURT / CHAMBRES A LOUER / AIR CONDITIONNÉ / TÉLÉVISION / PISCINE POUR RÉSIDENTS, le tout en lettres vertes et roses sous une flèche clignotante d'un jaune très classe. Quand j'étais petit, tous les motels avaient ce genre d'enseignes. Maintenant on ne les trouve que rarement, dans ces petites villes oubliées au milieu de nulle part. Il n'y a pas de doute, Bennett's Court méritait d'être le motel d'Amalgame.

Je rentrai mes valises dans la chambre, fis prudemment l'essai de la literie, et mis la télévision. Une publicité apparut instantanément. Il s'agissait de la préparation H, un onguent pour soigner les hémorroïdes. Le ton était insistant. Je ne me rappelle pas les termes exacts mais c'était du genre : « Hé ! Vous, là-bas ! Vous avez des hémorroïdes ? Alors achetez donc la préparation H ! Et essayez de vous rappeler le nom, bande de crétins sans cervelle ! Préparation H. Et même si vous n'avez pas d'hémorroïdes, vous feriez bien d'en acheter quand même, on ne sait jamais... » Puis une voix off ajoutait : « Existe maintenant parfumé à la cerise. » Ayant vécu si longtemps à l'étranger, j'avais perdu l'habitude du battage publicitaire agressif de l'Amérique et ça me dérangeait vraiment. Tout comme me gênait cette façon qu'ont les chaînes de passer brutalement et sans préavis d'un programme à un clip publicitaire et vice versa. On regarde *Kojak* par exemple et au milieu d'une fusillade passionnante, quelqu'un commence à nettoyer la cuvette des WC. Vous vous redressez sur votre siège en criant : « Qu'est-ce qui peut bien... » et vous vous rendez compte que c'est de la publicité. A vrai dire c'est même plusieurs minutes de publicité. En Amérique, on peut facilement aller acheter des cigarettes et une pizza pendant les spots publicitaires. Et on a encore le temps de nettoyer la cuvette des WC avant la reprise du programme. La publicité pour la Préparation H disparaît de l'écran et une fraction de seconde plus tard, avant même de pouvoir envisager un changement de chaîne, je me suis retrouvé devant une salle où le public applaudissait, avec en fond sonore des guitares d'acier et sur scène une bande de joyeux drilles l'air légèrement débiles, vêtus de costumes couverts de séquins : c'était le *Grand Ole Opry*. J'ai écouté leurs chants et leurs plaisanteries pendant quelques minutes. Puis, peu à peu, j'ai senti mon menton tomber au niveau de ma chemise, tandis qu'une sorte de stupeur me paralysait. C'était de la lobotomie visuelle. Est-ce qu'il vous est déjà arrivé d'observer un bébé en train de jouer et de vous demander : « Qu'est-ce qui peut bien se passer dans cette petite tête ? » eh bien, regardez le *Grand Ole Opry* pendant cinq minutes et vous en aurez une idée.

Très peu de temps après, l'émission fut bruyamment interrompue par un autre spot publicitaire et j'ai repris mes sens. Alors j'ai éteint la télé et je suis sorti explorer la ville de Bryson City. C'était plus grand que je ne l'avais imaginé. Après avoir dépassé les bâtiments administratifs du comté de Swain, on trouvait un petit centre commercial. A ma satisfaction, le mot Bryson apparaissait presque partout. La Blanchisserie Bryson City, Bois et Charbons Bryson City, l'Église du Christ de Bryson City, Électronique Bryson City, Poste de Police Bryson City, Pompiers Bryson City, Bureau de Poste Bryson City, etc. Je commençais à comprendre ce qu'éprouverait George Washington s'il revenait sur terre et était ramené dans le district de Columbia. J'ignore l'identité de ce Bryson que la ville honore avec tant d'insistance mais je dois dire que c'est la première fois que je voyais mon nom aussi généreusement affiché. Je regrettais beaucoup de ne pas avoir apporté une pince monseigneur et une clé anglaise car plusieurs de ces enseignes auraient fait de superbes souvenirs. Le panneau « Église du Christ de Bryson City » me tentait tout spécialement. Je le voyais bien au-dessus de mon portail en Angleterre avec des messages différents selon les semaines, tels que « C'est l'heure du repentir, les Angliches ! ».

Il ne m'a pas fallu longtemps pour épuiser les possibilités de distractions du centre de Bryson City et, sans m'en rendre compte, je me suis retrouvé sur la nationale qui conduit à Cherokee, la prochaine ville de la vallée.

Je l'ai suivie un petit moment, mais il n'y avait rien à voir sauf quelques stations-service en ruine et des baraques à barbecue. Il n'y avait pratiquement pas d'accotement pour les piétons, ce qui fait que les voitures me frôlaient et que mes vêtements étaient agités de petits tourbillons inquiétants. La route était jalonnée de panneaux d'affichage et d'écriteaux où de grandes lettres tracées à la main célébraient le Christ : PRENEZ EN MAIN VOTRE DESTINÉE / LOUEZ JÉSUS / AMÉRIQUE, LE SEIGNEUR T'AIME. Et puis ceci, plus énigmatique : QUE SE PAS-SERA-T-IL SI VOUS MOUREZ DEMAIN ? (Eh bien, pour commencer, me suis-je dit, je n'aurai plus à rembourser l'emprunt pour le congélateur.) J'ai donc fait demi-tour et regagné la ville. Il était dix-sept heures trente, Bryson City était une nécropole sans trottoirs et je ne savais plus quoi faire. Au bas d'une descente, près du cours de la rivière, j'ai repéré un Supermarché A&P qui semblait ouvert. Et je m'y suis rendu, faute de mieux. Autrefois je traînais beaucoup dans les supermarchés. Mon copain Robert Swanson et moi, alors âgés de douze ans et tellement insupportables que ç'aurait été un service à nous rendre que de nous injecter quelque dose mortelle de poison, nous aimions beaucoup aller au supermarché Hinky-Dinky de la rue Ingersoll de Des Moines, surtout pendant l'été parce qu'il y avait la climatisation. On passait notre temps à jouer des tours qui me font honte maintenant, comme par exemple entrouvrir le fond d'un paquet de farine et le voir se répandre quand une innocente ménagère le saisissait, glisser des articles bizarres dans les chariots des gens quand ils ne regardaient pas — des paquets de nourriture pour poissons rouges, des émétiques. Bien sûr, je n'avais pas l'intention de faire des choses pareilles dans l'A&P, à moins bien sûr de m'ennuyer *vraiment*. Mais je pensais que ce serait réconfortant, au milieu de cette ville bizarre, de retrouver les produits de mon enfance. Et effectivement c'était réconfortant. On avait un peu l'impression de retourner voir de vieux amis — Skippy, le beurre de cacahuète — Welch's, le jus de raisins — les Pop Tarts — Sara Lee et ses gâteaux. Je parcourais les rayons en poussant de petits cris de joie chaque fois que je retrouvais un de ces bons vieux produits. C'est fou ce que ça m'a remonté le moral.

Et puis, tout à coup, je me suis rappelé que quelques mois auparavant, en Angleterre, j'avais remarqué une publicité pour des protège-slips dans le *New York Times Magazine*. Ils avaient de petits alvéoles et ces petits alvéoles portaient un nom précis qui était une marque déposée. Cela m'avait frappé.Vous imaginez ça : il y a un gars dont le boulot est de trouver un nom accrocheur pour les alvéoles d'un protège-slip féminin ! Mais impossible de me rappeler ce nom. Et comme je n'avais rien de mieux à faire, je décidai d'aller jeter un coup d'œil au rayon des protège-slips du supermarché A&P. Il y en avait une sélection surprenante. Je n'aurais jamais cru que le marché fût si florissant ni que les slips de Bryson City eussent autant besoin d'être protégés. Je n'y avais jamais prêté attention auparavant et c'était assez intéressant. Je ne sais pas combien de temps j'ai bien pu passer à examiner les différentes marques et à lire leurs descriptions. Peut-être même me suis-je mis à me parler tout haut, ce que je fais parfois quand je suis totalement absorbé par une tâche agréable. En tout cas, au moment précis où je saisissais un paquet de « New Freedom, Protection extra-mince avec nouveau système breveté de Nids d'Abeilles (Marque déposée) » et où je m'écriais : « Ah, vous voilà, petits coquins ! », j'ai tourné la tête et j'ai vu au bout du rayon le directeur et deux vendeuses qui m'observaient. En rougissant, j'ai remis tant bien que mal le paquet sur l'étagère. « Je ne fais que regarder », leur ai-je lancé d'une voix qui manquait de conviction. Essayant de paraître le plus normal et le moins dangereux possible, je me suis dirigé vers la sortie. Peu de semaines auparavant, je me rappelais avoir lu dans l'*Independent* (le meilleur quotidien de Grande-Bretagne, réclamez-le chez votre marchand de journaux) que dans vingt États américains, généralement dans le

Sud, la loi interdisait aux hétérosexuels d'avoir des rapports sexuels par voie anale ou buccale. Vous pensez bien que je n'avais pas, à cet instant, ce genre d'idées en tête, mais une loi pareille est l'indice d'une telle arriération mentale dans le domaine sexuel, qu'on peut parfaitement imaginer qu'il y ait dans certaines villes des règlements interdisant la manipulation illégale des protège-slips. Ce serait bien ma veine d'avoir à faire cinq à dix ans de prison pour une perversion involontaire dans un endroit tel que la Caroline du Nord. Finalement, je me suis estimé heureux de pouvoir regagner le motel sans être appréhendé par les autorités et j'ai passé le reste de mon séjour à Bryson City à me conduire avec la plus grande circonspection.

Le parc national des Great Smoky Mountains couvre 200 000 hectares dans les États de la Caroline du Nord et du Tennessee. Avant d'y aller, j'ignorais que c'était le parc national le plus fréquenté des États-Unis ; avec ses neuf millions de visiteurs par an, il attire trois fois plus de monde que n'importe quel autre parc et même en ce dimanche matin d'octobre il y avait foule. La route qui va de Bryson City à Cherokee et qui longe le parc n'est qu'une succession de motels, de garages miteux, de parcs pour caravanes, de baraques à barbecue, alignés au-dessus du cours scintillant d'une rivière enserrée dans les montagnes. Autrefois le paysage devait être magnifique avec ces sombres sommets écrasant la vallée, mais maintenant c'est tout simplement sordide. Et Cherokee est encore pire. C'est la plus grande réserve indienne de l'Est des États-Unis et elle est remplie d'un bout à l'autre de ces magasins de souvenirs qui vous proposent des bibelots tocards annoncés à grand renfort de panneaux sur les toits : MOCASSINS ! BIJOUX INDIENS ! TOMAHAWKS ! PIERRES SEMI-PRÉCIEUSES TAILLÉES ! CAMELOTE EN TOUT GENRE ! Devant certains magasins, il y avait un ours brun en cage, la mascotte de Cherokee, comme je le compris, et autour de chaque cage une bande de gamins s'amusaient à exciter l'ours, encouragés par leurs pères qui restaient prudemment à l'écart. Ailleurs on proposait de vous photographier avec une authentique Indienne, bedonnante, la poitrine flasque, en costume de guerre, pour cinq dollars. Mais ça n'avait pas beaucoup de succès et les figurants indiens s'affaissaient sur leurs sièges, l'air aussi apathiques que les ours. Je pense n'avoir jamais vu un endroit aussi laid. Et c'était bourré de touristes, presque tous aussi laids, d'ailleurs, des gens gras en tenues criardes, l'appareil photo leur battant le ventre. Pourquoi, me demandai-je en engageant prudemment ma voiture dans la cohue, les touristes sont-ils toujours gras et habillés comme des ploucs ?

Et puis, brutalement, avant de pouvoir accorder à cette question la considération qu'elle méritait, je me retrouvai hors de Cherokee dans le parc national et toute cette vulgarité disparut. Personne n'habite dans les parcs nationaux en Amérique, à la différence de la Grande-Bretagne. Ce sont des régions sauvages, souvent même d'un sauvage imposé par la loi. La chaîne des Smoky était autrefois pleine de *hillbillies**, ces montagnards vivant là-haut dans des cabanes en bois, dans des ravins perdus au milieu des nuages, mais on les en a chassés et maintenant le parc est complètement vide de toute activité humaine. Au lieu de préserver les modes de vie traditionnels, les parcs nationaux les ont fait disparaître. Les hillbillies dépossédés sont donc descendus dans les villes des vallées, à la lisière du parc, et les ont transformées en bidonvilles où l'on vend toute cette camelote de petits souvenirs. Cela me semble une politique vraiment très étrange. Maintenant les rares cabanes qui subsistent sont conservées comme des pièces de musée. Il y en avait justement une dans le centre d'accueil touristique du parc.

---

* Surnom que l'on donne aux habitants des régions montagneuses. Évoque un personnage simple et gentil, naïf et peu éduqué, sorte de « paysan du Danube » *(NdT)*.

Et docilement je me suis arrêté pour la visiter. Elle ressemblait tout à fait aux cabanes de New Salem, le village de Lincoln dans l'Illinois. Je ne savais pas qu'on pouvait être victime d'une overdose de cabanes en rondins mais en m'approchant d'elle j'ai ressenti les premiers signes de défaillance cérébrale et j'ai dû précipitamment faire retraite vers la voiture, après n'y avoir jeté qu'un très bref coup d'œil.

Les Smoky Mountains elles-mêmes sont sublimes. C'était une matinée d'octobre parfaite. La route grimpait en pente raide à travers des forêts de feuillus mouchetés de soleil, pleines de sentiers et de ruisseaux qui, plus haut, s'ouvraient sur de vastes perspectives dégagées. Tout au long de la route qui traverse le parc, il y a des aires panoramiques où l'on peut arrêter la voiture et pousser des « Oh ! » et des « Ah ! » en admirant la vue. On leur a donné des noms de complexes immobiliers pour yuppies : « Le ravin des colombes », « Le val des merisiers », « Le mont du loup », « La brèche aux ours ». L'air était transparent et léger. Le panorama était vaste et les montagnes déroulaient leurs ondulations jusque très loin à l'horizon, dans un dégradé de nuances allant du vert soutenu au bleu-gris anthracite puis au gris fumée. C'était une mer d'arbres qui donnait le sentiment d'être en Colombie ou au Brésil, au cœur d'une vraie forêt vierge. Et dans cette immensité déferlant sous mes yeux, il n'y avait pas la moindre trace de présence humaine, pas de villes, pas de châteaux d'eau, pas même le panache d'une fumée s'échappant d'une ferme isolée. Il n'y avait qu'un silence total sous un ciel étincelant, vide et transparent, avec seulement la volute bleutée d'un cumulus qui traînait son ombre sur une colline éloignée.

L'autoroute Oconaluftee qui traverse le parc n'a que cinquante kilomètres mais c'est une telle succession de montées et de virages qu'il m'a bien fallu la matinée pour faire le trajet. A dix heures du matin, ce n'était déjà qu'un flot ininterrompu de véhicules dans les deux sens et on avait de la peine à trouver une place aux aires panoramiques. C'était la première fois que j'affrontais sérieusement la foule des vrais touristes, les retraités en mobilhomes, les jeunes ménages prenant leurs vacances hors saison, les jeunes mariés en voyage de noces. Il y avait des voitures et des caravanes, des camping-cars, des motor-homes venus de milliers de kilomètres — de Californie, du Wyoming, de la Colombie britannique, et à chaque aire panoramique ces gens s'agglutinaient en petits groupes autour de leur voiture, coffre et portières ouverts, puisant dans les réserves de leurs glacières et frigos portatifs. Tous les cinq mètres on tombait sur un mobil-home, une vraie maison sur roues complète et massive, qui occupait trois places de parking et qui empiétait largement sur la chaussée de sorte que les voitures avaient à peine la place de passer.

Toute la matinée j'avais eu le vague sentiment qu'il manquait quelque chose et puis ça m'est venu : il n'y avait pas de randonneurs comme on en voit en Angleterre, pas de marcheurs en pantalon court, en grosses chaussures et chaussettes à pompons qui leur arrivent aux genoux. Pas de petits sacs à dos portant thermos et sandwiches au pâté. Pas non plus de pelotons de cyclistes en maillot collant et en petite casquette qui gravissent à bout de souffle les pentes de la montagne en ralentissant toute la circulation. Ce qui la ralentissait ici, c'étaient les mobil-homes géants qui montaient et descendaient péniblement les cols de la montagne. Je fus stupéfait de voir que certains avaient même une voiture amarrée aux pare-chocs arrière, comme un canot de sauvetage. Je me suis retrouvé coincé derrière l'un d'entre eux pour faire la longue descente sinueuse qui conduit au Tennessee. L'engin était tellement large qu'il avait grand-peine à garder sa droite et menaçait d'expédier les voitures d'en face dans l'abîme pittoresque à notre gauche. Voilà, hélas, comment de nos jours beaucoup de gens passent leurs vacances. Cela consiste avant tout à ne pas s'exposer au moindre moment d'inconfort ou de désagrément, voire même, dans la mesure du possible, à éviter de respirer l'air pur. Quand l'envie de voyager vous prend, vous vous enfermez dans une luxueuse boîte de treize tonnes, vous parcourez sept cents kilomètres hermétiquement protégés contre les éléments naturels, et vous vous arrêtez dans un camping où vous vous précipitez pour brancher l'eau et l'électricité afin de ne pas être privés un seul instant d'air conditionné, de machine à laver la vaisselle ou de four à micro-ondes. Ces engins, ces « véhicules de loisir » sont de vrais systèmes de survie sur roues. Les astronautes vont dans la lune avec moins d'équipement. Les fans du véhicule de loisir sont une autre race de gens, franchement tordus quand on y pense. Leur obsession c'est d'équiper leur véhicule de tous les gadgets imaginables pour parer à toute éventualité. Ils vivent dans la hantise de se trouver un jour dans une situation où il leur manquerait quelque chose. Il y a quelques années, je suis parti camper au lac Darling en Iowa avec un copain dont le père, adepte du véhicule de loisir, voulait absolument nous voir emporter des gadgets destinés à supprimer tout effort. « J'ai un ouvre-boîte à énergie solaire, vous voulez le prendre ?

— Non merci, nous ne partons que deux jours.

— Et ce combiné couteau à viande/lampe de poche ? Vous pouvez le brancher sur l'allume-cigares de la voiture en cas de besoin et il fait aussi sirène/gyroscope si vous vous égarez dans la nature.

— Non merci.

— Eh bien prenez au moins le micro-ondes à piles.

— Sans façons, nous n'en voulons pas.

— Mais comment diable est-ce que vous allez pouvoir faire du pop corn quand vous serez là-bas, perdus dans la nature ? Vous y avez réfléchi ? »

Toute une industrie, dans laquelle la compagnie Zwingle est sans doute activement engagée, s'est développée pour satisfaire ce marché. Dans tout le pays, on voit ces gens dans les campings, réunis autour de leurs véhicules pour comparer leurs gadgets : appareils à fabriquer les glaçons fonctionnant au méthane, courts de tennis portatifs, lance-flammes antimoustiques, pelouses gonflables. Ce sont des gens dangereux et bizarres. Ne vous en approchez à aucun prix.

Au pied de la montagne, on quitte le parc national et on retombe brusquement dans le sordide. Une fois de plus, je fus frappé par l'étrange phénomène de cloisonnement qu'on trouve aux États-Unis, cette conviction que tout commerce doit être interdit à l'intérieur du parc mais qu'il peut se développer sans restriction à l'extérieur, même si le paysage y est aussi exceptionnel. L'Amérique n'a pas encore bien compris qu'on peut vivre dans un endroit sans l'enlaidir, que la beauté ne doit pas forcément être enfermée dans un terrain clos, comme si un parc national était une sorte de jardin zoologique des espaces naturels. La laideur atteint des sommets d'intensité quand on approche de Gatlinburg, localité qui s'est semble-t-il trouvé une vocation : descendre le plus bas possible dans l'échelle du mauvais goût. C'est la capitale mondiale du ringard. En comparaison, Cherokee a de la classe. Il n'y a qu'une grand-rue remplie d'un bout à l'autre du bric-à-brac touristique le plus clinquant — le Temple à la mémoire d'Elvis Presley, le musée de cire des étoiles de Gatlinburg, deux maisons hantées, le musée national de la Bible, un village montagnard, le musée Ripley « Incroyable mais Vrai », le musée de cire de l'histoire de l'Amérique, un truc comme l'île du Paradis, un autre machin comme le Monde de l'Illusion, le music-hall Bonnie Lou et Buster, le musée de police de Carbo, la salle d'exposition du livre Guinness des Records sans oublier bien sûr le musée et la galerie commerciale Irlene Mandrell. Entre ces galaxies de la vie récréative se sont installés de nombreux parkings, des restaurants bondés et bruyants, des baraques à frites, des salons de thé-glaciers et des boutiques spécialisées dans le cadeau, de celles qui vendent des affiches « ON RECHERCHE... *(ici mettre le nom de votre choix)* » et des casquettes de base-ball humoristiques avec par exemple une superbe crotte en plastique sur la visière. Une foule de

129

touristes obèses, portant des vêtements de couleurs agressives, déambulaient dans la rue, l'appareil photo leur battant la panse. Ils s'empiffraient de glaces, de barbe-à-papa, de hot-dogs, parfois des trois en même temps, et certains arboraient ces fameuses casquettes à l'étron si réaliste. J'étais aux anges. Dans mon enfance, on n'allait jamais visiter des endroits comme Gatlinburg. Mon père aurait préféré se faire trépaner à la foreuse Black et Decker plutôt que de passer une heure dans un lieu pareil. Selon lui, seuls deux critères permettaient de mesurer la valeur d'une distraction : est-ce que c'est instructif ? Est-ce que c'est gratuit ? Gatlinburg n'était de toute évidence ni l'un ni l'autre. La conception paternelle d'un paradis touristique, c'était un musée avec entrée libre. Mon père, qui était l'homme le plus honnête que je connaisse, reniait ses principes dès qu'il était en vacances. J'avais de l'acné juvénile et la barbe me poussait déjà au menton qu'il jurait encore aux guichets que j'avais moins de neuf ans. En vacances, il devenait tellement radin que je me suis toujours étonné qu'il ne nous ait jamais obligés à faire les poubelles pour trouver à manger. Gatlinburg était donc pour moi une expérience enivrante. Je me sentais un peu comme un curé qu'on aurait lâché dans une maison de jeu à Las Vegas, avec une chaussette pleine de pièces de monnaie. Tout ce bruit et ce clinquant, et surtout toutes ces occasions de dépenser inutilement et si rapidement des sommes déraisonnables me donnaient le vertige.

Tout en me promenant dans la foule, je suis arrivé devant l'entrée du musée Ripley « Incroyable mais Vrai » où j'ai hésité. J'ai vraiment senti, à des milliers de kilomètres de là, mon père qui commençait à se retourner dans sa tombe tandis que j'examinais les affiches. Elles me promettaient qu'à l'intérieur je verrais un homme qui peut tenir trois boules de billard dans sa bouche, un veau à deux têtes, une licorne humaine avec une corne au milieu du front, et des centaines d'autres curiosités toutes aussi passionnantes, collectées aux quatre coins du monde par l'infatigable Robert Ripley et transportées à Gatlinburg pour l'édification des touristes de bon goût comme votre serviteur. Le prix d'entrée s'élevait à cinq dollars. Le mouvement de rotation de mon père s'intensifia quand je sortis mon portefeuille, et devint carrément frénétique quand je tendis le billet de banque d'un air coupable à la brave dame du guichet. « Et puis zut, me suis-je dit en entrant, au moins le pauvre vieux aura fait de l'exercice. »

Eh bien, c'était du tonnerre. J'avoue que cinq dollars c'est cher pour quelques minutes de distraction. J'imaginais tout à fait comment mon père et moi nous nous serions chamaillés sur le trottoir. Mon père aurait dit :

« Non, tout ça c'est un attrape-nigaud de première. Pour ce prix-là, on pourrait acheter quelque chose de sérieux et de durable.

— Comme quoi, par exemple ? Un mètre carré de carrelage, peut-être ? aurais-je répliqué, le ton lourd de sarcasme. Allons, papa, pour une fois, ne sois pas radin. Il y a un veau à deux têtes à l'intérieur.

— Non, fiston, désolé.

— Je te promets d'être sage le restant de mes jours. Je sortirai les poubelles jusqu'à ce que je me marie. Papa, il y a ce type à l'intérieur qui peut mettre trois boules de billard dans sa bouche. Il y a une *licorne humaine*. Papa, on ne peut pas rater l'occasion de notre vie. »

Mais il n'aurait pas faibli.

« Je ne veux plus en entendre parler. Maintenant on va tous monter en voiture et faire deux cent quatre-vingts kilomètres jusqu'au fameux champ de bataille de Mélasse Point. Vous y apprendrez des tas de choses intéressantes sur cette guerre de 1802 avec l'Équateur que si peu de gens connaissent. Et ça ne me coûtera pas un sou. »

J'ai donc visité le Musée Ripley « Incroyable mais Vrai » en me régalant de chaque objet, de chaque curiosité de mauvais goût. C'était sensationnel. Non, je suis sérieux. Où donc pourriez-vous voir la reproduction du vaisseau amiral de Christophe Colomb, la *Santa Maria*, entièrement réalisée en os de poulet ? Et comment oser parler d'argent devant une maquette de trois mètres du Circus Maximus construite en morceaux de sucre ? Ou devant le masque mortuaire de John Dillinger, ou devant une chambre entièrement faite avec des allumettes par un certain Reg Polland de Manchester (Bravo, Reg ! l'Angleterre est fière de toi !) ? Voilà des souvenirs qui vous marquent vraiment. Je vis avec plaisir que l'Angleterre était encore représentée, tenez-vous bien, par un pot de cheminée des années quarante. Incroyable mais vrai. Tout était merveilleux, propre, bien présenté et parfois même, on y croyait. Ce fut une heure très agréable.

Ensuite, extrêmement satisfait, je me suis offert un cornet de glace de la taille d'un crâne de bébé et je l'ai mangé en me promenant dans la foule des touristes sous le soleil de l'après-midi. Je suis entré dans plusieurs magasins de souvenirs où j'ai essayé des casquettes de base-ball avec crotte en plastique sur la visière. Mais la moins chère coûtait 7,99 dollars et j'ai décidé, par égard pour mon père, d'arrêter là mes extravagances financières de la journée. Au besoin, je pourrais toujours m'en fabriquer une moi-même, me suis-je dit en regagnant la voiture. Et j'ai pris la direction de ces dangereuses collines que sont les Appalaches.

10

En 1587 un groupe de cent quinze colons anglais — hommes, femmes et enfants — quittèrent Plymouth à la voile pour établir la première colonie du Nouveau Monde sur l'île de Roanoke au large de ce qui est maintenant la Caroline du Nord. Peu après leur arrivée naquit une petite fille, Virginia Dare, qui fut ainsi la première Blanche à débarquer sur le continent américain la tête la première. Deux ans plus tard, une deuxième expédition quitta l'Angleterre pour aller prendre des nouvelles des colons, leur apporter leur courrier et leur annoncer que le réparateur des British Telecom était enfin passé, etc. Mais en débarquant, ce détachement trouva la colonie abandonnée. Aucun message n'indiquait où les colons étaient allés, il n'y avait aucune trace de lutte, seulement un mot mystérieux gravé sur un mur : « Croatoan ». C'était le nom d'une île voisine où les Indiens avaient la réputation d'être accueillants, mais une visite de l'île révéla que les colons n'y étaient jamais arrivés. Où étaient-ils donc passés ? Étaient-ils partis de leur plein gré ou bien les Indiens les avaient-ils fait disparaître comme par enchantement ? C'est depuis lors un des grands mystères de l'époque coloniale.

Je rappelle cette histoire parce qu'une des théories est que les colons se seraient avancés à l'intérieur des terres jusqu'aux Appalaches et s'y seraient établis. Personne ne peut dire pourquoi ils l'auraient fait mais cinquante ans plus tard, lorsque des explorateurs européens arrivèrent dans le Tennessee, des Indiens Cherokee leur parlèrent d'un groupe de visages pâles déjà établis dans les collines. C'étaient des gens qui portaient des vêtements et avaient de longues barbes et, aux dires de l'époque, ces gens « avaient une cloche qu'ils sonnaient avant les repas et avaient la curieuse habitude d'incliner la tête et de murmurer quelque chose avant de manger ».

Personne n'a jamais retrouvé cette mystérieuse communauté. Mais dans un coin perdu et oublié des Appalaches, très haut dans les montagnes Clinch, au-dessus de la ville de Sneedville au nord-ouest du Tennessee, vit encore un curieux groupe, les Melungeons, qui de mémoire d'homme a toujours été là. Ces Melungeons — personne ne connaît l'origine du nom — ont presque tous les traits physiques des Européens (des yeux bleus, des cheveux clairs, la taille élancée) à un détail près : leur peau est noire, d'une couleur presque négroïde. Ils portent des noms de famille anglais, Brogan, Collins, Mullins, mais personne, pas même les Melungeons eux-mêmes, n'a la moindre idée de leur origine ou de leur histoire. Le mystère qui les entoure est aussi grand que celui des colons de l'île de Roanoke. En fait on a émis l'hypothèse qu'ils pourraient fort bien être ces colons disparus.

Peter Dunne, un de mes collègues de l'*Independent* à Londres, apprenant que je devais me rendre dans cette région, m'avait raconté l'histoire et sorti un article qu'il avait écrit sur les Melungeons pour le *Sunday Times Magazine* quelques années auparavant. L'article était illustré d'admirables photos de Melungeons. On ne peut pas mieux les décrire que comme des Blancs à la peau noire. Leur allure est pour le moins saisissante. Ce qui explique qu'ils aient été depuis longtemps considérés comme des parias et condamnés à vivre dans des cabanes en pleine montagne dans un coin baptisé Snake Hollow (Le Creux du Serpent). Dans le comté de Hancock, « Melungeons » est l'équivalent de « nègres ». Les gens de la vallée qui sont eux-mêmes pauvres et arriérés considèrent les Melungeons comme un phénomène étrange et honteux. Aussi les Melungeons font-ils bande à part et ne descendent de leurs montagnes que très rarement, pour faire leurs provisions. Ils n'aiment pas les étrangers. Les gens de la vallée non plus. Peter Dunne m'a raconté que son photographe et lui-même avaient reçu un accueil mitigé allant de l'hostilité voilée à la menace précise. Leur travail n'avait pas été des plus confortable. En fait quelques mois plus tard, un reporter du *Times Magazine* avait été tué près de Sneedville pour s'être montré trop curieux. Vous pouvez donc facilement imaginer avec quel sentiment de malaise j'attaquai la montée qui devait me conduire à Sneedville, par l'autoroute 31, dans un paysage désolé de misérables plantations de tabac le long de la vallée sinueuse de la rivière Clinch. Ce comté figure en septième position dans la liste des comtés les plus pauvres du pays et cette pauvreté était vraiment visible. Les ordures envahissaient les fossés, et la majorité des fermes étaient petites et rudimentaires. Dans chaque allée était garée une camionnette avec un porte-fusils à l'arrière et quand il y avait des gens, ils cessaient toute activité pour me regarder passer. Tard dans l'après-midi, presque au crépuscule, j'arrivai enfin à Sneedville. Devant le tribunal du comté d'Hancock, une bande de jeunes étaient occupés à bavarder, installés sur les pare-chocs de leurs camionnettes, et eux aussi me regardèrent passer avec attention. Sneedville était tellement loin de tout, tellement à l'écart des grands axes qu'une voiture étrangère attire la curiosité. La ville elle-même n'a pas grand-chose à offrir : un tribunal, une église baptisé, quelques maisons en bois, une station-service. La station-service était encore ouverte, aussi je m'y arrêtai. Je n'avais pas vraiment besoin d'essence mais je ne savais pas trop à quelle distance je trouverais la prochaine pompe. Le type qui sortit pour me servir avait la figure couverte de verrues charnues, une vraie récolte, semblables à des champignons en bouton. On aurait dit une expérience génétique qui se serait horriblement mal terminée. Il ne prononça pas un mot sauf pour préciser le type de carburant que je voulais et il ne fit aucune remarque sur le fait que je venais d'un autre État. C'était la première fois depuis le début de mon voyage qu'un pompiste ne me disait pas, d'un ton aimable : « Ben, vous êtes loin de chez vous, pas vrai ? » Ou bien : « Et alors, on n'est pas bien en Iowa ? » ou autre remarque de ce style. (D'habitude je leur racontais que j'allais sur la côte Est subir une opération cardiaque absolument vitale dans l'espoir de recevoir une double ration de coupons-cadeaux.) J'étais probablement la première personne venant d'un autre État que cet homme voyait depuis une bonne année. Et cependant il semblait se désintéresser totalement des raisons qui m'avaient conduit ici. C'était bizarre. Je lui ai demandé — bredouillé est plus juste : « Excusez-moi, mais je crois bien avoir lu quelque part que des gens appelés Melungeons vivent dans la région. »

Il n'a pas répondu. Il s'est contenté de surveiller le compteur de la pompe à essence. Comme je pensais qu'il n'avait pas entendu, j'ai repris : « Je disais donc, excusez-moi mais j'ai lu un jour que des gens...

— Chais pas », coupa-t-il brusquement sans me regarder. Puis il posa les yeux sur moi et dit : « Chais rien là-dessus. Faut vérifier l'huile ? »

J'hésitai, surpris par la question. « Non merci.

— C'est onze dollars. »

Il prit mon argent sans me remercier et disparut à l'intérieur. J'étais assez mal à l'aise. Je ne peux pas préciser pourquoi. Par la fenêtre je le vis prendre le téléphone et composer un numéro. Et en faisant cela, il me regardait. Alors tout à coup je me suis mis à paniquer. Et s'il était en train d'appeler la police pour lui demander de venir m'abattre ? Je laissai un centimètre de pneu sur le terre-plein en redémarrant, ce qui n'arrive pas souvent avec une voiture comme la Chevette, et dans un fracas de pistons j'écrasai l'accélérateur et quittai la ville à l'allure vertigineuse de quarante-cinq kilomètres à l'heure. Après deux ou trois kilomètres, je ralentis, en partie à cause d'une côte presque verticale (la voiture refusait d'aller plus vite et j'ai même eu, pendant une seconde d'angoisse, l'impression qu'elle se mettait à reculer) et en partie à force de me répéter que je n'avais aucune raison d'être si nerveux. Sans aucun doute le gars avait simplement téléphoné à sa femme pour lui rappeler d'acheter une autre bonbonne de lotion contre les verrues. Et quand bien même il aurait appelé la police pour signaler un étranger posant des questions indiscrètes, qu'est-ce qu'ils auraient pu me faire ? On était dans un pays démocrate et je n'avais rien fait de contraire aux lois. J'avais posé une question innocente, et très poliment. Il n'y avait rien de mal à ça. Vraiment, j'étais idiot de me sentir menacé. Il n'empêche que je me suis surpris à regarder fréquemment dans le rétroviseur. Je m'attendais presque à voir la colline derrière moi se remplir de voitures de police avec gyrophares et à être pourchassé par des camionnettes pleines de shérifs volontaires bien décidés à me faire la peau. Judicieusement j'appuyai sur l'accélérateur et passai de vingt à trente kilomètres à l'heure.

Au sommet de la montagne, je commençai à trouver des cabanes installées loin de la route dans des clairières. Je les examinai attentivement dans l'espoir d'y apercevoir un ou deux Melungeons. Mais les rares individus que je voyais étaient tous blancs. Ils me regardaient fixement, l'air étrangement surpris lorsque je passais à leur hauteur, un peu comme on dévisagerait un type chevauchant une autruche. Ils ne réagissaient pas à mon joyeux salut, sauf un ou deux qui répondirent d'un petit geste étriqué et mécanique, une vague ondulation des doigts au bout d'une main levée.

On était en plein pays hillbilly. La plupart des baraques semblaient sortir tout droit de Lil Abner avec leurs vérandas en train de s'écrouler et leurs cheminées de guingois. Certaines étaient abandonnées. Beaucoup semblaient bricolées par le propriétaire avec des annexes en enfilades visiblement construites à partir de morceaux de bois chapardés. Les gens de ces collines distillent encore leur propre eau-de-vie, un tord-boyaux de contrebande. Mais la grande affaire de nos jours c'est la marijuana. Sans plaisanter. J'ai lu quelque part que des villages entiers se regroupent et arrivent à se faire des centaines de milliers de dollars par mois rien qu'avec quelques arpents cultivés dans une vallée isolée et inaccessible. Bien plus que l'histoire des Melungeons, cela me semble une excellente raison pour ne pas poser trop de questions quand on n'est pas du coin.

Je continuais à prendre de la hauteur et à m'élever dans la montagne et cependant la vue ne se dégageait pas, tant les bois étaient denses. Mais au sommet les arbres s'écartèrent comme un rideau pour m'offrir un panorama grandiose sur le versant opposé de la vallée. On avait l'impression d'avoir quitté la terre et d'être en avion. Des collines escarpées, couvertes de forêts où s'accrochaient des alpages, s'étendaient à perte de vue pour se dissiper au loin dans les couleurs vives du crépuscule. Devant moi une route en lacet s'enfonçait dans une vallée aux douces ondulations où les fermes s'égrenaient le long d'une rivière paresseuse. J'ai rarement vu un paysage atteignant ce degré de perfection et j'ai poursuivi ma route dans la douce lumière du crépuscule, fasciné par cette beauté. Et pourtant les maisons en bordure de route n'étaient que des masures. On était en plein cœur des Appalaches, dans une région connue pour être la plus pauvre des États-Unis et c'était tout simplement somptueux. On peut se demander pourquoi les yuppies des villes voisines, à quelques heures de voiture seulement, n'ont pas encore colonisé cette région d'une beauté si remarquable et ne l'ont pas encore envahie de leurs fermettes de week-end à poutres apparentes, de leurs country clubs et de leurs restaurants faussement rustiques. Il est étrange aussi de voir des Blancs vivre dans un tel dénuement. Être blanc et dans la misère aux États-Unis, il faut le faire ! Bien sûr, c'est de la pauvreté à l'américaine, de la pauvreté de Blanc. Rien à voir avec la vraie pauvreté. Ce n'est même pas comparable avec la pauvreté de Tuskegee. On a suggéré, non sans cynisme, que si Lyndon Johnson avait choisi les Appalaches comme cible de sa grande lutte contre la pauvreté en 1964, ce n'était pas parce qu'il y avait tellement de pauvres mais plutôt parce qu'il y avait tellement de Blancs. Une étude dont on a peu parlé à l'époque révélait que 40 pour 100 de la population, considérée comme la plus pauvre de la région, possédait une voiture et qu'un tiers de ces voitures étaient neuves. Or en 1964, mon futur beau-père en était, comme la plupart de ses concitoyens britanniques, à rêver de posséder une auto. Et aujourd'hui encore, il n'a jamais pu s'offrir que des véhicules d'occasion. Pourtant personne ne le qualifierait d'indigent ni ne songerait à lui envoyer des colis de farine et de laine à tricoter pour Noël. Bien sûr, je dois reconnaître que selon les normes américaines les masures des alentours étaient sans aucun doute bien modestes. Elles n'avaient pas d'antennes paraboliques dans le jardin, pas de barbecues dernier modèle et pas de breaks flambant neufs dans l'allée. Si ça se trouve, ces pauvres diables n'avaient peut-être même pas de fours à micro-ondes dans leur cuisine, ce qui, selon les normes américaines, vous place pratiquement dans la catégorie indigents.

11

Je traversai un paysage de collines plantées de gommiers, de routes vallonnées et de fermes bien entretenues. Dans le ciel flottaient ces grands nuages cotonneux qu'on voit toujours dans les peintures marines. Les villes portaient des noms curieux et intéressants : Flocon de Neige, Joli Ravin, Prairies des Chevaux, Champ de Dan, Charité. On était encore et toujours en Virginie, un État qui semble ne jamais finir. Il mesure plus de 650 kilomètres de large mais comme la route serpente, vous pouvez facilement en ajouter 160. En tout cas, chaque fois que je regardais la carte, il me semblait n'avoir progressé que d'une infime distance. De temps à autre je dépassais un panneau indiquant « POINT D'INTÉRÊT HISTORIQUE ». Mais je ne m'arrêtais pas. Aux États-Unis, on trouve des milliers de ces plaques signalant un lieu ou un monument historiques. C'est toujours d'un ennui remarquable. Je suis bien placé pour le savoir parce que mon père n'en ratait pas une. Il garait la voiture près d'elles et nous les lisait à haute voix malgré nos protestations. On y trouvait ce genre d'inscriptions :

SITE DE L'ARBRE QUI CHANTE. SÉPULTURES SACRÉES

Pendant des siècles cette terre, qu'on appelait la vallée de l'Arbre Qui Chante, était le lieu de sépulture des Indiens Culs-Noirs. En foi de quoi, en 1880, le gouvernement des États-Unis a concédé à la tribu la jouissance de ces terres à perpétuité. Cependant, en 1882, la découverte de gisements de pétrole dans la vallée amena une série d'escarmouches au cours desquelles 27 413 Culs-Noirs périrent. La tribu fut alors transférée dans la réserve de Sources Putrides au Nouveau-Mexique.

Mais qu'est-ce que je raconte ? Ce n'était jamais aussi bien que ça. Généralement ces plaques commémoraient un événement totalement obscur et sans intérêt : le site du premier collège biblique du Tennessee de l'Ouest, le lieu de naissance de l'inventeur du mouchoir en papier humide, la maison natale du compositeur de l'hymne du Kansas. On savait avant même d'y arriver que l'endroit était forcément ennuyeux car s'il avait eu le moindre intérêt, un petit malin y aurait installé une baraque à souvenirs et à hamburgers. Mais papa était grand amateur de ces plaques qui, chaque fois, lui faisaient grande impression. Après nous les avoir lues à haute voix, il s'exclamait : « Eh ben ça, alors ! » puis reprenait la route non sans rater de justesse un semi-remorque qui en était réduit à donner de furieux coups de klaxon tout en répandant la moitié de son chargement dans des embardées désespérées. « Enfin quelque chose de vraiment instructif », reprenait-il d'un ton sentencieux, négligeant le fait qu'il avait failli anéantir toute sa famille.

Mon intention était de visiter le monument national de Booker T. Washington dans une plantation restaurée près de Roanoke où Booker Washington a grandi. Voilà un homme remarquable : esclave libéré, il a appris tout seul à lire et à écrire, est devenu un homme instruit et a fondé à Tuskegee en Alabama la première université pour Noirs des États-Unis. Ensuite, comme si ce n'était pas un tour de force suffisant, il a fini sa carrière dans la musique soul, produisant dans les années soixante une série de succès pour la maison de disques Stax avec l'orchestre des MG's. Vraiment un homme remarquable. Je comptais visiter son monument et pousser rapidement jusqu'à Monticello où j'aurais jeté un coup d'œil à la résidence de Thomas Jefferson. Mais le destin devait en décider autrement. Peu après avoir dépassé Patrick Springs, j'ai découvert une route secondaire indiquant la direction de Critz qui, selon mes calculs et après un bref coup d'œil sur la carte, devait me faire gagner au moins cinquante kilomètres. Sans réfléchir davantage, j'ai fait prendre à la voiture un virage sur les chapeaux de roues dans un grand crissement de pneus. En réalité, j'ai dû imiter le bruit du crissement avec ma bouche car la Chevette en était bien incapable. Elle a tout de même émis un petit panache de fumée bleue.

J'aurais dû m'en douter. La première règle du voyageur est, selon moi, de ne jamais se rendre dans un endroit dont le nom a une consonance médicale. Et Critz, de toute évidence, était une maladie incurable impliquant une desquamation de la peau. Résultat : je me suis retrouvé complètement perdu. Après avoir quitté la nationale, la route est devenue un réseau de chemins enfouis dans les hautes herbes, sans le moindre poteau indicateur. J'ai continué pendant une éternité, avec cette détermination farouche et démente qui s'empare de vous quand on sait pertinemment qu'on est perdu et qui vous pousse à croire qu'en continuant à avancer on finira bien par arriver là où on voulait. Je tombais sans arrêt sur des villes qui n'existaient pas sur ma carte, Sanville, Pleasantville, Preston. Ce n'étaient pas des villages avec deux ou trois baraques. C'étaient de vraies villes avec écoles, postes à essence et des tas de maisons. Pendant un moment je me suis même demandé si je ne devais pas appeler le journal local de Roanoke et lui signaler que j'avais découvert un comté disparu.

Finalement, à mon troisième passage à Sanville, j'ai décidé qu'il était temps de demander mon chemin. J'ai arrêté un vieux bonhomme qui avait sorti son chien pour une petite séance d'épandage d'urine dans le quartier et je lui ai demandé la route pour Critz. Sans reprendre une seule fois sa respiration, il s'est lancé dans une série d'explications d'une complexité époustouflante. Il a bien dû parler pendant cinq minutes. Cela ressemblait à une description du voyage de Lewis et Clark dans les terres sauvages. Je ne le suivais pas du tout mais quand il a marqué un temps de pause et demandé si je suivais, j'ai menti et j'ai dit oui.

« Bon, vous voilà donc à Preston. De là, vous prenez la vieille route des vachers à la sortie de la ville jusque chez Mac Gregor. Vous saurez que c'est chez Mac Gregor parce qu'il y a écrit Mac Gregor sur un panneau. A cent mètres de là vous verrez une route à gauche avec un panneau pour Critz. Mais faut surtout pas la prendre : le pont s'est effondré et vous tomberiez directement dans la Crique de L'Homme Mort. »

Et comme ça pendant de longues minutes. Quand il eut enfin terminé, je l'ai remercié et pris sans conviction la direction générale que semblait indiquer son dernier geste. Deux cents mètres plus loin, je me suis retrouvé face à un carrefour sans la moindre idée de la direction à prendre. J'ai choisi d'aller à droite. Et dix minutes plus tard, à notre stupéfaction mutuelle, j'ai croisé à nouveau le vieil homme et son chien toujours occupé à pisser. Du coin de l'œil, je l'ai vu qui gesticulait frénétiquement en me hurlant que je m'étais trompé de chemin. Mais comme cela me semblait suffisamment évident, j'ai ignoré son agitation et pris à gauche au carrefour. Cela ne m'a pas davantage rapproché de Critz mais cela m'a permis de découvrir une nouvelle série de culs-de-sac et de routes aboutissant nulle part. A trois heures de l'après-midi, deux heures après avoir choisi la direction de Critz, je suis tombé par hasard sur la nationale 58. J'avais progressé de cent cinquante mètres depuis que je l'avais quittée. D'une humeur massacrante, j'ai repris la route principale et conduit plusieurs heures sans desserrer les

143

dents. Il était trop tard pour aller visiter le mémorial de Booker Washington ou Monticello, même en supposant que j'aie assez de matière grise pour arriver à trouver mon chemin. Cette journée avait été une catastrophe. Je n'avais pris ni déjeuner ni ma dose vitale de caféine. Une journée sans plaisir ni récompense. J'ai trouvé une chambre dans un motel de Fredericksburg, mangé dans une crêperie d'une crasse ineffable puis je me suis retiré pour bouder dans ma chambre.

Le lendemain matin, j'ai pris la route de Colonial Williamsburg, un village historique restauré près de la côte. C'est un des centres touristiques les plus populaires de l'Est des États-Unis et, bien qu'il fût tôt et un matin d'octobre, les parkings commençaient déjà à se remplir. Après avoir garé la voiture, j'ai rejoint le flot des visiteurs se dirigeant vers le centre d'accueil. A l'intérieur, il faisait frais et sombre. Près de la porte, une maquette sous verre reconstituait le village à échelle réduite. Curieusement il n'y avait pas la flèche habituelle *Vous-êtes-ici* qui vous aide à vous orienter. Et le centre d'information n'était même pas indiqué. Impossible donc de situer le village. Cela m'a semblé étrange et même louche. Je me suis mis en retrait pour observer les gens. Peu à peu je me suis rendu compte que j'avais sous les yeux un exemple génial de manipulation des foules. Tout était organisé de manière à persuader les gens que la seule façon de voir Williamsburg était d'acheter un ticket, de franchir la porte surmontée de l'indication menaçante : CONTRÔLE, et de monter dans le petit bus qui faisait la navette jusqu'au site historique, probablement très éloigné. Et à moins de quitter comme je l'avais fait le flot des touristes, vous vous retrouviez devant un guichet, obligé de choisir entre trois catégories de tickets : le Patriote à 24 dollars 50, le Gouverneur Royal à 20 dollars ou le Basic à 15 dollars 50, chacun vous donnant accès à un certain nombre d'édifices restaurés. La plupart des visiteurs se voient ainsi délestés de sommes d'argent considérables et se retrouvent à la porte CONTRÔLE sans avoir compris ce qui leur arrive.

Je déteste cette habitude qu'on a de vous laisser arriver jusqu'au bout sans vous donner la moindre indication du prix exorbitant et abusif des droits d'entrée. On devrait rendre obligatoires des panneaux du style : COLONIAL WILLIAMSBURG À CINQ KILOMÈTRES. PRÉPAREZ VOS CHÉQUIERS, ou bien : COLONIAL WILLIAMSBURG À DEUX KILOMÈTRES. C'EST PAS MAL MAIS ÇA COÛTE UN PAQUET. J'ai ressenti cet agacement, à la limite de la haine farouche, que j'éprouve généralement quand on essaie de m'arnaquer. Sincèrement, 24 dollars 50 pour passer deux heures dans un vieux village restauré ! Je remerciai le ciel d'avoir laissé femme et enfants à l'aéroport de Manchester. Une journée avec la famille me serait revenue à 75 dollars — sans compter les glaces, les boissons et les T-shirts avec l'inscription : « Les potes, on s'est bien fait baiser à Williamsburg. »

Il y avait quelque chose de vraiment suspect dans toute l'organisation. Je connais suffisamment l'Amérique pour savoir que si l'accès au village avait nécessité un ticket, il y aurait eu d'énormes placards sur les murs disant : « Vous devez **obligatoirement** être en possession d'un ticket. Pas question d'entrer si vous n'avez pas de ticket. » Mais il n'y avait rien de ce genre. Je suis sorti sous un soleil éclatant et j'ai suivi du regard les navettes. Elles descendaient l'allée jusqu'à une route à deux voies et disparaissaient au virage. J'ai traversé la route en esquivant les voitures et pris un petit chemin à travers bois. Quelques secondes plus tard, j'étais dans le village. Ce n'était pas plus compliqué que ça et je n'avais pas eu à débourser un sou. A côté de moi les bus déversaient leur chargement de touristes munis de tickets. On leur avait offert une balade de deux cents mètres et tout ce que le ticket allait leur permettre c'était de se joindre à la file maussade des autres possesseurs de ticket devant des édifices restaurés où ils progresseraient d'un pas toutes les trois minutes en silence et en transpirant. Je crois bien n'avoir jamais vu une telle quantité de gens s'amusant aussi peu. Les files d'attente frigorifiées me faisaient penser à Disney World. Ce qui n'est pas une si mauvaise comparaison : Colonial Williamsburg est une espèce de Disney World de l'histoire américaine. Tout le personnel chargé de contrôler les tickets, de nettoyer les rues et de renseigner le public est habillé en costumes d'époque, les femmes en tablier et en chapeau en pain de sucre, les hommes en tricorne et en culotte. L'idée générale est de peindre l'Histoire sous son aspect le plus souriant et de vous donner l'impression que filer sa propre laine et fabriquer ses propres bougies avait dû être une sacrée partie de plaisir. Je m'attendais presque à voir Donald et Goofy se dandiner en uniforme de l'armée coloniale.

La première maison portait une enseigne « DOCTEUR MCKENZIE, APOTHICAIRE ». Comme la porte était ouverte je suis entré, m'attendant à y voir des restes de la pharmacopée du XVIIIᵉ siècle. Mais ce n'était qu'une boutique de cadeaux proposant des reproductions de pacotille à prix exorbitants, éteignoirs en cuivre à 18 dollars, imitations de bocaux anciens à 35 dollars, etc. Je m'en éloignai avec comme seule envie celle de plonger ma tête dans *Le Vieil Asbreuvoir-Desgueuloir Du Vilasge*. Et puis lentement et curieusement, le charme de l'endroit s'est mis à opérer. En remontant la rue du Duc de Gloucester, j'ai senti qu'un étonnant changement se produisait et je me suis retrouvé absolument envoûté par l'ensemble. Williamsburg est vaste — 75 hectares — et sa taille même suffit à impressionner. On y trouve des douzaines et des douzaines de maisons et boutiques restaurées, et en plus c'est beau ! Surtout par un matin d'automne, quand le soleil brille et qu'un vent léger joue dans le feuillage des frênes et des hêtres. J'ai flâné dans les allées ombragées, au milieu de vastes pelouses. Les maisons étaient ravissantes, les ruelles pavées accueillantes, les estaminets et les échoppes habillés de vigne vierge débordaient de charme et de pittoresque. Personne n'y résiste, pas même

146

un couillon au cœur de silex comme votre narrateur. Williamsburg a beau être d'une vérité historique douteuse — et pour être douteuse, elle l'est vraiment — c'est au moins une ville modèle. Grâce à elle, on prend conscience que l'Amérique pourrait être infiniment agréable si ses habitants possédaient la même volonté de préserver leur patrimoine que les Européens. On pourrait imaginer que les millions de visiteurs qui y viennent chaque année vont repartir en disant : « Dis donc, Bobbi, cet endroit est vraiment chouette. En rentrant chez nous à Schlingueville on devrait planter des tas d'arbres et restaurer toutes nos vieilles baraques. » Mais cela ne leur vient jamais à l'esprit. Ils rentrent chez eux et font construire des parkings et des Pizza Hut.

En grande partie, Williamsburg n'est pas aussi ancien qu'on voudrait nous le faire croire. La ville fut la capitale de la Virginie coloniale pendant quatre-vingts ans, de 1699 à 1780. Mais après le transfert de la capitale à Richmond, le déclin de la ville a commencé. John Rockefeller se prit de passion pour l'endroit dans les années vingt et investit dans sa restauration un paquet de dollars — 90 millions de dollars jusqu'à ce jour. Maintenant il est devenu difficile de discerner le faux de l'authentique. Prenez par exemple le palais du gouverneur. Il a l'air très ancien — et comme je l'ai dit, tout est fait pour vous en persuader — mais en réalité il date de 1933. Le bâtiment d'origine a été détruit par un incendie en 1780 et en 1930 c'était une telle ruine que personne n'aurait pu dire à quoi il avait bien pu ressembler. Seule la découverte d'un dessin dans une bibliothèque d'Oxford a permis une restitution acceptable de l'édifice. Mais il n'a rien d'ancien et, si ça se trouve, rien de comparable avec l'original non plus.

On se trouve partout confronté de manière exaspérante à des détails qui font pastiche. Autour de l'église paroissiale de Bruton, les pierres tombales sont visiblement des imitations ou, en tout cas, les inscriptions sont toutes récentes. Rockefeller, ou un autre gros bonnet, a sans doute été déçu de constater qu'après deux siècles de plein air les pierres tombales deviennent illisibles. Si bien que maintenant les inscriptions sont neuves et bien taillées, comme si on les avait gravées la semaine passée, ce qui est peut-être le cas. On se demande constamment si on est en train d'admirer un morceau d'Histoire ou de contempler un gadget sorti de chez Disney. Ce Severinus Dufray a-t-il vraiment existé ? Et possédait-il cette enseigne « Tailleur de Distinction » devant sa maison ? Peut-être. Le Docteur McKenzie avait-il placé cet avis en lettres tarabiscotées devant son cabinet : « *Le Docteur McKenzie a l'obligeance d'informer son aimable Pratique qu'il vient de recevoir une Quantité importante de Marchandises diverses : Thé, café, savon fin, tabac, etc. En VENTE ici même dans son échoppe* » ? Comment savoir ?

Thomas Jefferson, homme d'une grande sensibilité, n'aimait pas Williamsburg qu'il trouvait laid. Encore une chose qu'on se garde bien de vous dire. Il décrivait les bâtiments de l'université et de l'hôpital comme un « amas informe et grossier » et pour lui le palais du gouverneur n'avait « aucune élégance ». Il ne parlait certainement pas du même endroit car le Williamsburg d'aujourd'hui est d'un charme irrésistible. D'ailleurs je n'y ai pas résisté.

J'ai poursuivi ma route jusqu'à Mont Vernon, où George Washington a passé la plus grande partie de sa vie. Washington mérite sa gloire : ce qu'il a accompli à la tête de l'armée coloniale était audacieux, risqué et vraiment habile. On oublie trop souvent que la guerre d'Indépendance a traîné en longueur pendant huit ans et que bien souvent Washington n'a pas bénéficié d'un grand soutien. Sur une population totale de 5,5 millions, il n'avait que 5 000 soldats dans son armée, un soldat pour 1 100 habitants. Quand on voit le calme et la beauté de Mont Vernon, quand on imagine la vie facile et agréable qu'il y menait, on se demande bien pourquoi il s'est donné toute cette peine. Mais c'est ce qui plaît chez Washington, son mystère. On n'est pas même sûr de savoir à quoi il ressemblait. Presque tous ses portraits ont été exécutés par Charles Willson Peale ou sont des copies de ses œuvres. Peale, qui a fait soixante tableaux de Washington, n'était pas un crack question portrait. En fait, selon Samuel Eliot Morison, ses portraits de Washington, Lafayette et John Paul Jones se ressemblent au point où on se demande si ce n'est pas la même personne.

Mont Vernon est tout ce que Williamsburg n'est pas et aurait pu être, un endroit authentique, intéressant, instructif. Cela fait plus d'un siècle que la maison est entretenue par l'Association des Dames de Mont Vernon, et quelle chance pour nous ! Chose étonnante : quand la maison fut mise en vente en 1853 ni le gouvernement fédéral ni l'État de Virginie n'ont voulu en faire l'acquisition. Ce sont alors ces dames pleines de bonne volonté qui ont constitué en hâte une association, rassemblé l'argent pour acheter la maison et les quatre-vingt-huit hectares de terre. Ensuite elles se sont mises à tout restaurer, exactement comme c'était du temps de Washington, dans les moindres détails, de la nuance des peintures jusqu'aux dessins du papier peint. Dieu merci, John Rockefeller n'a pas eu l'occasion d'y mettre le nez. Aujourd'hui l'Association continue à gérer l'affaire avec un dévouement et une compétence qui devraient être un exemple pour toutes les entreprises de restauration. Ce qui n'est pas le cas, hélas. Quatorze pièces sont ouvertes au public et dans chacune un guide compétent et bénévole vous fait un commentaire sur l'usage et la décoration des lieux. La maison est véritablement la création de Washington. Il exigeait d'être consulté pour le moindre détail de décoration, même quand il était absent et en pleine campagne militaire. Avec un curieux plaisir, je me l'imaginais à Valley Forge, au milieu de ses soldats mourants de froid et de faim, en train de se ronger les sangs pour son prochain achat de dentelles et de couvre-théière. Quel sacré mec. Quel héros.

12

J'ai passé la nuit dans les environs d'Alexandria et le lendemain je suis entré à Washington. J'avais gardé de mon enfance le souvenir d'une ville chaude, sale, résonnant du vacarme des marteaux-piqueurs. Elle possédait cette espèce particulière de chaleur crasseuse qu'on retrouvait en été dans les grandes villes américaines avant l'avènement de l'air conditionné. Les gens passaient leur temps d'éveil à s'efforcer d'y remédier : ils s'essuyaient le cou avec d'amples mouchoirs, ingurgitaient des verres de limonade glacée, s'attardaient devant une porte de frigo ouverte ou s'affalaient près d'un ventilateur. Et même la nuit n'apportait aucun répit. C'était presque supportable à l'extérieur, là où on pouvait espérer bénéficier d'une bouffée d'air, mais à l'intérieur la chaleur ne se dissipait jamais. C'était une chape immobile, épaisse, étouffante. On avait l'impression d'être coincé dans un sac d'aspirateur. Je me souviens de longues heures de veille, allongé dans une chambre du centre de Washington, où j'écoutais les bruits d'une nuit d'août qui m'arrivaient par vagues d'une fenêtre ouverte : les sirènes, les klaxons, le bourdonnement de l'enseigne au néon de l'hôtel, le chuintement de la circulation, les gens qui rient, les gens qui crient, les gens qu'on tue.

Une certaine nuit d'août suffocante, en revenant de souper après avoir vu les New York Yankees se faire battre par les Washington Senators (4 à 3) au stade Griffith, on a même vu un type qui venait de se faire descendre. C'était un Noir et il était allongé au milieu d'une forêt de jambes dans ce que je pris sur le moment pour une flaque d'huile mais qui était, bien sûr, le sang qui coulait du trou qu'il avait dans la tête. Mes parents nous pressaient d'avancer et nous disaient de ne pas regarder, mais naturellement on regardait. Ce n'est pas à Des Moines qu'on risquait de voir un tel spectacle. Cela justifiait donc une observation attentive. Tout ce que j'avais vu comme meurtres jusqu'alors, c'était à la télé, dans des programmes comme *Gunsmoke* ou *Dragnet*. Je pensais que c'étaient des péripéties qu'on ajoutait simplement pour faire avancer l'intrigue. L'idée ne m'avait jamais effleuré que tuer quelqu'un était une possibilité qu'on avait en option dans le monde réel. Cela me semblait un acte tellement bizarre : mettre un terme à la vie de quelqu'un uniquement parce qu'il vous tape un peu sur le système. J'imaginais ma maîtresse d'école primaire, Mlle Bietlebaum, qui avait de la moustache sur la lèvre et de la méchanceté dans le cœur, étendue sur le plancher près de son pupitre, immobile pour l'éternité tandis que je me penchais sur elle le pistolet encore fumant à la main. C'était une idée intéressante. Ça vous ouvrait des perspectives.

Au petit restaurant où nous sommes allés manger, un autre détail curieux m'a donné à réfléchir. Les Blancs comme nous entraient et allaient s'installer au comptoir tandis que les Noirs passaient leur commande puis allaient attendre, debout contre le mur. Quand c'était prêt, on leur tendait leur repas dans un sac en papier et ils partaient le manger chez eux ou dans leur voiture. Mon père nous expliqua que les Noirs, à Washington, n'avaient pas la permission de s'asseoir au comptoir pour manger. La loi ne l'interdisait pas formellement mais c'était une chose qu'ils n'osaient pas faire tant Washington ressemblait à une ville du Sud. Cela aussi me sembla curieux et me rendit encore plus pensif. Plus tard, allongé dans ma chambre d'hôtel étouffante, à l'écoute de l'agitation de la ville, je tentai de comprendre le monde des adultes sans y parvenir. J'avais toujours pensé qu'une fois adulte on pouvait faire tout ce qu'on voulait : rester debout toute la nuit, manger la confiture directement dans le pot. Mais en cette soirée mémorable de mon existence, je venais de découvrir que si on ne remplissait pas certaines conditions importantes, les gens pouvaient vous tirer une balle dans la tête ou bien vous forcer à manger votre souper dans une voiture. Accoudé dans mon lit, j'ai demandé à mon père s'il existait des endroits où les Noirs étaient derrière les comptoirs et où on obligeait les Blancs à rester debout près du mur.

Mon père m'a regardé par-dessus son livre et dit qu'il ne le pensait pas. Je lui ai demandé ce qui se passerait si un Noir essayait de s'asseoir au comptoir malgré l'interdiction. Qu'est-ce qu'on lui ferait ? Mon père dit qu'il n'en savait rien et que je ferais mieux de dormir et de ne pas m'inquiéter de ces choses. Je me suis recouché et après avoir réfléchi un moment, j'en suis arrivé à la conclusion qu'on lui tirerait une balle dans la tête. Puis je me suis retourné et j'ai essayé de dormir. En vain. C'était sans doute parce que j'avais chaud et que ces problèmes m'agitaient. C'était aussi parce que mon grand frère m'avait dit plus tôt dans la soirée qu'il viendrait me tartiner la figure de crottes de nez pendant que je dormais parce que je ne lui avais pas laissé goûter mon milkshake pendant le match. Et même si pour le moment il avait l'air de dormir à poings fermés, cette perspective me perturbait sérieusement.

Bien sûr, le monde a beaucoup changé depuis ce temps-là. Maintenant quand vous gisez éveillé la nuit dans votre chambre d'hôtel, ce n'est plus la ville que vous entendez. C'est le bruit neutre de votre système de climatisation. Vous pourriez aussi bien être dans un avion au-dessus du Pacifique ou dans un bathyscaphe au fond de l'océan. Où que l'on aille, tout est climatisé et l'air a la propreté et la fraîcheur d'une chemise qui sort du lavage. Les gens ne s'essuient plus le cou comme autrefois, ils ne boivent plus de verres de limonade, ils ne posent plus leurs bras nus sur les comptoirs de marbre frais avec un soupir de soulagement, parce que de nos jours la chaleur de l'été est une chose qui n'existe que dehors et dont on fait l'expérience brièvement, le temps d'un sprint entre le bureau et la voiture ou entre le bureau et le resto du coin. Et maintenant, les Noirs sont assis au comptoir. Du coup, on a moins de place mais c'est plus juste. Et personne ne va assister au match des Washington Senators parce que les Washington Senators n'existent plus. En 1972 le directeur du club a transféré l'équipe au Texas parce que ça lui rapportait plus d'argent. Hélas. Mais, sans aucun doute, le changement le plus important — du moins en ce qui me concerne —, c'est que mon frère ne menace plus de me mettre des crottes de nez sur la figure quand je l'embête.

Washington donne l'impression d'être une petite ville. La métropole elle-même compte trois millions d'habitants, ce qui met Washington au septième rang des villes des États-Unis, et si on y ajoute Baltimore qui est juste à côté, on dépasse les cinq millions. Mais le centre ville même est très limité : 637 000 habitants, moins que San Antonio ou Indianapolis. On se croit dans une charmante petite ville de province et puis au coin d'une rue on se trouve face au quartier général du FBI ou de la Banque mondiale ou du Fonds monétaire international et cela vous fait prendre conscience de son importance. Ce qui vous sidère, c'est la Maison Blanche. Vous êtes là à traîner en ville faisant du lèche-vitrine, fouillant dans les cravates et les négligés de soie, vous dépassez le bout de la rue et c'est elle, la Maison Blanche, en plein centre. Très pratique pour faire les courses, pensai-je. Le bâtiment est plus petit qu'on ne l'imagine. Tout le monde le dit.

Juste en face il y avait un campement permanent de marginaux et de dingues qui vivent dans des boîtes en carton pour protester contre les stations spatiales de la CIA qui contrôlent leurs pensées. (A leur place vous feriez pareil.) Il y avait aussi un type qui faisait la manche. Incroyable, non ? Juste là, dans notre capitale, sous les fenêtres du boudoir de Nancy Reagan ! Ce qu'il y a de plus sympathique à Washington, c'est le Mall, cette vaste esplanade de verdure qui s'étend sur deux kilomètres du Capitole à l'est jusqu'au Mémorial de Lincoln à l'ouest, qui domine le Potomac. Le monument le plus élevé est la colonne de Washington. Mince et blanche, pointue comme un crayon, elle s'élève à cent cinquante mètres au-dessus du parc. C'est une des structures les plus simples et les plus imposantes que je connaisse. D'autant plus impressionnante quand on sait que ses énormes pierres sont venues du delta du Nil sur des rouleaux de bois tirés par des esclaves sumériens. Non, désolé, je confonds avec les pyramides de Gizeh. N'empêche que c'est une sacrée prouesse de génie civil et que c'est très agréable à regarder. J'avais espéré monter au sommet mais tout autour du monument serpentait une longue file de gens dont une foule d'écoliers turbulents qui attendaient le moment où ils pourraient s'entasser dans un ascenseur grand comme une cabine téléphonique. J'ai donc choisi d'aller vers l'est et de remonter en direction de la colline du Capitole, qui est une colline si on veut.

Alignés à l'extrémité est du Mall se trouvent les différents bâtiments de l'Institut Smithsonian : les musées de l'Histoire américaine, d'Histoire naturelle, de l'Air et de l'Aviation, etc. Le Smithsonian qui, soit dit en passant, a été légué aux États-Unis par un Anglais qui n'y avait jamais mis les pieds, se trouvait autrefois dans un seul bâtiment. Mais on n'a pas arrêté d'en déplacer des sections entières pour les mettre dans de nouveaux édifices un peu partout dans la ville. Et maintenant il y a quatorze musées Smithsonian. Les plus importants se situent le long du Mall et les autres sont éparpillés dans la ville. On a été obligé d'en venir là pour faire face au volume d'objets (environ un million) que le musée récolte chaque année. Pour vous donner une idée : en 1986 les acquisitions du Smithsonian incluaient 10 000 papillons et phalènes de Scandinavie, les archives complètes des services postaux de la zone du canal de Panama, une partie de l'ancien pont de Brooklyn et un chasseur MIG 25. Au début tout était conservé dans ce merveilleux édifice en brique de style gothique qu'on appelle le Château. Mais maintenant le Château n'est plus utilisé que pour les services administratifs ou pour vous passer un film de présentation du musée.

Maintenant je redescendais le Mall en direction du Château. Le parc était rempli de joggers, ce que je trouvais un peu inquiétant. Ces gens ne devraient-ils pas plutôt être occupés à gouverner le pays ou, au moins, à déstabiliser quelques républiques d'Amérique centrale ? Franchement, est-ce qu'on n'a rien de plus important à faire un mercredi matin à dix heures trente que de chausser des Reebok et se mettre à courir pendant quarante-cinq minutes ? L'accès au Château était bloqué par des cordons et des barrières de bois. Des agents de sécurité en costume sombre, américains et japonais, se tenaient en faction. On sentait qu'ils devaient tous passer beaucoup de temps à faire du jogging. Certains avaient des écouteurs et parlaient dans des radios. D'autres tenaient des chiens en laisse ou vérifiaient avec de longs miroirs au bout d'une perche le dessous des voitures stationnées le long de Jefferson Drive devant le bâtiment. Je m'approchai d'un des agents de sécurité américains pour lui demander quelle personnalité on attendait. Mais il m'a dit qu'il n'avait pas le droit de me le dire. J'ai trouvé ça bizarre. J'étais dans un pays où, grâce à la loi sur la liberté d'information, je pouvais savoir combien de suppositoires le médecin de Ronald Reagan lui avait prescrits en 1986 (1472) mais on refusait de me dire quelle personnalité allait bientôt apparaître sur les marches d'une institution nationale. La dame à côté de moi dit : « C'est Nakasone, le président du Japon.

— Oh vraiment », répondis-je, toujours ravi de voir une célébrité. Je demandai au garde quand il arriverait. « Je n'ai pas non plus le droit de vous le dire, monsieur. » Et il alla plus loin. Je restai dans la foule quelques instants à guetter l'arrivée de M. Nakasone. Et puis je me suis demandé ce que je faisais là. J'essayai de trouver dans mes connaissances une seule personne qui serait impressionnée quand je lui raconterais que j'avais vu de mes propres yeux le Premier ministre du Japon. Je me voyais déjà dire à mes enfants : « Hé, les gosses, devinez qui j'ai vu à Washington ? Yasuhiro Nakasone! » et être salué par un profond silence. J'ai donc poursuivi jusqu'au musée de l'Air et de l'Espace, nettement plus intéressant.

Mais pas aussi intéressant qu'il devrait être, si vous voulez mon avis. Dans les années cinquante ou soixante, le Smithsonian se réduisait à un seul édifice : le Château. Tout était entassé dans ce vieux bâtiment merveilleusement sombre qui sentait le moisi. C'était un peu le grenier de la nation et comme tous les greniers, c'était un splendide fouillis. Ici on trouvait la chemise que Lincoln portait le jour de son assassinat, avec encore la tache de sang au niveau du cœur. Là on avait un diaporama montrant une famille Navajo préparant le dîner. Au-dessus de votre tête, suspendus à de sombres poutres, se balançaient *L'Esprit de Saint-Louis* et le premier avion des frères Wright. On ne savait jamais où porter le regard ni ce qui nous attendait à chaque tournant. Maintenant tout semble avoir été mis en ordre par une vieille fille maniaque, trié soigneusement et bien rangé. Vous allez au musée de l'Air et de l'Espace et vous y voyez *L'Esprit-de-Saint-Louis* et l'avion des frères Wright et des tas d'autres avions et fusées et c'est bigrement impressionnant mais c'est aussi d'un ordre clinique et sans inspiration. Il y manque ce sentiment de découverte. Désormais si votre frère se précipite pour vous dire : « Hé, tu ne devineras jamais ce que j'ai vu là-bas ? », vous avez toutes les chances de le deviner : c'est sûrement un avion ou un vaisseau spatial. Dans le vieux Smithsonian, on pouvait s'attendre à tout, un chien fossilisé, le scalp de Custer, des têtes humaines flottant dans un bocal. Maintenant on n'a plus ce genre de surprise. J'ai donc passé la journée à traîner dans les différents musées avec le respect qu'il se doit, intéressé mais pas emballé. Enfin il y avait tant à voir que j'y ai quand même consacré la journée entière et encore je n'en ai vu qu'une partie.

Dans la soirée, je suis revenu sur le Mall pour aller voir le Mémorial de Jefferson. J'avais espéré le voir au crépuscule mais il était déjà tard et l'obscurité tombait comme un rideau. J'avais à peine mis les pieds dans le parc que je me retrouvai dans le noir absolu. Je pensai être agressé — en fait je considérai même que cela m'était dû, à me balader comme ça la nuit dans un parc public — mais de toute évidence il faisait trop noir et les voyous ne me voyaient pas. Le seul risque physique que j'encourais, c'était d'être renversé par les nombreux joggers qui, complètement invisibles, piquaient leurs sprints dans les allées obscures. Le Mémorial de Jefferson est beau. Il n'a rien de particulier : c'est une vaste rotonde de marbre qui a la forme de Monticello et qui abrite une statue géante de Jefferson dont les expressions favorites sont gravées sur les murs *(Bonne journée à tous, N'oubliez pas votre petite laine, J'en reste comme deux ronds de flan)*. Éclairé la nuit, avec toutes ces lumières qui scintillent et se reflètent dans la pièce d'eau, le monument est fascinant. J'ai bien dû rester assis pendant une heure ou davantage à écouter le chuintement cadencé de la circulation lointaine, les sirènes, les klaxons, les bruits distants des gens qui criaient, qui chantaient, qu'on assassinait.

Je me suis attardé si longtemps qu'il était trop tard pour aller visiter le Mémorial de Lincoln et j'ai dû revenir le lendemain matin. Ce mémorial est tout à fait ce qu'on imagine : Lincoln y est assis dans son grand fauteuil, l'air noble mais affable. Il avait un pigeon sur la tête. Il en a toujours un. Sans doute le pigeon pense-t-il que les gens viennent tous les jours pour le regarder. Plus tard, en traversant le Mall, j'ai remarqué d'autres barrières, cordons et agents de sécurité en faction. On avait bloqué une rue qui traverse le parc et fait venir deux hélicoptères ornés des armes de la Présidence, sept canons et l'orchestre du corps des marines. C'était très tôt le matin et il n'y avait aucun badaud. Aussi, seul spectateur, je me suis approché des canons pour regarder et aucun agent de sécurité ne m'a inquiété ni même remarqué.

Quelques minutes plus tard, annoncée par des mugissements de sirènes, une procession de limousines noires et de motos arrivait. Nakasone est descendu de l'une d'elles ainsi que d'autres Japonais tous vêtus de costumes noirs et escortés de quelques jeunes Aryens du Département d'État. Ils sont tous restés debout poliment pendant que l'orchestre des marines faisait retentir un air guilleret que je n'ai pas reconnu. Puis on a eu droit à vingt et un coups de canon mais les salves n'ont pas fait BOUM comme on pouvait s'y attendre. Elles ont fait *peuf*. On avait bourré les canons d'une sorte de poudre silencieuse, sans doute pour ne pas réveiller le président dormant dans la Maison Blanche, juste à côté. Si bien que lorsque le commandant criait : « A vos armes, prêts ? Partez ! » ou ce qu'on dit en pareil cas, c'était suivi de sept petits *peuf* et un épais nuage de fumée nous recouvrait et traversait lentement le parc. L'opération s'est répétée trois fois car il n'y avait que sept canons. Puis Nakasone a fait un signe amical à la foule — autrement dit à moi — et a piqué un sprint avec toute son escorte vers les hélicoptères présidentiels dont les pales étaient déjà en action. Peu après, ils ont décollé et, légèrement inclinés, ont survolé le monument de Washington et ont disparu. Alors les gens à terre se sont détendus et ont sorti leurs paquets de cigarettes.

Des semaines plus tard, de retour à Londres, j'ai raconté ma rencontre particulière avec Nakasone et l'orchestre du corps des marines, l'histoire des petits canons silencieux et comment le premier ministre japonais m'avait salué, moi tout seul. Les gens m'ont écouté poliment puis après une petite pause, quelqu'un a dit : « Est-ce que vous savez que Mabel doit retourner à l'hôpital pour se faire opérer les pieds ? » Les Anglais peuvent être vraiment durs, parfois.

J'ai quitté Washington par la route US 301 en passant par Annapolis et l'Académie navale des États-Unis puis, empruntant un pont long mais pas très élevé, j'ai traversé la baie de Chesapeake pour entrer dans le Maryland de l'Est. Jusqu'en 1952, date de la construction du pont, le côté est de la baie a joui de siècles d'isolement. Depuis cette date, les gens n'ont pas arrêté de dire que les étrangers allaient envahir et saccager toute la région mais à mes yeux elle avait l'air assez peu abîmée et à mon avis c'est plutôt grâce aux étrangers. Ce sont toujours les gens venus d'ailleurs qui s'opposent le plus farouchement aux galeries commerciales et aux parkings alors que les autochtones, âmes simples et confiantes, ont tendance à croire que ça va leur faciliter la vie.

Chesterton, première ville d'importance que j'ai traversée, m'a confirmé dans cette impression. Pour commencer, j'ai vu une femme en survêtement rose vif qui circulait à bicyclette avec un panier en osier à l'avant. Seule une *émigrée* urbaine peut posséder une bicyclette avec un panier en osier à l'avant. Une femme du coin circulerait en camionnette Subaru. Il y avait beaucoup de ces femmes à bicyclette et elles avaient visiblement fait de Chesterton une communauté modèle. Tout était propre comme un sou neuf. Les trottoirs étaient en brique et bordés d'arbres et il y avait un parc bien entretenu au milieu du quartier commercial. La bibliothèque était bien fréquentée et un cinéma toujours en activité passait autre chose que *Vendredi Treize*. L'endroit débordait de charme et respirait la quiétude. Je n'ai pas souvent vu de ville aussi sympathique. C'était presque Amalgame. J'ai repris ma route à travers les terres basses et marécageuses, sous le charme de la beauté sobre de la péninsule de Chesapeake, avec ses ciels dégagés, ses fermes dispersées et ses petites villes oubliées. Plus tard dans la matinée, je suis passé dans l'État du Delaware, *en route** pour Philadelphie. Je crois bien que le Delaware est le moins connu des États américains. J'ai rencontré un jour une fille du Delaware et j'ai cherché désespérément quelque chose à lui dire. Tout ce que j'ai pu lui sortir c'est : « Et alors comme ça, vous venez du Delaware ? Eh ben dites donc, ça alors ! » et la fille m'a rapidement quitté pour un autre garçon plus doué verbalement et aussi plus beau. Cela m'a tracassé pendant un moment : j'avais vécu aux États-Unis pendant vingt ans, bénéficié d'une éducation coûteuse et cependant j'ignorais tout de l'un de ces cinquante États. J'ai interrogé des gens pour savoir s'ils avaient entendu mentionner le Delaware à la télévision ou lu un article s'y rapportant ou un roman dont l'action se passerait dans le Delaware. Et ils me répondaient : « Eh bien non, quand j'y pense », et repartaient l'air aussi tracassé que moi.

J'ai décidé que je devais me documenter sur le Delaware pour qu'à ma prochaine rencontre avec une dame du Delaware je puisse lui sortir quelque chose de spirituel et intelligent et coucher avec elle. Mais je n'ai rien trouvé sur le Delaware, nulle part. Même dans l'*Encyclopaedia Britannica* il n'y a que deux paragraphes et encore ils se terminent au milieu d'une phrase si mes souvenirs sont bons. Et ce qui est bizarre, c'est qu'à mesure que je traversais le Delaware, je le sentais disparaître de ma mémoire, comme ces ardoises d'enfant où l'on efface l'image en soulevant une feuille de plastique transparent. C'était comme si une feuille géante s'élevait dans mon dos, effaçant mes souvenirs dès leur création. Quand j'y pense maintenant, j'arrive tout juste à me rappeler

---

* En français dans le texte *(NdT)*.

vaguement un paysage semi-industriel et des panneaux routiers signalant Wilmington.

Et puis je me suis retrouvé aux abords de Philadelphie, la ville à laquelle le monde doit, entre autres choses, Sylvester Stallone et la maladie du légionnaire, ce qui m'a tellement perturbé que j'en ai complètement oublié le Delaware.

13

Quand j'étais enfant, Philadelphie était la troisième ville des États-Unis. Je me rappelle y avoir parcouru en voiture, par un dimanche de juillet torride, d'interminables kilomètres de ghettos où les immeubles délabrés se faisaient suite, où les enfants noirs pataugeaient dans l'eau des bornes d'incendie tandis que des vieux traînaient au coin des rues ou restaient assis sur le pas de la porte. Je n'avais jamais vu un endroit aussi misérable. Des ordures jonchaient les caniveaux et les allées. Des immeubles entiers n'étaient plus que ruine. On se serait cru dans un pays étranger, en Haïti ou au Panama. Pendant toute notre traversée, mon père n'avait pas arrêté de siffloter entre ses dents comme il le faisait chaque fois qu'il se sentait mal à l'aise et il nous avait demandé de garder les fenêtres fermées malgré la chaleur qui régnait dans la voiture. Aux feux rouges, les gens nous fixaient d'un regard lourd. Alors le sifflotement paternel s'accélérait et s'accompagnait d'un tapotement des doigts sur le volant. Mon père adressait un sourire gêné à ceux qui nous regardaient comme pour dire : « Excusez-nous. Nous ne sommes pas d'ici. »

Aujourd'hui les choses ont changé, naturellement. Philadelphie n'est plus la troisième ville du pays. Dans les années soixante Los Angeles l'a reléguée au quatrième rang et maintenant des autoroutes vous conduisent jusqu'au centre ville, ce qui évite de vous salir les pneus dans les ghettos. Malgré cela j'ai tout de même réussi en très peu de temps et sans le faire exprès à visiter un des quartiers les plus misérables quand j'ai quitté l'autoroute pour chercher une pompe à essence. Avant d'avoir pu réagir, je me suis retrouvé aspiré par un tourbillon de sens uniques qui m'ont conduit dans le coin le plus sordide et le plus inquiétant de toute mon existence. C'était peut-être, pour autant que je sache, le même ghetto que nous avions traversé voici tant d'années. Les bâtiments en pierre brune semblaient identiques mais c'était bien pire que dans mes souvenirs. Dans le ghetto de mon enfance, malgré toute cette misère, régnait une ambiance de carnaval. Les gens portaient des habits de couleurs vives et semblaient s'amuser. Maintenant l'endroit n'évoquait plus que misère et danger, comme une zone de combat. Des voitures abandonnées, de vieux frigos, des divans brûlés encombraient les terrains vagues. Des poubelles semblaient avoir été jetées du toit des maisons. Je ne trouvais pas de pompe à essence — et d'ailleurs je ne me serais pas arrêté, pas dans un endroit pareil, pas même pour un million de dollars — et la plupart des devantures étaient condamnées par des planches de contre-plaqué. Le moindre recoin était badigeonné de graffitis. On voyait bien quelques jeunes dans les entrées de maison et au coin des rues mais ils avaient l'air amorphes et frigorifiés — il faisait frisquet — et ne semblaient pas me remarquer, Dieu merci. C'était visiblement le genre de quartier où l'on pouvait se faire descendre pour un paquet de cigarettes, ce dont j'étais pleinement conscient alors que je tentais désespérément de rejoindre l'autoroute. Quand enfin j'ai pu la rejoindre, ce n'est pas entre les dents que je sifflotais mais entre les fesses.

Je ne pense pas avoir vécu des minutes aussi inconfortables depuis bien longtemps. Bonté divine, ça doit être l'enfer d'habiter ce coin et d'avoir à emprunter ces rues quotidiennement. Savez-vous que si vous êtes un Noir habitant une ville américaine vous avez une chance sur dix-neuf d'être assassiné ? Pendant la Seconde Guerre mondiale, les risques n'étaient que de un sur cinquante. Dans la ville de New York il y a un meurtre toutes les quatre heures. Le meurtre y est devenu la cause de décès la plus fréquente pour les moins de trente-cinq ans. Et cependant New York n'est pas la ville où il y a le plus d'assassinats. Il y a au moins huit autres villes qui la devancent. A Los Angeles, il se commet plus de meurtres chaque année dans les cours de récréation que dans toute la ville de Londres. Il ne faut donc pas s'étonner de voir les citadins américains considérer la violence comme une routine quotidienne. Je ne sais pas comment ils font.

En quittant Des Moines pour entreprendre ce voyage, je suis passé par l'aéroport O'Hare de Chicago où je suis tombé par hasard sur un copain journaliste du *St. Louis Post Dispatch*. Il m'expliqua qu'il était surmené, ayant eu à assurer des tas d'heures supplémentaires parce qu'il était arrivé quelque chose à son patron. En rentrant du travail, tard le soir, celui-ci avait dû s'arrêter à un feu rouge. Alors qu'il attendait que les feux changent, on avait ouvert la porte du côté passager et un homme armé était monté. Le type l'avait obligé à conduire la voiture au bord de la rivière où il lui avait tiré une balle dans la tête et pris son argent. Le patron de mon copain était dans le coma depuis trois semaines et on lui donnait peu de chances de s'en tirer.

Si mon ami m'a raconté cette histoire, ce n'était pas tellement pour son côté sensationnel mais plutôt pour m'expliquer son surmenage depuis quelque temps. Quant à ce qui était arrivé à son patron, mon copain semblait penser que si vous êtes assez bête pour oublier de verrouiller vos portières en traversant St. Louis la nuit, eh bien vous devez vous attendre à recevoir une balle dans la tête de temps à autre. C'était très étrange, cette attitude complètement détachée qui semble être de plus en plus courante aux États-Unis de nos jours. Cela m'a donné l'impression d'être un étranger.

Je suis allé dans le centre et j'ai garé ma voiture près de l'hôtel de ville. Au sommet de l'édifice se trouve une statue de William Penn. C'est le principal point de repère de la cité, visible de tous les alentours, mais couvert d'échafaudages. En 1985, après des décennies d'abandon, les édiles ont décidé de restaurer la statue avant qu'elle ne s'effondre. On l'a donc couverte d'échafaudages. Mais l'opération elle-même a coûté tellement cher qu'il n'est plus resté un sou pour la restauration. Deux ans plus tard l'échafaudage était encore en place et les travaux n'avaient toujours pas commencé. Un ingénieur de la municipalité avait même annoncé très sérieusement qu'avant longtemps, c'est l'échafaudage lui-même qui aurait besoin de restauration. Voilà grosso modo la façon dont les choses fonctionnent à Philadelphie — autrement dit pas très bien. Aucune ville américaine n'essaie d'atteindre ce double idéal d'incompétence et de corruption avec le même enthousiasme que Philadelphie. Pour la bêtise bureaucratique, cette ville mérite d'être mise dans une catégorie à part.

Prenons un cas: en 1985, une secte bizarre du nom de MOVE s'est barricadée dans un immeuble ouvrier des quartiers ouest. Le maire et le chef de la police ont envisagé toutes les solutions possibles et décidé que la façon la plus intelligente de procéder était de faire sauter l'immeuble — Bon sang! Mais c'est bien sûr! — tout en sachant qu'il y avait des enfants dans l'immeuble et que celui-ci se trouvait dans une des zones les plus peuplées de la ville. Ils ont donc largué d'un hélicoptère une bombe sur la maison. Cela a provoqué un incendie qu'on n'a pas pu maîtriser et qui a ravagé toutes les maisons des alentours — soixante et une au total — et tué onze personnes, y compris les enfants de la maison assiégée.

Histoire de se reposer de leur incompétence, les autorités de la ville aiment se détendre avec un peu de corruption. En entrant dans la ville, j'ai entendu à la radio qu'un ancien conseiller municipal venait d'être condamné à dix ans de prison, et son assistant à huit ans, pour tentative d'extorsion de fonds. Le juge disait que cela entamait sérieusement la confiance populaire. Il était bien placé pour le savoir. De l'autre côté de la ville, une commission d'État venait de requérir la démission de neuf juges coupables d'avoir reçu des pots-de-vin du syndicat des charpentiers, et deux d'entre eux étaient déjà en attente de procès pour extorsion de fonds. Ce genre d'incident fait partie de la routine à Philadelphie. Quelques mois plus tôt, un fonctionnaire d'État du nom de Bud Dwyer s'était également fait accuser de corruption. Il avait organisé une conférence de presse, sorti un revolver et, devant les caméras, il s'était fait sauter la cervelle. Ce qui a donné naissance à une excellente blague locale : Question : Quelle est la différence entre Bud Dwyer et la bière Bud Lite ? Réponse : La bière Bud Lite a quelque fois un faux-col. Bud Dwyer n'en a plus besoin.

Et pourtant, malgré toute cette gabegie et cette criminalité, Philadelphie est une ville attachante. D'abord, contrairement à Washington, Philadelphie a l'allure d'une grande ville. Il y a des gratte-ciel, de la vapeur qui s'échappe des grilles d'égout et à chaque coin de rue il y a une baraque métallique où un vendeur de hot dogs en passe-montagne s'active, l'air frigorifié. Je me suis dirigé vers la place de l'Indépendance, qu'on appelle maintenant le Parc historique et national de l'Indépendance, et j'ai admiré avec respect tous les bâtiments historiques. Le plus important est l'Independence Hall où a été rédigée la Déclaration d'Indépendance et où la Constitution a été ratifiée. Lors de mon premier passage en 1960, il y avait une longue file de gens qui faisaient la queue devant le hall. La file était toujours là et apparemment les gens ne semblaient pas avoir avancé d'un centimètre en vingt-sept ans. J'ai beau avoir un profond respect pour la Constitution et la Déclaration d'Indépendance, je me sentais peu enclin à passer un après-midi entier dans une queue aussi longue et aussi peu mobile. Au lieu de cela, je suis allé au Centre d'Information touristique. Ces endroits se ressemblent tous. On y trouve toujours des expositions sous vitrines qui réussissent à être en même temps ennuyeuses et peu instructives, un auditorium fermé à clé devant un écriteau précise que la prochaine séance du film gratuit de douze minutes aura lieu à seize heures (et peu avant seize heures, d'ailleurs, un employé vient effacer l'horaire et inscrire dix heures du matin). On y trouve également des étagères de livres et de brochures, *L'Étain à travers les âges*, *Les Vieux Jardins potagers de Philadelphie*, qui sont trop ennuyeux pour être feuilletés et encore moins achetés, une borne d'eau potable et des toilettes dont tout le monde fait usage parce que ça occupe. Tous les visiteurs qui entrent dans ces centres d'information restent à tourner bêtement en rond pendant quelques minutes, vont pisser, boivent un coup et ressortent. C'est précisément ce que j'ai fait.

Du centre d'information, je suis allé me balader sur l'Independence Mall jusqu'à la place Franklin. Elle grouillait de poivrots dont plusieurs ont eu l'humour de penser que j'allais leur donner vingt-cinq cents sans le moindre gadget ou service en échange. D'après mon guide, la place Franklin propose « bien des choses intéressantes à voir », un musée, un atelier de reliure en activité, une exposition archéologique et « la seule poste des États-Unis où ne flotte pas le drapeau américain » (ne me demandez pas pourquoi). Mais le cœur n'y était pas, surtout entouré de ces poivrots minables et sales qui n'arrêtaient pas de me tirer par la manche, aussi ai-je pris la fuite pour aller retrouver le monde réel du centre ville.

En fin d'après-midi, j'ai réussi à trouver les bureaux du *Philadelphia Inquirer* où une vieille copine de Des Moines, Lucia Herndon, travaille à la rédaction comme chef de la rubrique « Vie quotidienne ». Les bureaux de l'*Inquirer* ressemblaient à n'importe quels bureaux de journal : sales, désordonnés, encombrés de tasses de café dans lesquels des mégots flottent comme des poissons crevés dans un lac pollué. Et sur le bureau de Lucia, notai-je avec admiration, régnait la plus grande pagaille de toute la pièce. Cela expliquait peut-être son ascension si rapide dans la hiérarchie du journal. Je n'ai connu qu'un seul journaliste dont le bureau était vraiment bien rangé et il a fini par être arrêté pour attentat aux mœurs sur des petits garçons. Je vous laisse tirer vos propres conclusions. Mais songez-y quand même, la prochaine fois qu'une personne au bureau bien rangé vous invitera à aller faire du camping.

On est partis dans ma voiture vers le quartier de Mont Airy où, par chance pour moi — et pour elle aussi en définitive —, Lucia habite avec une autre vieille connaissance de Des Moines, Hal, son mari. Toute la journée, une pensée m'avait vaguement travaillé : pourquoi Hal et Lucia aimaient-ils tellement Philadelphie (ils s'y étaient installés un an auparavant). Mais maintenant je comprenais : la route de Mont Airy passe à travers le plus beau parc que j'aie jamais vu dans une ville. On l'appelle Fairmount Park et il couvre 4 000 hectares de vallons. C'est le plus grand parc municipal des États-Unis et c'est une profusion d'arbres, d'arbustes odorants, de bosquets, de clairières d'un charme infini. Il s'étend sur des kilomètres le long de la rivière Schuykill. Nous le traversions dans un crépuscule qui incitait à la rêverie. Des barques glissaient sur l'eau. C'était une perfection. Mont Airy se trouve dans une partie de la ville appelée Germantown. C'est un endroit calme et serein où l'on a le sentiment que les gens sont installés là depuis des générations — ce qui est précisément le cas à Philadelphie, me dit Lucia. La ville est encore pleine de ces quartiers où tout le monde connaît tout le monde. Beaucoup de gens ne s'aventurent guère au-delà d'une centaine de mètres de leur demeure. Il arrive souvent qu'en s'égarant on ne trouve personne capable de vous indiquer le chemin d'un quartier situé à cinq kilomètres de là. La ville de Philadelphie a aussi son propre vocabulaire, le centre ville s'appelle « centre cité », les trottoirs ne sont pas des « sidewalks » mais des « pavements », comme en Angleterre, et on y parle avec un accent particulier.

J'ai passé la soirée dans la maison de Hal et Lucia, assis à savourer leur repas, boire leur vin, admirer leurs enfants, leurs maison, meubles et possessions, leur confort et leur richesse tranquilles et je me suis senti un vrai con d'avoir quitté les États-Unis. Tout d'un coup j'avais envie d'un réfrigérateur qui fait des glaçons, d'une radio étanche qu'on peut écouter sous la douche. J'avais envie d'un presse-orange électrique, d'un ionisateur d'ambiance et d'une montre qui me donnerait mes biorythmes. J'avais envie de tout. Plus tard dans la soirée je suis monté dans la salle de bain et je suis passé devant la chambre des enfants. La porte était ouverte et la lampe de chevet allumée. Il y avait des jouets partout, sur le plancher, sur les étagères, débordant d'un coffre en bois. On aurait dit l'atelier du père Noël. Mais cela n'avait rien d'extraordinaire : c'était simplement une chambre d'enfant typique de la classe moyenne américaine.

Et vous devriez voir les placards en Amérique. Ils sont toujours remplis des engouements d'hier : clubs de golf, équipement de plongée sous-marine, raquettes de tennis, appareil de musculation, enregistreurs, laboratoire photo, tous ces objets qui ont passionné leur propriétaire à une époque et qui ont été remplacés par d'autres encore plus clinquants et plus passionnants. C'est ce qui fait le charme et la grandeur des États-Unis : chacun obtient toujours ce qu'il veut, immédiatement, que ce soit bien ou pas. Il y a quelque chose de très inquiétant et d'affreusement irresponsable dans cette autorécompense incessante, dans cet appel constant aux instincts les plus bas.

— *Voulez-vous des milliards de réduction d'impôts même si ça risque de flanquer en l'air tout le système d'éducation ?*

— Oh oui, crie le peuple.

— *Voulez-vous des programmes de télévision à faire pleurer un débile mental ?*

— Oui, s'il vous plaît !

— *D'accord pour se lancer dans la plus grande orgie de biens de consommation de tout l'univers ?*

— Bonne idée ! Allons-y !

La totalité de l'économie du globe est consacrée à la satisfaction des besoins de 2 pour 100 de l'humanité. Si tout à coup les Américains cessaient de céder à tous leurs caprices — ou s'ils n'avaient plus de place dans leurs placards —, l'économie du monde s'effondrerait. Si vous voulez mon avis, c'est de la folie pure. Je dois préciser que je ne pense pas à Hal et Lucia en disant ça. Ce sont de braves gens au train de vie modeste et responsable. Leurs placards ne sont pas remplis d'équipements de plongée ou de raquettes de tennis rarement utilisées. Ils sont pleins d'objets ordinaires comme des seaux et des bottes, des cache-oreilles et des paquets de poudre à récurer. Et je peux vous le garantir parce qu'en pleine nuit, quand tout le monde dormait, je suis sorti de mon lit et je suis allé voir.

Au matin, j'ai déposé Hal dans son bureau du centre ville, pardon centre cité, et le parcours de Fairmount Park dans le soleil matinal fut aussi enchanteur qu'au crépuscule. Toutes les villes devraient avoir des parcs semblables, me disais-je. Hal me racontait des tas de choses intéressantes sur Philadelphie : que la ville dépensait plus pour l'art que n'importe quelle autre ville américaine — 1 pour 100 du budget total de la municipalité — et pourtant le taux d'analphabètes y était de 40 pour 100. Il m'a montré au milieu de Fairmount Park le palais qui abrite le musée des Beaux-Arts de Philadelphie. C'est devenu la plus grande attraction touristique de la ville, non pas à cause de ses 500 000 tableaux mais parce que c'est sur les marches de ses escaliers que Stallone a piqué un sprint dans *Rocky*. En fait les gens viennent au musée en car, admirent les marches et repartent sans même entrer voir les peintures. Hal me fit connaître aussi un programme de radio présenté par un animateur du nom d'Howard Stern dont Hal est fanatique. Howard Stern s'intéresse activement à la sexualité et il est d'une franchise charmante avec ses auditeurs. « Bonjour, Marilyn, disait-il par exemple à une auditrice qui l'appelait. Est-ce que tu portes une petite culotte ? » Ce qui, nous étions d'accord là-dessus tous les deux, bat à plates coutures toutes les autres émissions de ce genre. Howard questionnait ses auditeurs avec une fraîcheur désarmante et une dose de salacité que j'ai rarement rencontrée sur les ondes américaines auparavant. Malheureusement j'ai perdu la station peu après avoir déposé Hal et j'ai passé le reste de la matinée à la chercher sans succès. Finalement je me suis retrouvé en train d'écouter une sorte d'émission-concours où la vedette semblait être une femme qui était une sorte de spécialiste dans les problèmes de vers intestinaux chez les chiens. Comme elle proposait principalement de donner des comprimés au chien pour tuer les vers, je ne mis pas longtemps à penser que j'étais moi-même un expert. Et c'est ainsi que se passa la matinée.

J'arrivai à Gettysburg, lieu de la bataille décisive de la guerre de Sécession. Elle a duré trois jours, au mois de juillet 1863, et a fait plus de cinquante mille victimes. Je garai ma voiture puis entrai au centre d'information. On y trouvait un petit musée mal éclairé avec des vitrines exposant des balles de fusil, des boutons de cuivre, des boucles de ceinturon, enfin ce genre d'articles, chacun accompagné d'une petite étiquette jaune avec un texte tapé à la machine : *Boucle de l'uniforme du Treizième Régiment des Montagnards du Tennessee. Trouvée par Festus T. Scrubber, fermier des environs, et léguée par sa fille Mme Marienetta Stumpy*. Il n'y avait pas grand-chose pour vous donner une idée de la bataille elle-même. On aurait plutôt dit le résultat d'une gigantesque course au trésor.

La vitrine consacrée à l'Adresse de Gettysburg m'apprit quelque chose d'intéressant : c'est seulement après coup qu'on a eu l'idée de proposer à Lincoln de prendre la parole et tout le monde a été sidéré quand il a accepté. Son discours ne contenait que dix phrases et n'a duré que deux minutes. On m'a aussi signalé que son discours n'a été prononcé que des mois après la bataille. Je m'étais toujours représenté Lincoln parlant immédiatement après les combats tandis que des cadavres jonchaient encore le sol, que dans le lointain des volutes de fumée s'élevaient des ruines de maisons et que des gens comme Festus T. Scrubber fouillaient les victimes encore agitées de soubresauts à la recherche de souvenirs intéressants. La vérité historique, comme souvent la vie elle-même, est bien décevante.

Je suis sorti pour aller visiter le champ de bataille qui s'étend sur 1 500 hectares de campagne plutôt sans relief et qui borde la ville de Gettysburg avec ses stations d'essence et ses motels. Ce champ de bataille souffre de cette faiblesse commune à tous les champs de bataille : ce n'est qu'un champ. Il n'y a pas grand-chose qui distingue ce paysage campagnard d'un autre. On est obligé de les croire sur parole quand ils vous affirment qu'on y a livré une grande bataille. Il faut reconnaître qu'il y a des canons éparpillés un peu partout. Et au bord de la route qui mène au site de la charge de Pickett, à l'endroit où l'attaque des Confédérés devait faire évoluer la bataille en faveur de l'Union, des régiments ont érigé des obélisques ou des monuments dont quelques-uns sont très imposants. Je suis allé y faire un tour. Grâce aux vieilles jumelles de mon père, je voyais clairement comment les troupes de Pickett avaient progressé, venant de la ville, traversant le parking du Burger King, contournant le drive-in Délice-Deluxe pour se regrouper finalement devant le Crap-O-Rama, musée de cire et magasin de souvenirs. Tout cela est vraiment triste. En une heure, dix mille soldats sont tombés, deux Confédérés sur trois y sont restés. C'est un scandale et, on peut presque dire, un crime d'avoir abîmé à ce point la ville de Gettysburg avec toute cette camelote touristique qui est tellement visible du champ de bataille.

Quand j'étais petit, mon papa m'avait acheté une casquette de l'Union et un fusil en plastique, puis il m'avait lâché sur le champ de bataille. J'étais au septième ciel. J'ai passé la journée à courir dans tous les sens, me cachant derrière les arbres, partant à l'assaut du Devil Den et du Little Round Top et faisant sauter des groupes entiers de touristes obèses, appareil photo en bandoulière. Papa était lui aussi au septième ciel parce que le parking était gratuit et qu'il y avait littéralement des milliers de plaques historiques à lire. Mais aujourd'hui je trouvais difficile d'éprouver le moindre enthousiasme pour l'endroit. J'étais sur le point de repartir, me sentant coupable d'être venu de si loin pour tirer si peu profit de l'expérience, quand j'ai vu une annonce au centre d'information proposant des visites de la maison d'Eisenhower. J'avais oublié que Mamie et Ike Eisenhower avaient vécu dans une ferme aux environs de Gettysburg. Leur vieille maison était devenue un monument historique national et la visite coûtait 2 dollars 50. Sans réfléchir davantage, j'ai acheté un billet et sauté dans un bus qui emmenait à la ferme sa cargaison de touristes à sept ou huit kilomètres de là, sur un petit chemin rural.

Eh bien c'était génial. Je crois bien ne m'être jamais autant amusé de ma vie dans un foyer républicain. A l'entrée, on est accueilli par une dame parfumée qui porte un chrysanthème sur la poitrine et qui vous dispense quelques informations — comment Ike et Mamie aimaient rester assis à regarder la télévision ou à jouer à la canasta — et puis elle vous tend une petite brochure avec toutes les explications, ce qui vous donne toute liberté pour flâner à votre guise. L'entrée des pièces est bloquée par du plexiglas mais on peut se pencher et regarder à l'intérieur. La maison est restée dans l'état où elle était du vivant des Eisenhower. C'était un peu comme s'ils étaient simplement partis à l'aventure sans revenir, chose dont l'un et l'autre étaient fort capables à la fin de leur vie. Le décor était absolument typique de la période républicaine des années soixante. Quand j'étais petit, on avait des voisins riches et républicains et cette maison était pratiquement la réplique de la leur. Une télévision grand écran trônait dans un cabinet d'acajou, les lampes de chevet avaient été fabriquées avec du bois de flottage, un bar à cocktails était garni de cuir, il y avait des téléphones à la française dans chaque pièce, des étagères qui portaient chacune une douzaine de livres (par série assortie de trois volumes) et des objets en porcelaine fleurie et bordée d'or, d'un style très prisé par les homosexuels de l'aristocratie française.

Quand les Eisenhower ont acheté la propriété en 1950, une ferme vieille de deux cents ans occupait le site. Mais comme elle avait des courants d'air et qu'elle craquait les nuits de tempête, ils ont fait raser la maison et l'ont remplacée par le bâtiment actuel qui *ressemble* à une vieille ferme de deux cents ans. Est-ce que ce n'est pas merveilleux ? Est-ce que ce n'est pas typiquement républicain ? Ça m'a vraiment plu. Chaque pièce contenait des objets que je n'avais pas vus depuis des années — des appareils de cuisine des années soixante, d'anciens numéros de *Life Magazine*, des postes de télé portatifs en noir et blanc ressemblant à des boîtes, des réveils métalliques. A l'étage les chambres étaient restées telles qu'Ike et Mamie les avaient laissées. Les affaires personnelles de Mamie étaient sur sa table de nuit — son agenda, ses lunettes de lecture, ses somnifères — et je parie qu'en regardant sous le lit on aurait trouvé ses vieilles bouteilles de gin. Dans la chambre d'Ike, on avait disposé son peignoir et ses pantoufles, et le livre qu'il lisait le jour de sa mort était resté ouvert sur la chaise à côté du lit. Ce livre était — et je vous demande de vous souvenir un instant que c'était un des hommes les plus importants de ce siècle, un homme qui a tenu entre ses mains la destinée du monde entier pendant une grande partie de la Deuxième Guerre mondiale et pendant toute la guerre froide, un homme choisi comme président de l'université de Columbia, un homme vénéré par deux générations de républicains, un homme qui, tout au long de mon enfance, avait eu le doigt posé sur Le Bouton — ce livre était : *A l'ouest du Pecos*, de Zane Grey.

De Gettysburg, j'ai pris l'US 15 direction nord pour Bloomsburg où mon frère et sa famille venaient de s'installer. Ils avaient habité pendant des années à Hawaii une maison avec piscine près de plages embaumées avec ciel tropical et bruissements de palmes, et maintenant, juste quand j'avais organisé un voyage en Amérique et que j'étais libre d'aller où je voulais, ils s'étaient établis dans le Pays de la Rouille. En l'occurrence, Bloomsburg s'est révélé très agréable — cela manquait un peu de plages embaumées et de vahinés aux hanches ondulantes — mais c'était agréable quand même.

C'est une ville universitaire où l'ambiance est nettement somnolente. Au début, on a le sentiment qu'on devrait circuler en pantoufles et en robe de chambre. La rue principale est prospère et florissante, et les rues adjacentes sont bordées de grandes maisons anciennes installées sur de vastes pelouses. Çà et là, des flèches de clochers émergent des bouquets d'arbres. C'est une ville presque idéale, un de ces très rares endroits en Amérique où l'on n'a pas besoin d'avoir une voiture. Il suffit d'une agréable promenade à pied pour aller de sa maison à la bibliothèque, à la poste ou aux magasins. Mon frère et sa femme m'ont annoncé qu'un promoteur immobilier allait bâtir un centre commercial à l'extérieur de la ville et que la plupart des magasins importants allaient s'y installer. Apparemment les gens ne veulent pas faire leurs courses en se promenant à pied. Ce qu'ils veulent vraiment, c'est monter dans leur voiture, aller aux abords de la ville, garer leur voiture et faire une promenade équivalente sur un parking plat, bétonné et sans arbres. Voilà la manière dont on fait ses courses en Amérique et il n'y a aucune raison que les gens de Bloomsburg en soient privés. Le centre de la ville va donc à moitié tomber en ruine et une autre jolie petite ville va disparaître. Ainsi progresse le monde.

Cela dit, j'ai été très heureux de revoir mon frère et sa famille, comme vous pouvez l'imaginer. J'ai fait tout ce qu'on fait quand on est reçu chez des parents : je me suis fait nourrir, j'ai utilisé leur baignoire, leur machine à laver et le téléphone, je suis resté les bras ballants pendant que la maisonnée s'agitait pour trouver des couvertures supplémentaires et pour essayer de venir à bout d'un canapé facétieux, et bien sûr, la nuit, quand tout le monde dormait, je me suis relevé pour aller regarder dans leurs placards.

Comme c'était le week-end et qu'ils étaient libres, mon frère et sa femme ont décidé de m'emmener visiter le comté de Lancaster, pays des Amish. Il y avait deux heures de route. En passant, mon frère m'a montré la centrale nucléaire de Three Miles Island près de Harrisburg où, voici quelques années, des employés négligents avaient failli irradier toute la côte Est. Puis, soixante-dix kilomètres plus loin, nous sommes passés devant la centrale nucléaire de Peach Bottom où dix-sept employés venaient d'être congédiés après qu'on eut découvert qu'ils passaient leurs heures de service à dormir, à se droguer, à se livrer des batailles à coups d'élastiques, et à faire des parties de jeux vidéo. A certains moments de la journée, selon les enquêteurs, tout le personnel de la centrale somnolait. Confier aux services publics de l'État de Pennsylvanie la gestion des centrales nucléaires est aussi dangereux que de laisser le prince Philip piloter un avion au-dessus de la ville de Londres. En tout cas, je me suis dit que je prendrai une combinaison antiradiations, la prochaine fois que j'irai en Pennsylvanie.

Le comté de Lancaster est la région des Amish et des mennonites, la Pennsylvanie hollandaise. Les mennonites doivent leur nom à une célèbre marque de stick déodorant pour hommes. Mais non, je plaisante. Ils tirent leur nom de Menno Simons, un de leurs premiers chefs.

En Europe on les appelait les anabaptistes. Ils sont arrivés dans le comté de Lancaster il y a deux cent cinquante ans. Aujourd'hui il y a 12 500 Amish dans le comté et presque tous descendent des trente couples d'origine. Les Amish se sont séparés des mennonites en 1693 et il y a eu d'innombrables scissions depuis lors mais ils ont gardé certains traits communs : l'obligation de porter des vêtements simples et le refus des techniques modernes. L'ennui c'est que depuis 1860 ils n'ont pas cessé de se disputer pour établir jusqu'où ils devaient aller dans la rigueur de leur refus. Chaque fois qu'on invente quelque chose de nouveau, ils ont de grands débats pour déterminer si c'est anti-Dieu ou pas. Et ceux qui ne sont pas d'accord s'en vont et créent une autre secte. D'abord ils ont débattu du problème de leurs charrettes (fallait-il des jantes en acier ou en caoutchouc), puis de la possibilité d'avoir des tracteurs, d'installer l'électricité ou la télévision. Maintenant je suppose que leurs grands débats portent sur les réfrigérateurs (avec ou sans dégivrage automatique ?) et sur le café instantané (en poudre ou lyophilisé ?).

Ce qui est génial chez les Amish, c'est les noms qu'ils ont donnés à leurs villes. Partout ailleurs aux États-Unis, les villes ont reçu le nom du premier Blanc à s'y être installé ou du dernier Indien à en être parti. Mais visiblement les Amish se sont longuement penchés sur la question et ils ont honoré leurs communautés d'appellations fascinantes, pour ne pas dire provocantes : Blue Ball (couille bleue), Bird in Hand (zizi dans la main), Intercourse (rapport sexuel), pour n'en citer que trois. Intercourse a bâti tout un commerce florissant sur des touristes de mon genre qui trouvent que le comble de l'humour c'est d'envoyer aux amis et collègues des cartes postales portant le timbre de la poste d'Intercourse et quelques remarques désopilantes griffonnées au dos.

Les gens sont tellement fascinés par les Amish, ces phénomènes qui mènent la même vie que deux cents ans auparavant, qu'ils débarquent littéralement par millions pour faire les badauds. A notre arrivée, il y avait des centaines de touristes se pressant dans Intercourse, et des centaines de voitures et d'autocars engorgeaient les accès de la ville. Chacun espérait voir et photographier un Amish authentique. On compte jusqu'à cinq millions de visiteurs chaque année dans le comté de Lancaster, et des hommes d'affaires, qui n'ont rien à voir avec les Amish, ont construit de vastes palais du souvenir, des imitations de fermes, des musées de cire, des cafétérias et des boutiques-cadeaux dans le but de siphonner les trois cent cinquante millions de dollars que les visiteurs sont ravis de dépenser chaque année. Dans ces villes, il ne reste presque plus rien que les Amish puissent acheter, alors ils n'y mettent plus jamais les pieds et les touristes en sont réduits à se photographier mutuellement. Les articles de magazines ou les films tels que *Witness* passent en général ces aspects sous silence mais la vérité c'est que le comté de Lancaster est maintenant un des endroits les plus sinistres des États-Unis, surtout le week-end quand les embouteillages s'étendent sur des dizaines de kilomètres. Beaucoup d'Amish eux-mêmes y ont renoncé et se sont installés en Iowa ou dans le Michigan supérieur où on les laisse tranquilles. Dans la campagne, surtout quand on s'écarte des grands axes, on arrive encore à voir des gens tout habillés de noir en train de travailler dans les champs. On les voit quelquefois sur une nationale, conduisant une de ces charrettes noires si caractéristiques, suivis d'une longue file de voitures de touristes roulant au pas, furieux de ne pas pouvoir avancer et arriver assez vite à Bird in Hand pour y acheter une provision supplémentaire de gâteaux en forme d'entonnoirs ou d'esquimaux glacés, et peut-être aussi un porte-bouteille en fer forgé ou une boîte aux lettres avec girouette intégrée qu'ils pourront emporter avec eux à Proutville. Je ne serais pas étonné si d'ici dix ans il ne restait plus un seul Amish dans le comté. C'est vraiment une honte. On devrait leur ficher la paix.

Le soir, nous sommes allés dans un de ces restaurants

familiaux typiques de la Pennsylvanie hollandaise. Ils ressemblent à des granges et on en trouve un peu partout dans le comté. Le parking était plein d'autocars et de voitures et les gens faisaient la queue à l'intérieur et à l'extérieur. On est entrés, on a reçu un ticket portant le numéro 661 et on a pris la place d'un groupe qui venait de libérer quelques centimètres carrés de plancher. Par intervalles, un homme venait jusqu'à la porte et appelait une série de numéros ridiculement inférieurs au nôtre — 220, 221, 222 — et une douzaine de personnes le suivaient dans la salle à manger. On parlait d'abandonner mais nos voisins, un groupe de gens replets, nous en dissuadèrent. D'après eux, ça valait la peine d'attendre même s'il fallait rester jusqu'à onze heures du soir. La cuisine était vraiment fameuse, disaient-ils et, question bouffe, on voyait tout de suite qu'ils avaient de l'expérience. Eh bien, ils avaient raison. On a fini par appeler notre numéro et on nous a conduits avec neuf inconnus dans une salle où nous avons pris place à une grande table posée sur tréteaux.

Il y avait facilement une cinquantaine d'autres tables, chacune occupée par une douzaine de convives. Le brouhaha et la bousculade étaient intenses. Des serveuses allaient et venaient en portant d'énormes plateaux et où qu'on posât les yeux, on ne voyait que des coudes en mouvement et des bouches engouffrant des pelletées de nourriture comme si les gens n'avaient rien mangé depuis des semaines. Notre serveuse nous a obligés à nous présenter l'un à l'autre, ce qu'on a trouvé un peu ringard. Puis elle a commencé à servir le repas, d'immenses plateaux, de vastes saladiers de nourriture : d'épaisses tranches de jambon, des montagnes de poulets rôtis, des seaux de purée, et une avalanche de légumes, petits pains, soupes diverses et salades variées. C'était incroyable. On se servait avant de passer le plat, qu'on devait soulever à deux mains, à son voisin. On pouvait se servir à volonté et quand un plat était vide la serveuse en rapportait un autre et vous forçait pratiquement à le vider.

De ma vie entière je n'ai jamais vu autant de nourriture. Le contenu de mon assiette me cachait l'horizon. Tout était délicieux. Et bientôt, ayant tous fait connaissance, on s'est amusés comme des fous. J'ai tellement mangé que ça me remontait sous les aisselles. Et, précisément au moment où je songeais à réclamer une chaise roulante pour être transporté jusqu'à la voiture, la serveuse a débarrassé la table et a commencé à apporter les desserts — tartes aux pommes, gâteaux au chocolat, saladiers de glaces maison, pâtisseries, flans et Dieu sait quoi encore.

Je n'arrêtais pas de manger. C'était bien trop délicieux pour refuser. Les boutons de ma chemise sautaient. Les coutures de mon pantalon craquaient. J'avais tout juste assez de forces pour lever ma cuillère mais je continuais à m'empiffrer. C'était grotesque. La bouffe commençait à s'échapper par mes oreilles. J'ai bien dû consommer ce soir-là l'équivalent du produit national brut du Lesotho. Enfin, Dieu merci, la serveuse nous a arraché la cuillère des mains et emporté ce qui restait des desserts. Il ne nous restait plus alors qu'à tituber comme des zombis jusqu'à notre voiture.

Nous avons repris la route, trop repus pour prononcer un mot, dans la lueur verdâtre de Three Miles Island. J'étais allongé sur la banquette arrière où, les pieds en l'air, je gémissais doucement. Je me suis juré de ne plus avaler un seul morceau de nourriture pour le restant de mes jours et j'étais sincère. Mais deux heures plus tard, en arrivant à la maison, la torture et les spasmes s'étant apaisés, mon frère et moi tombâmes d'accord pour entamer un nouveau cycle de surconsommation. Nous avons attaqué un pack de bières et un seau de bretzels dans la cuisine et, pour conclure, une assiettée d'oignons frits et un sandwich « mitraillette » de cinquante centimètres dégoulinant de sauce gluante et épicée dans un de ces snacks ouverts la nuit sur la nationale 11.

Quel pays fantastique.

14

Il était sept heures moins dix du matin et il faisait froid. Debout devant la gare routière de Bloomsburg, je voyais mon haleine faire de la buée. Les rares voitures déjà sur la route traînaient des nuages de vapeur derrière elles. J'avais la gueule de bois et dans quelques minutes j'allais m'embarquer pour un voyage de cinq heures en autocar jusqu'au centre de New York. J'aurais plus volontiers avalé une boîte de Canigou.

Mon frère m'avait suggéré de prendre le bus, ce qui m'éviterait d'avoir à chercher à me garer en plein centre de Manhattan. Je pouvais laisser ma voiture chez lui et la récupérer dans deux ou trois jours. A deux heures du matin, après un certain nombre de bières, l'idée m'avait paru excellente. Mais maintenant, debout dans le froid du petit matin, je me rendais compte que c'était une grosse erreur. Aux États-Unis, on ne voyage en autocar que si l'on n'a pas les moyens de prendre l'avion ou bien — et là, c'est vraiment qu'on atteint le fond du tonneau — si l'on ne peut pas se payer une voiture. Et en Amérique ne pas pouvoir se payer de voiture vous situe à peine un cran au-dessus de l'état de clochard. Par conséquent, la plupart des gens qui prennent le car font partie d'une des catégories suivantes : psychopathes en crise, hommes armés et dangereux, drogués en plein trip, prisonniers tout juste libérés de prison, religieuses. Parfois on y rencontre aussi des étudiantes norvégiennes. On reconnaît tout de suite qu'elles sont norvégiennes : elles ont des joues roses, elles sont l'image même de la bonne santé et elles portent des petites socquettes bleues dans des sandales. En général, un voyage en autocar aux États-Unis allie les désavantages de la vie carcérale à ceux d'une traversée dans un bateau de transport de troupes.

Donc quand le car s'est arrêté devant moi en exhalant un gros soupir hydraulique et que les portes se sont ouvertes, j'y suis monté avec quelque appréhension. Le chauffeur lui-même ne semblait pas un modèle d'équilibre. Il avait les cheveux de quelqu'un qui vient de toucher des fils électriques dénudés. Il y avait à peu près une demi-douzaine d'autres passagers, sur lesquels deux seulement semblaient sérieusement détraqués et un seul se parlait à lui-même. J'ai pris place à l'arrière, bien décidé à dormir. Avec mon frère, j'avais vraiment forcé sur la bière la nuit précédente et les épices corsées du sandwich « mitraillette » se répandaient de façon inquiétante dans mon abdomen où elles se déplaçaient comme le magma qu'on voit dans certaines lampes fantaisie. Je sentais que, par une extrémité ou l'autre, ça ne tarderait pas à ressortir.

Une main venue de derrière se posa sur mon épaule. En regardant entre les sièges, je vis que c'était un Indien — et j'entends par là un homme venant de l'Inde et non un Peau-Rouge.

« Je peux fumer dans ce bus ? me demanda-t-il.

— Je ne sais pas, dis-je, j'ai arrêté de fumer alors je ne fais plus attention à ce genre de chose.

— Mais moi, tu crois que je peux fumer ?

— Pas la moindre idée. »

Il est resté silencieux pendant quelques minutes puis sa main s'est retrouvée sur mon épaule où elle est restée posée.

« Je trouve pas de cendrier, reprit-il.

— Tu m'en diras tant, répondis-je avec esprit, sans ouvrir les yeux.

— Tu crois que ça veut dire qu'on ne peut pas fumer ?

— Je ne sais pas, je m'en fiche.

— Mais toi, tu crois qu'on n'a pas le droit de fumer ?

— Si tu ne retires pas immédiatement ta main de mon épaule, je vais lui vomir dessus. »

Il a rapidement retiré sa main et n'a rien dit pendant au moins une minute. Puis il a repris : « Tu veux m'aider à trouver un cendrier ? »

C'était sept heures du matin et j'avais comme une grosse fatigue.

« TU VAS ME LAISSER TRANQUILLE, OUI OU NON ? » aboyai-je, avec un soupçon de nervosité. Deux rangées plus loin, les étudiantes norvégiennes prirent l'air scandalisé. Je leur lançai un regard qui signifiait : « Et ne vous en mêlez pas non plus, sales petites merdeuses vitaminées ! », et je me renfonçai dans mon siège. La journée promettait d'être longue.

Je dormis d'un sommeil agité, de ce sommeil peu reposant où, à demi conscient, on intègre à la trame de ses rêves tous les bruits extérieurs — le grincement des vitesses, les cris des bébés, les folles embardées du bus sur l'autoroute quand le chauffeur est à la recherche d'une cigarette qui vient de tomber ou qu'il traverse une brève crise de démence. La plupart du temps, je rêvais que le car plongeait d'une falaise, en un long vol plané, dans le vide. La chute durait des kilomètres, on faisait des culbutes dans les nuages, en douceur, avec le sifflement de l'air en bruit de fond et la voix de l'Indien qui me disait : « Tu crois que ça irait si je fumais, maintenant ? »

En me réveillant, j'ai trouvé un peu de bave sur mon épaule et un nouveau passager assis en face de moi, une femme aux cheveux gris et raides, l'air hagard, qui fumait une cigarette après l'autre et qui rotait prodigieusement. C'était le genre de rots que les enfants font pour s'amuser — des rots riches, qui résonnent, basso profundo — et ça ne la gênait pas du tout. Elle me regardait, ouvrait la bouche et, dans un roulement, voilà le rot qui sortait. C'était impressionnant. Puis elle tirait une bouffée de sa cigarette et rotait dans un panache de fumée. Vraiment impressionnant. Je jetai un coup d'œil derrière moi : l'Indien était toujours là, l'air pitoyable. En me voyant, il fit mine de se pencher en avant et d'amorcer une nouvelle question mais je l'arrêtai d'un doigt levé et il se renfonça sur son siège. Je regardais par la fenêtre, plus barbouillé que jamais, et j'essayais de passer le temps à envisager des situations moins sympathiques que celle-là. Mais vraiment, à part être dans ma tombe ou à un concert des Bee Gees, je ne trouvai rien de pire.

On est arrivés à New York dans l'après-midi. J'ai pris une chambre dans un hôtel près de Times Square. Elle coûtait 110 dollars la nuit et était si exiguë que je devais sortir dans le couloir pour me retourner. C'était la première fois que j'avais une chambre dont je pouvais toucher les quatre murs en même temps. J'ai fait tout ce qu'on fait habituellement dans les chambres d'hôtel — jouer avec les lumières et avec la télé, explorer les tiroirs, remplir sa valise de serviettes et de cendriers — puis je suis sorti faire un tour en ville.

La dernière fois que j'étais venu à New York, j'avais seize ans. Mon copain Stan et moi étions en visite chez mon frère et sa femme qui habitaient alors dans le Queens, un quartier étrange, kafkaiesque, appelé Lefrak City. Il se composait d'une douzaine de grands immeubles agglutinés autour d'une série de cours désertes, le genre de cours où, quand il a plu, les flaques d'eau subsistent pendant des semaines et où les plates-bandes sont jonchées de caddies de supermarché. Il y avait bien 50 000 personnes qui vivaient là. Je n'avais jamais imaginé qu'on puisse rassembler tant de personnes en un seul endroit. Comment, dans un pays aussi vaste et étendu que les États-Unis, des gens pouvaient-ils choisir de s'entasser ainsi, cela me dépassait complètement.

Mais le fait était là et ils s'y sentaient chez eux. Ils allaient passer leur vie entière sans avoir un jardin à eux, sans barbecue, sans jamais pouvoir faire pipi la nuit dans les buissons en regardant les étoiles. Et leurs enfants grandiraient en pensant que les caddies des supermarché ça pousse tout seul, comme les mauvaises herbes.

Le soir, quand mon frère et sa femme étaient sortis, Stan et moi nous installions avec des jumelles pour inspecter les fenêtres des immeubles voisins. On pouvait choisir entre des centaines de fenêtres, chacune éclairée de la lueur fantomatique de l'écran télé. Ce qu'on cherchait, bien sûr, c'étaient les femmes nues. Et à notre grande surprise, il arrivait qu'on en trouvât une mais cela provoquait généralement une telle bagarre pour la possession des jumelles que la femme s'était déjà rhabillée et était sortie, le temps qu'on ait repéré à nouveau la fenêtre. Ce qu'on voyait le plus souvent d'ailleurs, c'était d'autres hommes inspectant avec des jumelles la façade de notre immeuble.

Ce dont je me souviens particulièrement bien, c'est cette impression d'être constamment menacés chaque fois que nous quittions l'immeuble. Des groupes de teenagers en blousons noirs, complètement désœuvrés, restaient assis sur les murettes autour du complexe et regardaient passer les gens. Je m'attendais toujours à les voir nous sauter dessus pour nous prendre nos sous et nous larder de coups de couteaux fabriqués dans l'atelier de la prison. Mais ils ne nous ont jamais embêtés. Ils se contentaient de nous regarder. Cela suffisait quand même à nous effrayer car nous n'étions que des petits gringalets de l'Iowa.

Aujourd'hui encore, New York m'effrayait. Je ressentais à nouveau cette même impression de menace en descendant vers Times Square. Entre-temps, j'avais lu tant de choses sur les meurtres et les agressions que j'éprouvais une sorte de gratitude personnelle envers ceux qui me laissaient tranquille. J'avais envie de distribuer des cartes avec le message « Merci de m'avoir épargné ». Mais les seuls à m'agresser, c'était les mendiants. Il y a 36 000 sans-abri à New York et pendant les deux jours de ma visite, chacun d'entre eux m'a réclamé de l'argent. Il y en a même qui m'en ont réclamé deux fois. Les habitants de New York vont à Calcutta pour se reposer des mendiants. Je commençais à regretter de ne plus vivre à l'époque où un gentleman pouvait frapper de tels gens à coups de canne. Ce que j'ai beaucoup aimé, c'est le type qui est venu me demander s'il pouvait m'emprunter un dollar. Ça m'a scié. J'avais envie de lui dire : « M'emprunter un dollar ? Mais certainement. Avec, disons, un intérêt de un pour cent en plus de la prime et on se retrouve jeudi pour signer le contrat ? » Je ne risquais pas de lui donner un dollar, naturellement — je ne donnerais même pas un dollar à mon meilleur ami — mais je lui ai glissé une petite pièce dans sa patte crasseuse en lui adressant un petit clin d'œil complice pour son astuce.

Times Square est un endroit incroyable. On reste confondu devant tant de lumières et d'agitation. Des façades entières de buildings sont recouvertes de publicités qui brillent, scintillent, ondulent. On se croirait en pleine tempête sur une mer d'électrons. On compte bien une quarantaine de ces incitations géantes à la dépense et à la consommation, et toutes, sauf deux, sont pour des firmes japonaises : Photocopieurs Mita, Canon, Panasonic, Sony. Ma puissante patrie n'était représentée que par Kodak et par Coca-Cola. La guerre est terminée, chien de Yankee, me suis-je dit tristement.

L'aspect le plus fascinant de New York, c'est qu'on peut s'attendre à tout. Une semaine avant mon arrivée, une femme s'était fait avaler par un escalator. Ça vous la coupe, non ? Elle se rendait à son travail bien tranquillement, et puis l'escalier s'était effondré sous ses pieds et elle avait été précipitée dans toute cette mécanique interne d'engrenages et de roues dentées, avec les conséquences que vous imaginerez aisément. Vous vous voyez faire partie de l'équipe de nettoyage de cet immeuble-là ? (Hé, Bernie, tu pourrais venir plus tôt ce soir ? Et pendant que tu y es, apporte aussi une bonne brosse en fer et *beaucoup* d'Ajax !) Il se passe toujours des choses fascinantes et imprévisibles à New York. Ce jour-là, à la une du *New York Post* il y avait l'histoire d'un détraqué atteint du sida qui venait d'être arrêté pour viol de petits garçons. Vous imaginez ? Quelle ville, pensai-je, une vraie maison de fous ! Pendant deux jours je m'y suis promené, complètement effaré, me parlant à moi-même. Un grand Noir est sorti d'une allée dans la Huitième Avenue, l'air dangereusement déséquilibré, et m'a dit : « Je viens de fumer de la glace, de grands bols de glace ! » Je lui ai filé vingt-cinq cents en vitesse bien qu'il ne m'ait rien demandé et j'ai vite dégagé. Sur la Cinquième Avenue je suis allé visiter la tour Trump, le nouveau gratte-ciel. Donald Trump, un promoteur immobilier, est progressivement en train de prendre le contrôle de New York en construisant partout des gratte-ciel qui portent son nom. Je suis donc entré pour voir à quoi ça ressemblait. Le hall d'entrée du bâtiment était du plus mauvais goût, tout en laiton et en chrome, avec du marbre blanc veiné de rouge rappelant ces trucs qui vous obligent à faire un détour quand on les voit sur le trottoir. Et là, il y en avait partout, sur le sol, sur les murs, au plafond. On se serait cru dans l'estomac de quelqu'un qui vient de manger une pizza. « Incroyable », marmonnai-je, tout en poursuivant mon chemin. A côté, une boutique vendait des vidéos pornographiques, là, en pleine Cinquième Avenue. Celle que je préférais, c'était *Yiddish Erotica, volume 2.* Je me demande bien ce qu'il y avait dedans — des rabbins le pantalon baissé, des grosses femmes moches étalées sur un lit disant : « Ti veux baiser déjà ? » « Superbe ! Incroyable ! » bredouillai-je et je repris mon chemin, le pas lourd.

Dans la soirée, alors que je me baladais dans Times Square, j'eus l'œil attiré par une boîte de strip-tease qui présentait en vitrine les photos de ses effeuilleuses. C'était de jolies filles. Une des photos portait le nom de Samantha Fox. Comme à l'époque Mlle Fox se faisait quelque chose comme 250 000 livres sterling en dévoilant ses ravissantes mamelles aux lecteurs de journaux britanniques comme le *Sun*, je pense qu'il était peu probable, pour ne pas dire invraisemblable, qu'elle en soit réduite à se dévêtir devant des étrangers dans un soubassement enfumé du quartier de Times Square. En fait j'irai jusqu'à suggérer que ça sentait un brin l'escroquerie. C'est une vraie vacherie de faire ça à une personne qui bande.

On vous jouait le même tour à la foire annuelle de l'Iowa. Les tentes des strip-teaseuses, derrière les manèges, étaient couvertes d'images follement érotiques présentant les plus belles jeunes femmes que vous ayez jamais vues, des femmes aux cheveux soyeux, aux seins généreux, aux corps lisses, dont les lèvres moites et pulpeuses semblaient dire : « Je te désire — oui, toi là-bas, avec des boutons d'acné et des lunettes. Viens me satisfaire, mon p'tit gars. »

A quatorze ans, dévoré d'appétit sexuel, on ne demandait qu'à croire ces images qui répondaient si bien aux palpitations de notre cœur et autres organes avoisinants. Alors on tendait un dollar tout froissé et on pénétrait sous une tente aux relents de crottin et d'alcool pour découvrir sur une plate-forme une strip-teaseuse fatiguée, pas tellement différente de notre propre mère. C'est le genre de déception dont on ne se remet jamais complètement. Mes pensées allaient maintenant vers tous ces pauvres marins solitaires, ces pauvres Japonais vendeurs de photocopieuses, qui étaient là dans ce sous-sol à boire des cocktails chauds et sirupeux et qui allaient payer très cher une nuit décevante. « Nos erreurs nous servent de leçon », me dis-je sagement, avec un sourire pincé tandis que j'envoyais promener un mendiant.

Je regagnai ma chambre, content de ne pas avoir été agressé, encore plus content de ne pas avoir été assassiné.

Sur le poste de télévision, un carton me signalait que pour 6 dollars 50, je pouvais voir un film sur le canal vidéo. Je me souviens qu'on avait le choix entre quatre programmes : *Vendredi 13 — dix-neuvième épisode*, dans lequel un homme atteint de légers troubles de la personnalité utilise couteaux, haches, broyeurs ménagers et chasse-neige pour éliminer une succession de jeunes femmes au moment où elles se mettent sous la douche ; *Death Wish — onzième épisode*, dans lequel Charles Bronson poursuit et tue Michael Winner ; *Bimbo*, où Rambo alias Sylvester Stallone subit une opération qui le fait changer de sexe et fait sauter tout un tas d'Asiatiques. Enfin, sur la chaîne pour adultes, *Ma petite culotte est toute mouillée*, une étude raffinée de la problématique relationnelle et des conflits sociaux dans le Danemark postmoderne, accompagnée de quelques vigoureuses parties de baise pour faire bonne mesure. Pendant un moment je fus tenté de regarder ce dernier — pour m'aider à me relaxer, comme on dit dans les milieux évangélistes — mais j'étais trop pingre pour dépenser 6 dollars 50 ; et puis j'ai toujours soupçonné que si je me décidais à enfoncer le bouton correspondant — un bouton complètement usé, d'ailleurs — je risquais de me trouver le lendemain face à un garçon d'étage exigeant 50 dollars pour prix de son silence sinon il enverrait à ma mère la note de ma chambre avec la rubrique « Dépenses diverses : 6 dollars 50 de film porno pour détraqués » entourée de rouge. Alors sagement je me suis contenté de m'allonger sur le lit pour regarder la rediffusion d'un feuilleton comique des années soixante, *Mr. Ed*, l'histoire d'un cheval qui parle. D'après le niveau des plaisanteries, tout porte à croire que c'est le cheval lui-même qui a écrit le dialogue. Mais au moins je ne courais aucun risque d'être victime d'un chantage. Ainsi prit fin ma journée à New York, la ville la plus passionnante et la plus sensationnelle de l'univers. Je ne pouvais pas m'empêcher de constater que je n'avais aucune raison de me sentir supérieur à mes congénères, les cœurs solitaires du Club de Strip-Tease, vingt étages

au-dessous. J'étais aussi seul qu'ils l'étaient. Et certainement, dans cette grande cité sans cœur, il devait bien y
avoir des dizaines de milliers de gens tout aussi solitaires et abandonnés que moi. Bien mélancoliques, ces
pensées.

« Mais je me demande bien si on est nombreux à pouvoir faire ça. » Et, bras et jambes écartés, j'ai touché les
quatre murs de ma chambre d'un seul coup.

15

C'était le week-end de Columbus Day, ce jour dédié à Christophe Colomb, et sur les routes la circulation était intense. Choisir Christophe Colomb comme héros national m'a toujours semblé bizarre de la part d'un pays aussi attaché au succès que l'est l'Amérique. Car, tout bien considéré, la vie de Colomb n'a été qu'un monumental fiasco : il a fait quatre longs voyages vers les Amériques sans jamais se rendre compte qu'il n'était pas en Asie et sans rien découvrir d'intéressant. Et alors que tous les autres explorateurs rentraient à la maison avec des nouveautés fascinantes, des pommes de terre, du tabac, des bas de nylon, Colomb, lui, ne ramenait que des Indiens tout désorientés — et encore il pensait que c'était des Japonais (Allez, les gars, vous nous faites une petite démonstration de sumo ?).

Mais un des plus gros reproches qu'on peut sans doute faire à Colomb, c'est qu'il n'a même jamais vu la terre qui allait devenir les États-Unis. Cela en surprend plus d'un qui imagine Colomb arpentant la Floride en disant : « Tiens, ce serait un chouette coin pour les vacances. » Mais en réalité ses voyages ont eu pour seul cadre la mer des Caraïbes avec quelques petites incursions sur la côte marécageuse et infestée de moustiques de l'Amérique centrale. Si vous voulez mon avis, les Vikings feraient des héros autrement plus dignes de l'Amérique. D'abord ils l'ont vraiment découverte. Et par-dessus le marché, les Vikings étaient des mecs virils qui buvaient dans le crâne de leurs ennemis et qui ne se laissaient emmerder par personne. Et ça, c'est tout à fait le style américain.

Quand je vivais aux États-Unis, Columbus Day faisait partie de ces jours de fête à moitié bidon qui ne profitaient qu'aux fonctionnaires appartenant à un puissant syndicat. Ce jour-là il n'y avait pas de courrier, et si on avait la candeur de traverser toute la ville pour aller dans le quartier est au bureau d'enregistrement des véhicules de l'Iowa pour renouveler son permis de conduire, on trouvait porte close et un écriteau à la fenêtre : « *Fermé en raison de la fête de Columbus Day. Bien fait pour vos gueules.* » Cela mis à part, c'était une journée comme une autre. Mais maintenant, le congé de Columbus Day semblait s'être généralisé. Les autoroutes grouillaient de voitures et de camping-cars, et la radio n'arrêtait pas de parler du nombre de morts prévus pour ce week-end de Columbus Day. (Et qu'en savent-ils après tout ? Existe-t-il une espèce de quota secret ?) Je m'étais réjoui à l'idée d'arriver en Nouvelle-Angleterre et d'y admirer les couleurs de l'automne. En outre, comme les États y sont plus petits et plus variés, je me disais que je n'aurais plus à affronter ces kilomètres d'ennui qui vont de pair avec tous les autres États, même les plus beaux. Mais je me trompais. Bien sûr, les États de la Nouvelle-Angleterre sont incontestablement minuscules — le Connecticut n'a que cent trente kilomètres de large et le Rhode Island est moins étendu que Londres — mais ils sont bourrés de voitures, de gens et de villes. Le Connecticut vous donne l'impression de n'être qu'une seule et même banlieue. J'empruntai l'US 202 pour aller à Litchfield et ma carte routière la signalait comme route pittoresque. Et elle était, c'est vrai, plus pittoresque qu'une banlieue, mais on ne pouvait pas la qualifier de réellement spectaculaire.

Mais sans doute visais-je trop haut ? Dans les films des années soixante, c'était toujours dans le Connecticut que les gens allaient passer le week-end, et tout y semblait merveilleusement vert et champêtre. Ce n'était que routes désertes et cottages de pierre nichés dans la verdure. Mais ce qui s'offrait à moi aujourd'hui n'était qu'une semi-banlieue : maisons style « ranch » avec garages pour trois voitures, pelouses avec tourniquets d'arrosage, centres commerciaux tous les six pâtés de maisons. Litchfield est une ville élégante, l'archétype de la ville de la Nouvelle-Angleterre avec un vieux tribunal et un grand espace vert en pente douce agrémenté d'un canon et d'un monument aux morts. D'un côté de la place se dressaient des boutiques attrayantes et de l'autre une église blanche dont le clocher élancé étincelait dans le soleil d'automne. Quant aux couleurs, elles ne manquaient pas : les arbres entourant la pelouse avaient tous pris de riches teintes or et citron. Enfin, on y était !

Je me garai devant le MacDonald Drug et je traversai la place en soulevant des tourbillons de feuilles mortes. J'allai faire un tour dans les rues résidentielles aux grandes maisons bien campées sur leurs vastes pelouses. Chaque maison n'était qu'une variation sur le même thème : façades à bardeaux et volets noirs. Beaucoup portaient des plaques en relation avec leur histoire : « Oliver Boardman 1785 », « 1830 Col. Webb ». Je passai une heure juste à fouinasser. C'était le genre de ville où il faisait bon fouinasser.

Après cela, je suis reparti en direction de l'est sans quitter les petites routes. Très vite je me suis retrouvé dans les environs de Hartford, puis dans Hartford même, puis dans les environs de Hartford mais de l'autre côté, et enfin ce fut le Rhode Island. Je me suis arrêté devant le panneau « BIENVENUE AU RHODE ISLAND » pour examiner ma carte. Le Connecticut, ce n'était donc rien de plus ? J'eus un moment l'idée de rebrousser chemin et de faire une deuxième visite de l'État — pas de doute il y avait certainement autre chose à voir — mais il se faisait tard, aussi décidai-je de poursuivre ma route en m'enfonçant dans une épaisse forêt de pins qui semblait pleine de promesses. Vu la taille microscopique de l'État de Rhode Island, la traversée de cette forêt m'a semblé durer une éternité. Quand j'arrivai à Narragansett Bay, un bras de mer parsemé d'une multitude d'îles et qui représente à lui tout seul un quart de la superficie de l'État, il faisait presque nuit et les lumières des petits villages alignés le long de la côte commençaient à scintiller. De Plum Point, un pont mène à Conanicut Island en enjambant le chenal, long, sombre et au ras de l'eau comme un corps de noyé. Je le traversai et fis un petit tour sur l'île mais il faisait désormais trop sombre pour y voir quelque chose. A un certain endroit, là où le littoral se rapprochait de la route, j'ai rangé la voiture et je suis descendu à pied sur la plage. C'était une nuit sans lune et on entendait la mer avant même de la voir. La mer montait, avec un *sleuch-sleuch* lent et rythmé. Je restai debout au bord de l'eau. Les vagues s'affalaient sur la plage comme des nageurs épuisés. Le vent jouait dans mes vêtements. Je suis resté longtemps à scruter l'horizon de cette mer maussade, la vaste étendue noire de l'Atlantique, ces abysses impressionnants, primitifs et tempétueux dont toute forme de vie est issue, où toute vie retournera certainement un jour, et puis je me suis dit que je me taperais bien un hamburger.

Le lendemain matin je me suis rendu à Newport, le plus grand centre de yachting des USA, lieu d'origine de l'America Cup. Le vieux centre historique de la ville semblait avoir été rénové il y a peu de temps. Les rues étaient bordées de magasins dont les enseignes en bois flottaient au vent, avec des noms plaisamment nautiques : « Le bateau volant », « Le machin de la côte ». Le port lui-même était presque trop pittoresque avec sa masse de yachts blancs et sa forêt de mâts se balançant sur fond de ciel où les mouettes dansaient et virevoltaient. Mais les abords du centre ville étaient défigurés par des parcs de stationnement, et une chaussée à quatre voies très fréquentée, une autoroute plutôt qu'une rue, coupait le front de mer du reste de la ville. On y avait planté quelques arbres rachitiques, comme pour réparer piteusement un oubli. Les édiles avaient aussi aménagé un petit parc, Perrott Park, mais il était mal entretenu et plein de graffitis. C'était la première fois que je voyais une telle négligence. La plupart des villes américaines sont impeccables et cette négligence me surprenait d'autant plus que le tourisme est vraiment quelque chose d'important pour Newport. J'ai remonté Thames Street où de belles vieilles maisons de marins essaient de livrer une bataille perdue d'avance contre les ordures, les merdes de chiens, l'invasion des stations-service et des magasins de pièces détachées pour autos. Tout ça était bien triste. Encore un endroit où les gens ne semblaient ni se soucier ni remarquer à quel point ils avaient laissé les choses s'abîmer. Cela me rappelait Londres.

Je repris la voiture pour traverser la baie et aller au parc national de Fort Adams. Vue de là, Newport semblait une ville toute différente, un charmant découpage de clochers pointus et de toits victoriens se profilant en silhouette sur une masse de feuillage. La baie scintillait au soleil et des myriades de voiliers se balançaient au gré des vagues légères. C'était fascinant. J'ai continué la route du littoral au-delà de Brenton Point, puis j'ai descendu Bellevue Avenue bordée de chaque côté des résidences secondaires les plus somptueuses qu'on ait jamais construites et qui s'étalent encore plusieurs rues au-delà. Entre 1890 et 1905 les plus riches familles américaines — les Vanderbilt, les Astor, les Belmont et bien d'autres — se sont livrées au petit jeu de savoir qui supplanterait le voisin en faisant construire la demeure la plus luxueuse, une demeure qu'ils s'obstinaient à appeler « cottage », le long de ce kilomètre de falaises majestueuses. Elles étaient toutes plus ou moins calquées sur le modèle des châteaux français et remplies de meubles, marbres, et tapisseries transportés à grands frais d'Europe par bateaux. Les maîtresses de maison dépensaient couramment 300 000 dollars ou davantage pour une saison qui ne durait pas plus de six ou huit semaines. Pendant une quarantaine d'années, ce fut le haut lieu mondial de la consommation et du m'as-tu-vu.

De nos jours la plupart de ces demeures sont devenues des sortes de musées. On vous fait payer la peau des fesses pour les visiter et de toute façon il y avait des queues phénoménales pour y entrer (c'était le week-end de Columbus Day, ne l'oublions pas). On ne voit pas grand-chose de la rue — leurs propriétaires n'avaient pas envie d'être observés par la populace pendant qu'ils comptaient leurs liasses de billets de banque, assis sur la pelouse, aussi avaient-ils pris soin de s'entourer de haies épaisses et de murs élevés — mais j'ai découvert tout à fait par hasard que la ville avait fait construire un sentier piétonnier goudronné tout au long des falaises, ce qui m'a permis de voir l'arrière des maisons les plus grandioses tout en profitant d'une perspective vertigineuse sur l'océan qui vient se fracasser sur les rochers en contrebas. J'avais pratiquement le sentier pour moi tout seul et je l'ai parcouru dans un état de douce stupeur, bouche bée. Jamais je n'avais vu une telle succession de maisons aussi vastes, un tel excès architectural. Chaque demeure semblait issue du croisement d'un gâteau de mariage et d'un capitole d'État. Je savais que la plus grande de toutes était Les Breakers, construite par les Vanderbilt, et je n'arrêtais pas de me dire : « C'est sûrement celle-ci ! » ou « Cette fois-ci c'est elle », mais le manoir suivant était encore plus impressionnant. Et quand, enfin, j'ai atteint Les Breakers, c'était absolument énorme, une montagne avec des fenêtres. On ne peut pas la contempler sans se dire que personne, sauf peut-être soi-même, ne mérite d'être riche à ce point. De l'autre côté de la haie, les pelouses et les terrasses étaient envahies de touristes replets en bermuda et casquette ridicule, qui n'arrêtaient pas d'entrer et de sortir de la maison, de se photographier mutuellement et d'écraser les bégonias. Je me demande bien ce qu'aurait dit de tout cela le vieux Cornelius Vanderbilt, ce connard à tête de chien.

Je suis reparti pour Cape Cod, un autre endroit où je n'étais jamais allé et dont j'attendais beaucoup. C'était très pittoresque avec de vieilles maisons style boîte à sel, des antiquaires, des auberges en bois, des jolis villages aux noms charmants : Sagamore, Sandwich, Barnstable, Rock Harbor. Mais c'était bourré à craquer de tou-ristes, de voitures surchargées et de camping-cars bruyants. Seigneur, qu'est-ce que je peux détester les camping-cars. Surtout sur une péninsule surpeuplée comme Cape Cod où ils encombrent les rues et bloquent votre horizon — tout ça pour qu'un mec et sa grosse puissent casser la croûte et vider leur vessie sans avoir à s'arrêter. La circulation était si lente et si dense que j'ai failli tomber en panne d'essence. J'ai réussi de justesse à me traîner jusqu'à une station-service, à l'entrée de West Barnstable. Elle était tenue par un gars qui devait bien avoir quatre-vingt-dix-sept ans. Il était grand, dégingandé et plein d'allant. Je n'ai jamais vu quelqu'un servir de l'essence avec autant de désinvolture. Pour commencer il en a mis la moitié à côté du réservoir, puis il s'est tellement passionné pour notre conversation — « De l'Iowé, hein ? Vous êtes pas des masses à venir de l'Iowé. Je crois ben qu't'es l'premier de l'année. Quel temps qu'y fait en Iowé à cette saison ? » — qu'il a laissé déborder le réservoir et que j'ai dû lui signaler que l'essence ruisselait en cascade le long de la voiture et formait une grosse flaque à nos pieds. Il a retiré le bec en répandant à peu près trois litres de carburant sur la carrosserie, son pantalon et ses chaussures et a envoyé négligemment le tuyau valdinguer en direction de la pompe où il a continué à dégouliner.

Il avait un mégot collé dans le coin de la bouche et je paniquais à l'idée qu'il pourrait l'allumer. Et c'est ce qu'il a fait. Il a tiré une vieille pochette d'allumettes fripée de sa poche et s'est bagarré pour en craquer une. J'étais trop abasourdi pour bouger. J'imaginais déjà le prochain bulletin à la télévision : « Et à West Barnstable aujourd'hui, un touriste de l'Iowa a été victime de brûlures au troisième degré sur quatre-vingt-dix-huit pour cent de son corps dans l'explosion d'une station-service. Les pompiers ont déclaré qu'il ressemblait à un toast qu'on a laissé sous le gril trop longtemps. Quant au pompiste, on ne l'a toujours pas retrouvé. »

Mais nous n'avons pas explosé. Le mégot a émis une petite fumée que l'homme a réussi à transformer en petit nuage en aspirant un bon coup, puis il a éteint l'allumette en la pinçant entre ses doigts. Je suppose qu'après des décennies passées à la pompe, il était devenu pratiquement incombustible, un peu comme ces charmeurs de serpents qui, avec le temps, se sont immunisés contre le venin. Mais je me sentais peu enclin à vérifier cette théorie de trop près. Aussi l'ai-je payé en toute hâte et ai-je regagné directement la nationale au grand dam du conducteur du camping-car qui arrivait à ce moment-là et qui a reçu une giclée de moutarde sur les genoux en freinant pour m'éviter. « Ça t'apprendra à emmener un immeuble en vacances, marmonnai-je de façon peu charitable, et je souhaite que quelque chose de bien lourd soit tombé sur ta femme à l'arrière. »

Le Cape Cod est une presqu'île longue et étroite qui jaillit de la base du Massachusetts, se prolonge dans la mer sur trente kilomètres environ et revient sur elle-même comme un bras replié pour faire jaillir un muscle. En fait cela ressemble étonnamment à mon bras parce qu'il n'y a presque pas de muscle du tout. Trois routes empruntent le début de la péninsule : l'une longe la côte nord, l'autre la côte sud et la troisième est au milieu. Mais à Rock Harbor, là où se situe le coude, la péninsule se rétrécit, vire en direction du nord, et les trois routes se trouvent confondues. Il n'y a désormais plus qu'une seule longue autoroute le long de l'avant-bras jusqu'à Provincetown, au bout des doigts. Provincetown grouillait de touristes. La ville n'a qu'une seule route d'accès et une seule route de sortie. Une centaine de personnes seulement l'habitent en permanence mais la ville reçoit jusqu'à 50 000 visiteurs en été ou les week-ends fériés comme celui-là. Il est interdit de stationner dans le centre ville — des menaces promettant d'envoyer votre voiture à la fourrière vous le rappellent de façon vicieuse un peu partout —, j'ai donc dû payer deux dollars pour garer ma voiture avec des centaines d'autres loin de tout, et je me suis tapé une petite trotte jusqu'au centre ville.

Provincetown est bâtie sur du sable. Elle est entourée d'ondulations ininterrompues de dunes où poussent quelques rares touffes d'herbe couleur de paille. Les noms des commerces, Windy Ridge Hotel, Gale Force Gift Shop, vous donnent à penser que le vent pourrait effectivement être une sorte de caractéristique locale. Et en effet, il y avait du sable partout qui débordait sur les routes, s'entassait devant les entrées de portes, venait fouetter à chaque coup de vent vos yeux et votre visage et saupoudrait tout ce que vous étiez en train de manger. Il doit être très désagréable d'y vivre. Provincetown m'aurait peut-être moins déplu si je l'avais sentie plus accueillante. Mais j'ai rarement vu une ville à ce point préoccupée de pomper l'argent des touristes. Elle était bourrée de magasins vendant des glaces, des souvenirs, de boutiques où l'on vend des T-shirts, des cerfs-volants et tout un bric-à-brac d'articles de plage.

Je m'y suis baladé un moment. J'ai mangé un hot dog à la moutarde et au sable, bu une tasse de café au lait et au sable, et je me suis arrêté devant la devanture d'une agence immobilière où j'ai constaté que la moindre maison de deux chambres sur la plage coûtait dans les 190 000 dollars. Notez que pour ce prix-là on avait une cheminée et tout le sable qu'on pouvait manger. Les plages semblaient assez belles mais cela mis à part l'endroit ne me semblait avoir rien de spécialement attirant.

Provincetown est le point où les pères pèlerins ont touché pour la première fois le sol américain en 1620. L'événement est commémoré par une grande tour en forme de campanile érigée au milieu de la ville. Les pèlerins, assez curieusement, n'avaient pas du tout eu l'intention de débarquer à Cape Cod. Ils visaient en réalité Jamestown, en Virginie, et ont raté leur cible de quelque mille kilomètres. A mon avis c'est un exploit assez remarquable. Autre fait curieux : ils n'avaient emporté avec eux ni charrue, ni cheval, ni vache, pas même une canne à pêche. Vous ne trouvez pas que c'est un peu idiot ? Car si vous décidiez de partir à l'autre bout du monde pour recommencer une nouvelle vie, vous réfléchiriez à la manière dont vous allez devoir vous nourrir et vous défendre une fois sur place, vous ne croyez pas ? Enfin, malgré tous leurs défauts comme planificateurs, les pères pèlerins ont été suffisamment malins pour ne pas moisir longtemps dans la région de Provincetown et, à la première occasion, ils ont filé sur la terre ferme du Massachusetts. Et c'est ce que j'ai fait.

J'avais prévu d'aller à Hyannis Port, l'endroit où les Kennedy ont leur maison de vacances, mais la circulation était si dense, surtout à Woods Hole, point de départ du ferry pour Martha's Vineyard, que j'ai refusé de m'y risquer. Tous les motels — et il y en avait des centaines — affichaient complet. Je pris l'Interstate 93 avec l'intention de la suivre pendant quelques kilomètres histoire de dépasser Hyannis Port, mais avant de comprendre ce qui se passait, j'étais à Boston, pris dans les embouteillages de la soirée. A Boston, le système routier est absolument fou. Il a visiblement été conçu par quelqu'un qui a passé son enfance à mettre en scène des accidents avec son train électrique. Tous les cent mètres, la voie que je suivais disparaissait et d'autres voies venaient s'y ajouter de la droite ou de la gauche, parfois même des deux côtés à la fois. Ce n'était pas un réseau routier, c'était de l'hystérie sur quatre roues. Tout le monde avait l'air crispé. Je n'ai jamais vu des gens faire autant d'efforts pour éviter de se caramboler. Et c'était un samedi. Dieu sait ce que ça doit donner un jour de semaine. Boston est une grande ville et sa banlieue déborde très loin jusque dans le New Hampshire. Par conséquent, sans très bien comprendre comment j'étais arrivé là, je me suis retrouvé tard le soir dans un de ces endroits sans nom qui naissent le long des grands échangeurs d'autoroutes, ces îlots de néon pourpre — motels, pompes à essence, galeries marchandes et restaurants bouffe express —, si violemment éclairés qu'on doit les voir de la planète Mars. Le mien était quelque part dans la région de Haverhill. J'ai pris une chambre au Motel 6, et j'ai soupé de poulet rôti graisseux et de frites molles au restaurant Dennis, juste en face. La journée avait été moche mais je refusais de me laisser aller à la déprime. Quelques kilomètres plus loin, c'était le New Hampshire et le début de la véritable Nouvelle-Angleterre. Les choses allaient sûrement s'améliorer.

16

J'avais toujours pensé que la Nouvelle-Angleterre n'était qu'une succession de forêts d'érables, d'églises blanches avec ces magasins de campagne où l'on vend de tout, où de vieux pépés en chemises à carreaux se rassemblent autour d'un poêle en fonte pour se raconter des histoires idiotes en crachant dans une vieille boîte à biscuits. Mais à en juger par le sud du New Hampshire, j'avais de toute évidence été mal informé. On y trouvait tous les côtés sordides du commerce moderne — centres commerciaux, stations-service, motels. De temps en temps, une église blanche ou une auberge à bardeaux se glissait de façon incongrue entre un Texaco et un Burger King. Mais loin d'atténuer la laideur environnante, cela ne faisait que la souligner et rappelait ce que l'on avait détruit pour mettre des drive-in burgers et des postes à essence à prix réduit.

A Salisbury, j'ai rejoint la vieille Route 1 que j'avais l'intention de suivre le long de la côte dans l'État du Maine. La Route 1, comme son nom l'indique, est la doyenne des routes américaines, la première nationale fédérale. Sur 4 000 kilomètres, elle va de la frontière canadienne jusqu'à la Floride. Pendant une quarantaine d'années, ce fut la route principale de la côte Est qui reliait toutes les grandes villes du Nord, Boston, New York, Philadelphie, Baltimore, Washington, aux plages et aux plantations de citronniers du Sud. Ce devait être extraordinaire dans les années trente ou quarante de pouvoir descendre en voiture du Maine à la Floride pour les vacances, traverser toutes ces grandes villes merveilleuses, puis passer aux collines de Virginie et aux montagnes verdoyantes des deux Caroline en sentant le climat se réchauffer peu à peu au cours des kilomètres. Mais dans les années soixante, la Route 1 étant devenue beaucoup trop fréquentée pour répondre aux besoins — un tiers de la population des États-Unis vit à moins de trente-deux kilomètres de cette route —, on a construit l'autoroute 95 qui a permis d'accélérer la circulation entre le Nord et le Sud de sorte qu'on n'a même plus le temps de se rendre compte des changements de paysages. La Route 1 existe encore aujourd'hui mais il vous faudrait des semaines pour la parcourir sur toute sa longueur. Maintenant c'est devenu une artère locale, une rue sans fin, un déploiement épique de galeries marchandes.

J'avais espéré qu'ici, en pleine Nouvelle-Angleterre rurale, cette route aurait gardé un peu de son charme d'autrefois, mais cela ne semblait pas le cas. Je roulais dans la fraîcheur du crachin matinal, en me demandant si je finirais par trouver un jour cette véritable Nouvelle-Angleterre. A Portsmouth, petite ville qu'on oublie en une seconde, je passai dans l'État du Maine en empruntant un pont de fer qui enjambe les eaux grises de la rivière Piscataqua. Et le Maine, vu à travers le bruissement rythmé des essuie-glaces, ne me semblait rien augurer de très réjouissant, rien qu'une autre longue suite de centres commerciaux et de lotissements résidentiels boueux.

Après Kennebunkport, les banlieues finissent par céder la place à la forêt. Çà et là, des blocs de rochers bruns émergent curieusement de la terre comme des créatures souterraines qui remonteraient à la surface pour prendre un peu l'air. Et par endroits je pouvais apercevoir la mer, une plaine grise, froide et désolée. J'accumulais les kilomètres, imaginant qu'à tout moment j'allais enfin trouver le Maine légendaire des casiers à homards, des plages fouettées d'embruns et des phares solitaires perchés sur des blocs de granit. Mais les bourgades que je traversais n'étaient qu'un fouillis lugubre et la campagne était boisée et sans intérêt. Une seule fois, à la sortie de Falmouth, la route suivit pendant quelques kilomètres une baie argentée traversée d'un long pont, bas sur l'eau, qui conduisait à un paysage de fermes douillettement nichées dans le creux des collines, et j'en fus un bref moment ragaillardi. Mais ce n'était qu'une fausse alerte et le paysage ne tarda pas à redevenir aussi terne qu'avant. Pendant tout mon passage, le vrai Maine m'avait évité. Je le sentais pourtant là, pas très loin, comme ces parcs d'attractions que mon père ne trouvait jamais.

A Wiscasset, après avoir parcouru le tiers de la côte qui mène au New Brunswick, je me décourageai tout à fait. Wiscasset, sur un panneau posté à l'entrée de la ville, se proclame le plus joli village du Maine, ce qui n'est pas très flatteur pour le reste de l'État. Je n'essaie pas d'insinuer que Wiscasset est horrible car ce n'est pas le cas. Sa rue principale descend en pente douce, bordée de boutiques d'artisanat et autres bazars pour yuppies, jusqu'à une petite anse paisible de l'océan Atlantique. Deux vieux bateaux en bois pourrissent sur la plage. C'est assez chouette. Mais cela ne vaut pas un détour de quatre heures de route. Brusquement, je pris la décision d'abandonner la Route 1 et de remonter vers le nord en plongeant dans les épaisses forêts de sapins qui couvrent le centre du Maine, pour atteindre les White Mountains en suivant une route sinueuse et en dos d'âne qui ressemble à un tapis froissé. Après quelques kilomètres, j'ai commencé à prendre conscience d'un changement d'atmosphère. Les nuages étaient bas, informes, et laissaient filtrer une lumière peu généreuse. On sentait déjà l'approche de l'hiver. Je n'étais qu'à une centaine de kilomètres du Canada et de toute évidence les hivers, ici, étaient longs et rigoureux. Cela se voyait facilement au mauvais état de la chaussée et à la taille des piles de bois entassées devant toutes les cabanes isolées. Beaucoup de cheminées laissaient déjà échapper des volutes de fumée qui évoquaient l'hiver. On était à peine au mois d'octobre mais le pays avait déjà un côté hivernal, froid et sans vie. Tout à fait le genre d'atmosphère où l'on a envie de remonter le col de sa veste et de prendre le chemin de la maison.

Après Gilead, je suis passé dans le New Hampshire et le paysage est devenu soudain plus intéressant. Les White Mountains s'élevaient devant moi toutes rondes et hautes, couleur cendre de bois. Je suppose que ces montagnes doivent leur nom aux bouleaux qui les recouvrent. Je roulais sur une autoroute déserte qui traversait une forêt d'arbres aux feuilles frissonnantes. Le ciel était toujours bas et plat, le temps frisquet, mais j'avais enfin échappé à la monotonie des bois du Maine. La route montait, descendait et longeait une petite vallée pleine de gros rochers. Le paysage était infiniment plus beau qu'avant mais il n'y avait toujours pas de couleurs, ces rouges et ces ors brillants de l'automne qu'on m'avait promis. Tout, de la terre jusqu'au ciel, était d'un gris terne, cadavérique.

Je passai devant le Mont Washington, le point culminant du nord-est des USA (1 918 mètres, pour ceux qui prennent des notes). Il est surtout connu pour être un des endroits les plus ventés d'Amérique. Cela tient à... à ce qu'il y a beaucoup de vent, bien sûr. En tout cas on y a enregistré le record mondial de la vitesse du vent en avril 1934 quand une rafale a atteint — préparez vos crayons — 372 kilomètres à l'heure ! Pour les météorologues qui étaient là-haut, l'expérience a dû être inoubliable. Vous vous imaginez en train d'essayer de décrire un vent de cette force à quelqu'un ? « Eh bien, tu vois, c'était un vent... mais alors là, *un de ces vents*, enfin tu comprends ce que je veux dire ? » Il est certainement très frustrant de vivre une expérience unique au monde.

Peu après je suis arrivé à Bretton Woods, que je m'étais toujours imaginé comme une petite ville pittoresque. En réalité ce n'est pas une ville du tout, seulement un hôtel et un remonte-pente. L'hôtel est immense et ressemble à une forteresse médiévale mais avec un toit rouge vif. On dirait le résultat d'un croisement entre le Monte Cassino et une Pizza Hut. C'est là que se sont rassemblés en 1944 les économistes et les hommes politiques de vingt-huit nations différentes pour créer le Fonds monétaire international et la Banque mondiale. C'est certainement un endroit très agréable pour écrire une page de l'histoire économique. Comme le disait John Maynard Keynes dans une lettre à son frère : « La semaine a été des plus satisfaisante. Les négociations se sont déroulées dans une ambiance cordiale, la cuisine est excellente et les valets de chambre sont mignons comme tout. »

Je me suis arrêté pour passer la nuit à Littleton, une ville qui comme son nom l'indique est petite et proche de la frontière du Vermont. Je me suis garé devant le Littleton Motel dans la rue principale. Sur la porte du bureau on avait mis un écriteau : « Si vous voulez des glaçons ou un renseignement, passez avant 18 heures 30. Ce soir je sors Bobonne. » (« Et c'est pas dommage. Signé : Bobonne. ») En rentrant, j'ai trouvé un vieux avec des béquilles qui me dit que j'avais de la chance car il ne lui restait plus qu'une chambre. Elle coûtait quarante-deux dollars plus les taxes. Mais quand il m'a vu l'écume à la bouche et prêt à repartir, il s'est empressé d'ajouter : « C'est une chambre vraiment superbe, avec une télévision toute neuve, de beaux tapis et une douche du tonnerre. On a les plus belles chambres de la ville. On est connus pour ça... » D'un geste il m'a indiqué toute une série de témoignages de clients comblés qu'il avait exposés dans une vitrine sur le comptoir : « Votre chambre est certainement la plus belle de toute la ville. — A.K. Aardvard Falls, Kentucky. » « Une chambre magnifique et quels beaux tapis ! Signé M. et Mme J.F., Spotsweld, Ohio. » Enfin des trucs comme ça.

J'avais mes doutes quant à l'authenticité de ces déclarations mais comme j'étais trop fatigué pour reprendre la route, j'ai dit que c'était d'accord et j'ai signé le registre en soupirant. Muni de ma clé et d'un seau de glaçons (pour quarante-deux dollars plus les taxes j'étais bien décidé à ne rien laisser perdre), j'ai gagné ma chambre. Et, bon sang, c'était vraiment la plus belle chambre de la ville. La télé était toute neuve et le tapis somptueux. Le lit était confortable et la douche un vrai bijou. J'éprouvai immédiatement un grand sentiment de honte et je retirai toutes les mauvaises pensées que j'avais eues envers le propriétaire. « Je ne suis qu'un petit trou du cul prétentieux d'avoir douté de vous. Signé B.B., Des Moines, Iowa. »

Je croquai quatorze cubes de glace et regardai les nouvelles à la télé. Elles étaient suivies d'un vieil épisode de *Gilligan's Island* que la chaîne destinait de toute évidence aux téléspectateurs encore suffisamment sains d'esprit pour réagir et passer à autre chose. C'est ce que j'ai fait. Je suis donc sorti pour aller faire un tour en ville. J'avais choisi de m'arrêter à Littleton parce qu'un de mes guides la signalait comme « ville pittoresque ». En fait si Littleton avait quelque chose de remarquable, c'était son absence totale de pittoresque. La ville consistait principalement en une longue rue de bâtiments sans aucun charme avec un parking de supermarché planté au beau milieu et les restes d'une station-service abandonnée à deux pas de là. Je pense que tout le monde sera d'accord pour dire que ce n'est pas ce que l'on peut appeler pittoresque. Heureusement la ville avait d'autres bons côtés. Pour commencer, c'est l'endroit le plus amical que je connaisse. Quand je suis entré au restaurant Topic of the Town, les autres clients m'ont fait un grand sourire, la dame de la caisse m'a indiqué où pendre mon veston et la serveuse, une petite bonne femme toute en rondeurs et en fossettes, s'est mise en quatre pour me satisfaire.

C'était comme si tous ces gens venaient de recevoir une sorte de merveilleux tranquillisant. Quand la serveuse m'a apporté le menu, j'ai fait l'erreur de dire merci. « Je vous en prie », a-t-elle répliqué.

Et une fois que vous avez commencé ce jeu-là, pas moyen d'arrêter. Elle est venue nettoyer la table d'un coup de chiffon humide. « Merci », ai-je dit. « Je vous en prie », a-t-elle répliqué. Elle m'a apporté des couverts enveloppés d'une serviette en papier. J'ai hésité mais ce fut plus fort que moi. « Merci », ai-je dit. « Je vous en prie », a-t-elle répliqué. Ensuite vint un set de table au nom de Topic of the Town, puis un verre d'eau, puis un cendrier propre, et puis un panier de crackers Saltine sous cellophane, et chaque fois nous avons échangé nos répliques courtoises. J'ai commandé le poulet frit « spécial ». En l'attendant, je me suis rendu compte avec embarras que les gens de la table d'à côté me regardaient et me souriaient d'une manière anormale. La serveuse elle aussi me regardait de l'entrée de la cuisine. C'était assez déconcertant ; toutes les deux minutes, elle venait remplir mon verre d'eau glacée et me répéter que ça n'allait pas être long. « Merci », disais-je. « Je vous en prie », répliquait-elle. Enfin elle est sortie de la cuisine avec un plateau grand comme un plan de travail et a commencé à disposer devant moi des assiettes de nourriture : soupe, salade, un plat de poulet, un panier de petits pains tout chauds. Tout avait l'air délicieux et je me suis rendu compte à ce moment-là que je mourais de faim.

« Vous voulez autre chose ? a-t-elle dit.

— Non, ceci est parfait, merci, ai-je répondu, la fourchette et le couteau bien en main et prêt à attaquer.

— Vous voulez un peu de ketchup ?

— Non merci.

— Un peu de sauce pour la salade ?

— Non merci.

— Vous avez assez de sauce avec la viande ? »

Il y avait de quoi noyer un cheval.

« Merci pour la sauce, ça ira.

— Du café peut-être ?

— Vraiment, c'est parfait.

— Vous êtes sûr que je ne peux rien faire pour vous ?

— Eh bien si. Vous pourriez ficher le camp et me laisser manger tranquille. »

C'était ce que j'avais envie de lui dire mais bien sûr je ne l'ai pas fait. Au lieu de cela, je lui ai souri et j'ai dit non merci, et au bout d'un moment elle est partie. Mais elle est restée debout avec une cruche d'eau glacée à la main sans me quitter des yeux pendant tout le repas. Chaque fois que je buvais une gorgée d'eau, elle s'approchait et remplissait mon verre. A un moment, quand j'ai étendu le bras pour prendre le poivrier, elle s'est trompée sur mes intentions et s'est précipitée avec la cruche d'eau et a dû battre en retraite. Après cela, dès que mes mains abandonnaient mes couverts pour une raison quelconque, je lui mimais ce que j'allais faire — maintenant je vais beurrer ma tartine — pour éviter de la voir accourir avec son pichet d'eau. Et pendant ce temps, les gens de la table à côté me regardaient manger en m'adressant des sourires d'encouragement. Je n'avais qu'une hâte, sortir de là.

Quand enfin j'eus terminé, la serveuse vint me proposer des desserts. « Que diriez-vous d'un morceau de tarte ? Nous avons de la tarte aux groseilles rouges, de la tarte aux groseilles vertes. De la tarte aux cassis, de la tarte aux framboises, de la tarte aux cerises, de la tarte aux airelles, de la tarte aux myrtilles, de la tarte à la tarte.

— Non merci, vraiment, j'ai déjà trop mangé », dis-je en mettant les deux mains sur mon estomac. On aurait dit que j'avais fourré un oreiller sous ma chemise.

« Et qu'est-ce que vous diriez d'une glace ? Nous avons des glaces au caramel et au chocolat, au chocolat et à la vanille, au chocolat et aux morceaux de noisettes, au chocolat et aux marshmallows, au chocolat à la menthe et aux copeaux de chocolat, au chocolat et aux noisettes enrobées de caramel avec ou sans morceaux de chocolat.

— Vous n'auriez pas une simple glace chocolat?

— Non, désolée, mais on ne nous en demande jamais.

— Alors je ne prendrai rien.

— Une tasse de café?

— Non merci.

— Vous êtes sûr? Alors je vais vous chercher un peu d'eau. »

Et avant que j'aie pu lui demander l'addition, elle était repartie chercher le pichet. Les gens de la table à côté me regardaient avec intérêt et m'adressaient des sourires qui voulaient dire:

« Nous sommes complètement barjots, pas vous? »

Après quoi, je suis allé faire le tour de la ville, c'est-à-dire que j'ai remonté un côté de la rue et descendu l'autre. Pour une ville de cette taille, elle était assez sympathique. Il y avait deux librairies, une galerie d'art, un magasin de cadeaux, un cinéma. Les gens que je croisais sur le trottoir m'adressaient tous des sourires. Cela commençait à me troubler sérieusement. Personne en Amérique n'est aimable à ce point-là. Qu'est-ce qu'ils me voulaient tous? Au bout de la rue il y avait une station-service BP, la première que je voyais aux USA. Me sentant un peu de nostalgie pour la perfide Albion, je m'en approchai et fus déçu de voir qu'elle n'avait rien de particulièrement britannique — le type à la caisse n'était même pas pakistanais. Lorsqu'il a vu que je l'observais derrière la vitre, il m'a adressé ce même sourire étrange et déconcertant. Tout à coup, j'ai compris ce que c'était: c'était le regard d'un extraterrestre. Ils avaient tous ce sourire bizarre et curieusement malicieux que l'on voit dans les films de série B sur le visage des créatures interplanétaires qui viennent envahir une petite ville isolée avant de se lancer à la conquête de la planète Terre. Je sais que ça semble peu vraisemblable mais il y a des choses plus incroyables qui se produisent. Pensez par exemple à celui qui était à la Maison Blanche à l'époque... En regagnant mon hôtel j'ai adressé à tous ceux que je croisais le même sourire inquiétant, histoire de me mettre dans leurs bonnes grâces, juste en cas. « On ne sait jamais, me dis-je tout bas, s'ils envahissent la planète, il y aura peut-être des perspectives pour un type de mon talent. »

Le lendemain matin je me suis levé très tôt. J'ai regardé par la fenêtre de ma chambre. La lueur rose de l'aurore s'étalait à l'horizon, promesse d'une journée splendide. Je me suis habillé rapidement et j'ai repris la route avant même que Littleton ait commencé à bouger. Après quelques kilomètres j'ai franchi les limites de l'État. Dans l'ensemble le Vermont semblait une version plus verte et plus propre du New Hampshire. Les collines étaient grasses et douces, et faisaient penser à des animaux assoupis. Les fermes dispersées paraissaient plus florissantes et les prairies grimpaient en hauteur sur le flanc des collines, donnant aux vallées un petit air alpin. Le soleil était déjà haut dans le ciel et il faisait bon. Sur une crête dominant une étendue de contreforts brumeux, un panneau annonçait « PEACHAM, VILLAGE FONDÉ EN 1776 », et tout de suite après venait le village. Ayant garé ma voiture devant un grand magasin peint en rouge, je suis allé y jeter un coup d'œil. Mais il n'y avait pas âme qui vive. Vraisemblablement les gens de Littleton étaient venus pendant la nuit et avaient embarqué tout le monde sur la planète Zog.

Je passai devant l'Auberge de Peacham — bardeaux blancs, volets verts et aucun signe de vie — et grimpai une colline en laissant derrière moi une église blanche congrégationiste et de charmantes maisons endormies. Au sommet de la colline je trouvai un vaste pré sur lequel s'élevaient un obélisque et un mât et, tout à côté, un vieux cimetière. Un doux zéphyr jouait avec le drapeau et au bas de la colline, au-delà d'une large vallée, une série de collines vert pâle et marron ondulaient par vagues jusqu'à l'horizon comme une houle océane. En contrebas, l'église sonnait les heures mais à part ça, il n'y avait pas un bruit. J'ai rarement vu un endroit d'une telle perfection. J'examinai l'obélisque. « EN SOUVENIR DES SOLDATS DE 1869 », y lisait-on. Et des noms étaient gravés, de bons vieux noms de la Nouvelle-Angleterre comme Elijah W. Sargent, Lowell Sterns, Horace Rowe. Au total il y avait quarante-cinq noms, ce qui semblait beaucoup pour un simple petit bourg des collines. Et le cimetière, lui aussi, paraissait à la réflexion un peu trop grand pour la taille du village. Il couvrait tout un pan de la colline et la splendeur de certaines tombes laissait supposer que l'endroit avait dû être autrefois beaucoup plus important.

Je poussai le portail et entrai visiter le cimetière. Mon attention fut attirée par une tombe particulièrement belle, une colonne de marbre surmontée d'une sphère de granit. La colonne donnait la liste de tous les membres de la famille Hurd et de leurs proches parents depuis le capitaine Nathan Hurd en 1818 jusqu'à Frances H. Bement en 1889. Au dos une plaque portait l'inscription suivante :

Nathan H. mort le 24 juillet 1852, 4 ans 1 mois.
Joshua F. mort le 31 juillet 1852, 1 an 11 mois
Enfants de J. & C. Pitkin

Qu'est-ce qui avait bien pu emporter ces deux petits frères à une semaine d'intervalle ? Une grippe ? Peu probable au mois de juillet. Un accident qui en aurait tué un sur le coup et auquel le deuxième aurait survécu quelques jours ? Deux morts sans aucun rapport ? J'imaginais les parents agenouillés devant le lit de Joshua F., assistant à l'agonie de cette petite vie, priant le ciel d'épargner leur dernier enfant et voyant leurs espoirs anéantis. La vie est une vraie vacherie. Tout ce que je voyais n'était que détresses et chagrins gravés sur la pierre : Joseph, fils d'Ephraïm et de Sarah Carter, mort le 18 mars 1846 à l'âge de 18 ans », « Alma Foster, fille de Zadock et d'Hannah Richardson, m. le 22 mai 1847, à 17 ans ». Ils étaient tous si jeunes. Je me suis senti envahi d'une tristesse indicible à me promener comme ça au milieu de ces âmes reposant à jamais, de ces vies gâchées, de ces rangées de rêves brisés. Comme c'était triste ! Je suis resté debout dans la tiédeur du soleil d'octobre, à partager la douleur de ces pauvres malheureux dont la vie avait été anéantie, roulant de sombres pensées sur notre condition de mortels, sur ma propre famille, ces êtres chéris si loin de moi, là-bas en Angleterre, et je me suis dit : « Et puis merde ! » et j'ai descendu la colline pour reprendre ma voiture.

Je suis parti vers l'ouest, traversant le Vermont jusqu'aux Green Mountains. Les montagnes étaient noires et arrondies, avec des vallées qui semblaient prospères. La lumière ici paraissait plus douce, plus calme, plus automnale. Tout irradiait de couleurs : les arbres, couleur moutarde et rouille, les pâturages, vert et or, les granges gigantesques peintes en blanc, les lacs aux eaux bleues. Çà et là en bordure de route on trouvait de petits étals offrant des potirons, des courges et autres produits de l'automne. On avait l'impression d'être en excursion au paradis. J'allai faire un tour dans l'arrière-pays. Je fus surpris d'y découvrir un nombre étonnant de petites maisons dont certaines étaient à peine plus grandes qu'une cabane. Je me suis dit qu'il ne devait pas y avoir beaucoup d'emplois dans un pays comme le Vermont où il y a très peu de villes et guère d'industries. La plus grande ville, Burlington, ne compte que 37 000 habitants. Peu après Groton, je me suis arrêté pour boire un café et, en compagnie de trois autres clients, j'ai écouté les doléances d'une grosse jeune femme accompagnée de deux enfants débraillés qui exposait à voix haute ses problèmes financiers à la dame derrière le comptoir. « Je me fais toujours pas plus de quatre dollars de l'heure. Et Harvey, ça fait trois ans qu'il est chez Fibberts et on vient seulement de l'augmenter. Tu sais ce qu'il se fait ? Quatre dollars et soixante-cinq cents de l'heure. Si c'est pas malheureux ! J'y ai dit : Harvey, que je lui ai dit comme ça, y t'prennent pour une andouille. Mais y s'remue même pas. » Ici elle a dû s'interrompre pour aller rectifier d'un revers de main certains détails sur la figure d'un de ses gosses — « COMBIEN DE FOIS JE T'AI DIT DE PAS M'INTERROMP' QUAND J'CAUSE » — et après cette question de pure rhétorique adressée au gamin, elle a repris d'une voix plus calme sa conversation avec la dame du café et entamé la liste détaillée de tous les autres défauts de Harvey, ce qui n'était pas rien.

La veille même, dans un MacDonald du Maine, j'avais vu une offre d'emploi proposant cinq dollars de l'heure pour débuter. Harvey devait être un crétin colossal ou sans la moindre qualification — les deux probablement — pour n'être pas capable d'arriver au niveau d'un serveur de seize ans au MacDonald. Pauvre mec ! Et pour couronner le tout, il était marié à une femme qui était une vraie souillon, vulgaire et qui avait le cul d'un cheval de trait. Je faisais des vœux pour que le pauvre Harvey eût assez de bon sens pour apprécier l'extraordinaire beauté naturelle que Dieu avait accordée à son pays natal. Parce qu'apparemment Dieu n'avait pas accordé grand-chose à Harvey. Même ses gosses étaient laids comme des poux. Je fus presque tenté de flanquer une bonne baffe à l'un d'eux avant de sortir du café. Il avait quelque chose de déplaisant sur sa sale petite figure, qui vous donnait une envie irrésistible de le gifler.

J'ai continué ma route en pensant à l'ironie de la situation : aux USA, les lieux les plus splendides — les Smoky Mountains, les Appalaches et maintenant le Vermont — sont toujours habités par les gens les plus pauvres et les plus incultes. Puis je suis arrivé à Stowe et je me suis rendu compte qu'en matière de généralisations hâtives et imbéciles, j'étais vraiment le roi. Car Stowe était tout ce qu'on veut, sauf pauvre. C'était une petite ville riche pleine de boutiques chichiteuses et de chalets de ski cossus. En fait, pendant tout le reste de la journée que j'ai employée à me promener dans les stations de ski des

Green Mountains, je n'ai pratiquement rien vu d'autre que richesse et beauté. Des gens riches, des maisons de riches, des voitures de riches, de beaux paysages. J'étais impressionné. Je suis descendu jusqu'au lac Champlain, lui aussi d'une grande beauté, et j'ai pris tout mon temps pour atteindre le côté ouest de l'État, presque à la limite de l'État de New York.

Au-dessous du lac Champlain, le paysage devient plus ouvert, moins vallonné, comme si on avait aplati les collines à la manière d'un couvre-lit dont on lisse les faux plis. Certaines villes et villages sont extraordinairement jolis. Dorset, par exemple, est un petit coin exquis, rassemblé autour d'une place ovale, bourré de maisons blanches à bardeaux, avec un théâtre d'été, une vieille église et une immense auberge. Et pourtant... Et pourtant il y a quelque chose qui ne va pas. Ces endroits sont trop parfaits, trop riches, trop yuppifiés. Dans Dorset il y a une galerie d'art appelée le Dorset Framery. A Bennington je suis passé devant un restaurant baptisé le Publyk House. La moindre auberge, le moindre chalet avaient reçu un nom qui sonnait vieux et pittoresque — l'Auberge de la Sauterelle Noire, Le Vieux Fourneau, l'Hôtel des Myrtilles, La Vieille Goélette — et une enseigne en bois pendait au-dessus de la porte. Tout baignait dans une ambiance artificielle cucul que j'ai commencé à trouver singulièrement étouffante au bout d'un moment. J'avais envie de trouver une bonne enseigne au néon annonçant un restaurant de famille : Chez Ernie, Chez Zweiker, avec une ou deux publicités pour bières clignotant sur la vitre. Un bon vieux bowling ou un cinéma drive-in n'auraient pas été de trop. Ils auraient donné un peu d'authenticité à l'ensemble. Mais là, on avait l'impression que tout avait été fabriqué à Manhattan et importé par camion.

Un des villages que j'ai traversés avait environ quatre magasins et parmi eux une boutique Ralph Lauren. Peut-on imaginer rien de pire qu'habiter un village où on peut acheter une chemise polo de deux cents dollars mais pas une seule boîte de haricots à la tomate ? En fait, je peux imaginer bien pire : avoir un cancer du cerveau, être obligé de regarder tous les épisodes d'un feuilleton avec Joan Collins dans le rôle principal, manger un Burger King plus de deux fois par an, boire par erreur le verre d'eau qui contient le dentier de votre grand-mère et ainsi de suite. Mais je crois que vous avez compris ce que je veux dire.

17

J'ai passé la nuit à Cobleshill, dans l'État de New York, à la lisière des Catskill, et au matin je suis parti pour Cooperstown, une petite station du lac Otsego. Cooperstown est la patrie de Fenimore Cooper — sa famille a d'ailleurs donné son nom à la ville. C'est une belle ville, aussi belle que toutes celles que j'avais vues en Nouvelle-Angleterre, beaucoup plus riche en couleurs automnales, avec une grand-rue bordée de bâtiments de briques aux toits carrés, avec de vieilles banques, un cinéma et des petits commerces. Le restaurant de Cooperstown où j'ai pris mon petit déjeuner était animé, sympathique et bon marché, exactement ce qu'un petit restaurant devrait toujours être. Ensuite je suis allé faire une promenade dans le quartier résidentiel, les mains dans les poches, traînant les pieds dans les feuilles mortes, jusqu'au bord du lac. Toutes les maisons étaient anciennes et charmantes. Les plus grandes avaient souvent été transformées en auberges ou en « bed and breakfast » de luxe. Un soleil matinal perçait le feuillage des arbres et tachait d'ombres les pelouses et les trottoirs. C'était une des petites villes les plus charmantes de tout mon voyage. J'avais presque trouvé Amalgame.

Un des grands défauts de Cooperstown, c'est que la ville est envahie de touristes attirés par le très célèbre Baseball Hall of Fame (musée à la Gloire du Base-Ball) qui s'élève dans un parc ombragé, au bout de la Grand-Rue. J'y suis allé, j'ai payé les 8 dollars 50 d'entrée et je suis entré à l'intérieur où régnait le calme d'une cathédrale. Pour ceux d'entre nous qui sont à la fois agnostiques et fanatiques de base-ball, le Hall of Fame est ce qui se rapproche le plus d'un pèlerinage. J'ai parcouru dans le plus grand recueillement ces salles silencieuses à l'éclairage tamisé où s'offraient à ma vénération les vêtements et les reliques sacrées du passe-temps national de l'Amérique. Ici, magnifiquement exposée dans une vitrine, se trouvait « la chemise que portait Warren Spahn quand il a gagné pour la 305e fois, devenant ainsi avec Eddie Plank le meilleur joueur gaucher ». Là, de l'autre côté de la travée, était présenté « le gant que portait Sal Maglie lors de son célèbre match contre les Phillies, le 25 septembre 1958 ». On regardait chaque vitrine avec respect et tout le monde parlait à voix basse.

Une des salles offrait une galerie de tableaux commémorant les grands moments de l'histoire du base-ball dont l'un en particulier était le premier match professionnel joué sous lumière artificielle à Des Moines, Iowa, le 2 mai 1930. J'en fus bouleversé. J'ignorais complètement que ma ville natale avait joué un rôle aussi décisif dans l'histoire du base-ball et de l'éclairage. J'examinai la peinture de tout près pour voir si par hasard l'artiste avait croqué mon père dans sa loge de presse, mais je me suis rappelé tout à coup qu'il n'avait que quinze ans à l'époque et qu'il habitait encore Winfield. J'en fus un peu déçu. Dans une des salles de l'étage, j'ai dû me retenir de pousser un cri de joie en découvrant des vitrines toutes remplies des vignettes de base-ball que mon frère et moi avions collectionnées et classées avec tant de soin, cette même collection que mes parents, dans un de leurs premiers flirts avec la sénilité, avaient envoyée au dépotoir municipal lors d'un grand nettoyage du grenier en

1981. Nous avions toute la collection de 1959 en parfaite condition, qui de nos jours irait bien chercher dans les 1 500 dollars. On avait tous les grands : Mickey Mantle, Yogi Berra, alors débutants, Ted Williams, toutes les équipes des New York Yankees depuis 1956 jusqu'en 1962. L'ensemble de la collection devait bien valoir à l'époque 8 000 dollars — suffisamment en tout cas pour expédier papa et maman suivre un petit traitement dans un asile d'aliénés. Enfin, n'en parlons plus. Nous commettons tous des erreurs. C'est justement parce qu'on jette ces choses qu'elles prennent de la valeur, du moins pour ceux qui ont la chance de ne pas avoir des parents qui passent leur retraite à jeter ce que leurs fils ont patiemment accumulé au long de leur vie. En tout cas cela faisait plaisir de revoir ces bonnes vieilles vignettes. On avait l'impression de rendre visite à un ami à l'hôpital.

Le musée du Base-Ball est étonnamment grand, plus grand qu'il ne le paraît vu de la rue, et il est extrêmement bien organisé. Je l'ai visité dans un état de béatitude complète, lisant chaque étiquette, examinant chaque objet exposé, revivant ma jeunesse dans un cocon d'agréable nostalgie et quand enfin je me suis retrouvé dans la rue et que j'ai regardé ma montre, j'ai constaté avec surprise que trois heures venaient de s'écouler. Près du musée, il y avait une boutique vendant d'extraordinaires souvenirs à la gloire du base-ball. De mon temps, tout ce qu'on trouvait c'était des petits fanions, des images de joueurs et d'affreux petits stylos en forme de batte de base-ball qui cessaient d'écrire à la minute même où l'on essayait de signer son nom. Mais les petits garçons d'aujourd'hui peuvent avoir tous les gadgets imaginables avec le logo de leur équipe favorite : des lampes, des serviettes, des pendules, des descentes de lit, des chopes, des couvre-lits, et même des décorations de Noël — en plus, naturellement des fanions, images, et stylos qui cessent d'écrire à la deuxième ligne. Jamais je n'ai éprouvé à ce point l'envie de redevenir un petit garçon. Toute autre considération mise à part, j'aurais pu récupérer ma collection d'images de base-ball et la mettre en sécurité quelque part, loin de mes parents. Et arrivé à l'âge que j'ai maintenant, j'aurais pu me payer une Porsche.

Tous ces objets-souvenirs me fascinaient tellement que j'ai commencé à en accumuler de pleines brassées jusqu'au moment où j'ai remarqué que la boutique était remplie d'avis : « Ne pas toucher », avec, à côté de la caisse, un panonceau spécial : « Ne pas s'appuyer sur la vitre — en cas de bris, ça vous coûtera 50 dollars. » Les gens sont vraiment bêtes. Comment voulez-vous que des gosses fascinés par tant de merveilles n'aient pas envie de les toucher ? Cela m'a tellement hérissé le poil que j'ai déposé mes achats sur le comptoir et dit à la caissière que finalement j'avais changé d'avis et que je n'en voulais plus. J'ai peut-être eu raison, tout compte fait, car je ne suis pas absolument certain que ma femme aurait aimé ces taies d'oreillers ornées de l'équipe des St. Louis Cardinals.

Mon billet d'entrée au Hall of Fame comprenait l'admission au musée de la Ferme, à la limite de la ville, où, sur un grand terrain, on a conservé une vingtaine de vieux bâtiments — une école, une taverne, une église, etc. C'est à peu près aussi passionnant que ça le laisse supposer. Mais ayant acheté le ticket je me sentais moralement obligé d'aller y faire un tour. Tout ce que j'en dirai c'est que, par un après-midi ensoleillé, la promenade est agréable. Mais c'est avec soulagement que je me suis mis au volant pour reprendre la route. Il était quatre heures passées quand j'ai quitté la ville. J'ai traversé l'État de New York pendant plusieurs heures en longeant la vallée de la Susquehanna, particulièrement ravissante à cette heure du jour et à cette époque où tout baignait dans une douce lumière d'automne : les collines en forme de pastèque, les arbres nimbés d'or, les villes somnolentes. Pour rattraper le temps que j'avais passé à Cooperstown, je suis resté au volant plus longtemps que d'habitude et il était plus de neuf heures quand je me suis arrêté dans un motel près d'Elmira.

Je suis ressorti immédiatement pour aller dîner mais comme presque tout était fermé, j'ai finalement dû me rabattre sur le restaurant d'un bowling — en flagrante violation de la troisième loi de Bryson qui régit la restauration en terrain inconnu. D'une manière générale, je n'aime pas me laisser guider par des principes — chez moi, c'est une sorte de principe — mais je respecte tout de même certaines règles quand il s'agit de manger au restaurant. Il y en a six :

1. Ne jamais manger dans un restaurant qui expose en photo des plats au menu.

2. Ne jamais manger dans un restaurant aux murs couverts de papier peint floqué.

3. Ne jamais manger dans un restaurant en annexe d'un bowling.

4. Ne jamais manger dans un restaurant où l'on peut entendre ce qui se dit en cuisine.

5. Ne jamais manger dans un restaurant où jouent des groupes ayant un des noms suivants dans leur titre : Hank, Rythme, Swinger, Trio, Combo, Hawaiien, Polka.

6. Ne jamais manger dans un restaurant où il y a des taches de sang sur les murs.

En l'occurrence, ce restaurant de bowling s'est révélé tout à fait acceptable. Les murs laissaient filtrer le bruit sourd des quilles renversées et les voix des coiffeurs et des gandins d'Elmira en goguette pour la soirée. J'étais le seul client du restaurant. En fait j'étais visiblement le seul obstacle qui empêchait les serveuses de rentrer chez elles. Pendant que j'attendais ma commande, elles débarrassaient les autres tables, enlevaient les cendriers, les sucriers et les nappes et finalement je me suis retrouvé tout seul dans cette pièce immense, attablé devant une nappe blanche où la lueur d'une bougie vacillait dans un petit vase rouge, perdu dans un océan de tables nues en formica.

221

Les serveuses, appuyées contre le mur, me regardaient mastiquer. Au bout d'un moment, elles ont commencé à chuchoter et à glousser sottement sans me quitter des yeux, ce que j'ai trouvé légèrement crispant. Peut-être était-ce un effet de mon imagination, mais j'ai nettement eu l'impression que quelqu'un manipulait l'interrupteur et faisait baisser progressivement l'intensité de l'éclairage de la salle. A la fin du repas j'en suis arrivé au point où je devais chercher mes aliments au toucher et parfois même à l'odeur, en baissant le nez sur l'assiette. Au moment où je marquais une pause pour chercher à tâtons mon verre d'eau glacée qui se trouvait quelque part dans le noir, au-delà de la bougie vacillante, la serveuse a promptement enlevé mon assiette et déposé l'addition.

« Vous voulez autre chose ? » a-t-elle dit d'un ton qui suggérait que je n'avais pas intérêt. « Non merci », ai-je répondu poliment. Puis je me suis essuyé la bouche avec un pan de la nappe, ma serviette ayant disparu dans le noir, et j'ai rajouté une septième règle à ma liste : ne jamais entrer dans un restaurant dix minutes avant la fermeture. Mais finalement la mauvaise qualité du service ne me dérange pas vraiment : j'ai moins de scrupules à ne pas laisser de pourboire.

Le lendemain je me suis réveillé tôt et j'ai ressenti ce serrement de cœur qui vous étreint quand vous ouvrez les yeux et que vous réalisez qu'au lieu d'une journée normale avec son cortège de petites satisfactions vous attend une journée dénuée du moindre moment de plaisir : vous allez traverser l'Ohio.

J'ai soupiré et je suis sorti du lit. Puis je me suis traîné dans la pièce à une allure de vieillard, rassemblant mes affaires, faisant ma toilette, m'habillant. Enfin, sans le moindre enthousiasme, j'ai repris la route. J'ai traversé les Alleghanys d'est en ouest, puis un petit appendice bizarre de la Pennsylvanie. Sur trois cent vingt kilomètres, la frontière entre les États de New York et de

Pennsylvanie est une ligne droite, mais dans l'angle nord-ouest, là où je me trouvais, elle pique brutalement vers le nord comme si on avait heurté la main du géomètre. L'explication de cette petite irrégularité géographique vient de ce qu'on a voulu laisser à la Pennsylvanie un accès direct au lac Erié, sans passer par l'État de New York. Deux cents ans plus tard, elle demeure le témoignage du peu de chances que les premiers États accordaient à la durée de leur union. Que cette union se soit maintenue est un exploit beaucoup moins évident qu'on ne semble le penser aujourd'hui.

A la limite de l'État, la nationale rejoint l'autoroute 90, la grande artère du nord de l'Amérique qui sur quatre mille huit cents kilomètres relie Boston à Seattle. Elle est empruntée par des automobilistes qui parcourent de longues distances et qu'on repère facilement : ils vous donnent toujours l'impression de ne pas être descendus de leur véhicule depuis des semaines. On ne les aperçoit que brièvement en passant mais c'est assez pour se rendre compte qu'ils ont commencé à élire domicile à l'intérieur de leur véhicule — il y a du linge qui sèche, les restes du dernier repas au MacDonald sur la lunette arrière, et des livres, magazines et coussins éparpillés dans l'habitacle. Sur le siège du passager avant, il y a toujours une grosse femme endormie, bouche largement béante, et, à l'arrière, une flopée de gamins en train de devenir cinglés. Vous échangez au passage des regards vides mais non dénués de sympathie avec le père au volant. Chacun regarde la plaque d'immatriculation de l'autre et éprouve de l'envie ou de la pitié en fonction de l'éloignement de son domicile. Une des voitures que j'ai remarquées portait des plaques de l'Alaska. Je n'en revenais pas. Je n'en avais encore jamais vu. L'homme avait bien dû parcourir quatre mille cinq cents kilomètres au volant, l'équivalent de la distance entre Londres et la Zambie. Je n'ai jamais vu de personnage aussi lugubre. Il n'y avait pas trace de femme ni d'enfants. J'imagine que, depuis le temps, il avait dû les trucider et cacher leurs cadavres dans le coffre.

Une pluie fine flottait dans l'air et je conduisais dans cet état de semi-conscience qui vous envahit sur les grandes autoroutes américaines. Bientôt le lac Erié apparut à main droite. Comme tous les Grands Lacs, c'est une masse énorme qui est plus proche d'une mer intérieure que d'un lac, avec ses trois cent vingt kilomètres de long et ses soixante-dix de large. Il y a vingt-cinq ans, le lac Erié a été déclaré mort, ce qui, lorsqu'on longe sa rive sud et qu'on considère son immensité plate et grise, semble un exploit remarquable : comment imaginer que quelque chose d'aussi petit que l'être humain ait pu tuer quelque chose d'aussi vaste qu'un Grand Lac. Mais en moins d'un siècle on a réussi cet exploit. Grâce aux lois industrielles très floues et au triomphe de la rapacité humaine sur le respect de la nature, des villes comme Cleveland, Buffalo, Sandusky et autres centres débordants d'activités, de crasse et de suie, le lac Erié est passé en l'espace de trois générations de l'état de cuvette d'eau bleutée à celui de latrine géante. Cleveland est la plus coupable. Cleveland a connu une telle pollution que sa rivière, une masse lente et visqueuse de produits chimiques et de déchets à moitié digérés qu'on appelle la Cuyahoga, a littéralement pris feu et brûlé pendant quatre jours avant qu'on puisse l'éteindre. Cela aussi, à mon sens, est un exploit remarquable. On prétend que les choses se sont améliorées depuis lors. D'après un article du *Cleveland Free Press* que j'ai lu en prenant un café près d'Ashtabula, une commission officielle portant le titre indigeste de « Comité international associé pour le contrôle de la qualité de l'eau des Grands Lacs » venait tout juste de publier un rapport d'analyse de l'eau du lac. On se réjouissait de n'y avoir trouvé que trois cent soixante-deux types de produits chimiques différents alors que l'analyse précédente en avait détecté plus de mille. Personnellement je trouvais que c'était encore beaucoup et je fus très étonné d'apercevoir sur la rive deux pêcheurs, le dos courbé dans le crachin, qui jetaient des lignes accrochées à de longues cannes dans la gadoue verdâtre. Mais peut-être pêchaient-ils des produits chimiques ?

Accompagné d'une pluie monotone, je traversai la périphérie de Cleveland, notant au passage des panneaux signalant des localités toutes baptisées les Hauteurs de quelque chose : les Hauteurs de Richmond, les Hauteurs de l'Érable, les Hauteurs de Garfield, les Hauteurs de Shaker, les Hauteurs de l'Université, les Hauteurs de Warrensville, les Hauteurs de Parma. Chose curieuse, le seul trait remarquable du paysage des alentours était son manque d'éminences. Il était évident qu'à Cleveland on considère comme une hauteur ce que partout ailleurs on jugerait singulièrement modeste. En un sens, ça ne m'a pas tellement étonné. Peu après l'autoroute prend le nom de Route littorale du Cleveland Memorial et se met à suivre les courbes de la baie. Les essuie-glaces de la Chevette continuaient leur danse hypnotique et les autres voitures m'envoyaient des gerbes d'écume en me dépassant. Par la vitre je voyais la masse sombre et vaste du lac qui se diluait dans la brume lointaine. Et bientôt se profilèrent devant moi les gigantesques immeubles du centre de Cleveland qui semblaient venir à ma rencontre comme des achats posés sur le tapis roulant d'une caisse de supermarché.

Cleveland a toujours eu la réputation d'être une ville sale, laide et ennuyeuse, encore qu'on prétende que les choses se sont améliorées. Par « on », j'entends les journalistes de publications sérieuses comme le *Wall Street Journal*, *Fortune* et le *New York Times Sunday Magazine* qui visitent la ville tous les cinq ans et publient de longs articles avec des titres du genre « Cleveland retrouve son dynamisme », « Renaissance à Cleveland ». Personne ne lit ces articles, et surtout pas moi. Je suis donc mal placé pour dire si ces déclarations improbables et relatives sur la renaissance de Cleveland sont justifiées ou non. Tout ce que je peux dire, c'est qu'en traversant la rivière Cuyahoga j'eus la vision de pâtés d'usines enfumées qui ne m'ont semblé ni très propres ni très élégantes. Et je ne peux pas dire que le reste de la ville soit d'un esthétisme renversant. Il y a sans doute eu une amélioration mais toute référence à la Renaissance est largement excessive. Je doute fort que le duc d'Urbino, s'il pouvait ressusciter et être transporté dans le centre de Cleveland déclare : « Palsambleu ! Voici qui me rappelle moult la Florence du XVe siècle et ses trésors. »

Et puis, brutalement, je me suis retrouvé loin de Cleveland sur l'autoroute à péage James W. Shocknessy, dans ce vide rural vallonné qui s'étend entre Cleveland et Toledo, et je fus envahi une fois de plus par l'apathie cérébrale des autoroutes. Pour dissiper l'ennui, j'ai mis la radio. En fait j'avais passé la journée à l'allumer et à l'éteindre, écoutant quelques minutes de programme avant d'abandonner, désespéré. Ceux qui ne l'ont pas vécu ne pourront jamais imaginer le sentiment de désespérance qu'engendre l'écoute répétée (quatorze fois en trois heures) d'*Hotel California* par le groupe des Eagles. On sent réellement les cellules de son cerveau se désintégrer, avec un petit « bang ». Ce qui rend la chose intolérable, ce sont les animateurs de radio. Je ne crois pas qu'il y ait une race plus agaçante et plus débile que celle des disc-jockeys. En Amérique du Sud, il existe une tribu d'Indiens, les Janamanos, tellement arriérés qu'ils ne savent pas compter jusqu'à trois. Pour eux, c'est « Un, deux... ouh là là, tout un tas ! ». De toute évidence les animateurs radio savent mieux s'habiller et maîtrisent mieux l'étiquette sociale, mais je crois que pour ce qui est du quotient intellectuel, le niveau est comparable.

Je fouillais désespérément les ondes à la recherche de quelque chose à écouter. En vain. Et pourtant je ne demandais rien d'extraordinaire. Tout ce que je voulais, c'était une station qui ne passerait pas sans arrêt des chansons interprétées par des gamines prépubères aux formes plantureuses, qui n'emploierait pas des animateurs répétant toutes les dix secondes « Hey... Y... Y... Y... Y... Y... » et qui arrêterait de me dire que Jésus

m'aimait. Mais une telle station de radio n'existe pas.
Même lorsque j'arrivais enfin à trouver quelque chose
d'acceptable, le son se mettait à baisser au bout d'une
dizaine de kilomètres et le bon vieux disque des Beatles
que j'écoutais dans une satisfaction béate était remplacé
par les propos d'un demi-cinglé qui me parlait du Seigneur et m'annonçait que Jésus était mon ami. La plupart des stations de radio locales en Amérique, surtout
à l'intérieur des terres, ont peu de personnel et peu de
moyens. J'en parle d'expérience, ayant eu l'occasion de
travailler quand j'étais adolescent pour la station KCBC
de Des Moines. Cette station avait un contrat qui lui permettait de retransmettre les matches de base-ball professionnels de l'équipe des Iowa Oaks, mais elle n'avait pas
les moyens d'envoyer son reporter sportif, un jeune type
sympa appelé Steve Shannon, faire le reportage en direct.
Aussi lorsque les Oaks étaient en déplacement à Denver
ou à Oklahoma City ou ailleurs, Shannon et moi devions
aller au studio de KCBC — en fait une simple cabane
de tôle ondulée plantée au milieu du champ d'un fermier
au sud-est de Des Moines — et là, Shannon faisait son
reportage comme s'il se trouvait réellement à Omaha.
C'était très curieux. Toutes les cinq minutes un gars présent dans le stade m'appelait au téléphone et me donnait
un bref résumé du jeu que je griffonnais sur un bloc-notes
et que je passais à Shannon. Et avec ça, il tenait l'antenne
pendant deux heures.

C'était une sensation extraordinaire : on était enfermé
dans une cabane sans fenêtre dans la nuit étouffante du
mois d'août où l'on entendait chanter les grillons, et
j'avais devant moi un homme qui racontait des trucs
comme : « Eh bien, nous voici à Omaha où il fait un peu
frais ce soir avec cette brise légère qui nous vient de la
rivière, le Missouri. Nous avons un invité de marque
avec nous dans la foule. J'aperçois en effet le gouverneur
Warren T. Legless assis à côté de sa femme, la ravissante
Bobbi Rae, dans la loge au-dessous de notre tribune de
presse. » Shannon avait le génie de ce genre de commen-

taires. Je me rappelle qu'un jour la liaison téléphonique avec le stade n'avait pas pu se faire — le gars était resté bloqué dans les toilettes ou je ne sais quoi — et Shannon s'était retrouvé sans informations à transmettre aux auditeurs. Il a donc prétexté un retard du début du match dû à une averse diluvienne (une minute avant il avait annoncé un soleil radieux) et passé un programme musical pendant qu'il appelait le stade où il a supplié quelqu'un de lui dire où en était le jeu. Curieusement, j'ai lu beaucoup plus tard que la même chose était arrivée à Ronald Reagan quand il était reporter sportif à Des Moines. Reagan s'en était tiré en faisant faire quelque chose de la plus haute improbabilité au batteur — des balles « fautes » pendant plus d'une demi-heure — tout en feignant de trouver ça tout à fait plausible. Ce qui est, quand on y pense, exactement la façon dont il a gouverné le pays en tant que président.

Tard dans l'après-midi, je suis tombé par hasard sur le bulletin d'informations diffusé par la radio locale de Crottinville, Ohio, ou autre bled de ce style. En Amérique les informations durent à peu près trente secondes. Voici ce que ça donnait : « Un jeune couple de Crottinville, Dwayne et Wanda Calamity et leurs sept enfants, Ronnie, Lonnie, Connie, Bonnie, Johnny et Tammy-Wynette ont péri dans l'incendie provoqué par la chute d'un petit avion de tourisme sur leur maison. Le chef des pompiers, le capitaine Walter Embers, a déclaré qu'il était encore trop tôt pour écarter l'hypothèse d'un incendie volontaire. A Wall Street la Bourse vient de perdre 508 points dans la journée, ce qui est un record historique. Et voici les prévisions météo pour la région de Crottinville : ciel généralement dégagé avec faibles risques d'averses. Vous écoutez radio C.R.O.T.T.I.N., la radio qui vous donne plus de rock et moins de parlote. » Et suivait *Hotel California* interprété par les Eagles.

Je regardai mon poste, complètement abasourdi. Est-ce que j'avais bien entendu la deuxième information ? En un jour la Bourse venait de connaître la chute record de toute son histoire ? C'était l'effondrement de l'économie américaine ? Je changeai de chaîne et trouvai un autre bulletin : « Mais le sénateur Poontang refuse d'admettre qu'il y ait un rapport quelconque entre ses quatre Cadillac, ses voyages à Hawaii et le projet de contrat de cent vingt millions de dollars pour la construction d'un nouvel aéroport. Aujourd'hui, à Wall Street, la Bourse vient de perdre 508 points en moins de trois heures, ce qui est un record historique. Et voici les prévisions météo pour la région de Crottinville : ciel nuageux avec fortes chances de précipitations. Et maintenant, nous retrouvons les Eagles... »

L'économie américaine tombait en quenouille et tout ce qu'on m'offrait, c'était une chanson des Eagles ! Je passai d'une station à l'autre, persuadé que l'aube de cette nouvelle Grande Dépression méritait que quelqu'un, quelque part, lui accordât plus qu'une simple phrase en passant. Et effectivement, j'ai trouvé quelqu'un, Dieu merci. C'était la chaîne canadienne CBC dont l'excellent programme *Ce qui se passe* était entièrement consacré ce soir-là à la chute de Wall Street. Je te laisse méditer, cher lecteur, sur l'ironie de la situation : un citoyen américain voyageant dans son propre pays est contraint de se brancher sur une radio étrangère pour connaître tous les détails d'une des informations les plus sensationnelles de l'année. Pour être scrupuleusement exact, je dois reconnaître que les chaînes nationales de la radio américaine — sans aucun doute le réseau le moins subventionné de tout le monde occidental — ont consacré par la suite un long programme au krach financier. Mais à mon avis, ce programme-là a dû être réalisé par un type, installé dans une cabane en tôle ondulée plantée quelque part dans un champ, à qui l'on passait des petites notes griffonnées sur un morceau de papier.

A Toledo j'ai rejoint l'autoroute 75 et j'ai piqué nord en direction du Michigan, à destination de Dearborn, une banlieue de Detroit où je comptais passer la nuit. Presque aussitôt je me suis retrouvé dans une jungle d'entrepôts, de voies ferrées et de gigantesques parcs de stationnement, annexes de lointaines usines automobiles. Ces parkings étaient si vastes et si pleins de véhicules que j'en arrivais à me demander si les usines ne produisaient pas les voitures uniquement pour que ces parcs restent pleins, supprimant ainsi le rôle des consommateurs. Ces zones étaient dominées d'un entrelacs de pylônes électriques. Si vous vous êtes un jour demandé où pouvaient bien se diriger ces armées de pylônes que vous voyez défiler à l'horizon de tout le pays, telles des hordes d'envahisseurs extraterrestres, je connais la réponse : ils se rassemblent tous au nord de Toledo où ils se délestent de leurs charges dans un vaste champ de transformateurs électriques, de diodes et autres appareillages qui ressemblent tout à fait aux tripes d'un poste de télévision, à échelle plus grandiose naturellement. Je sentais le sol vibrer à mon passage et ma voiture semblait irradiée d'électricité statique bleutée dont le crépitement m'a fait dresser les cheveux sur la nuque en me laissant une sensation curieusement agréable sous les aisselles. J'ai presque été tenté de faire demi-tour au carrefour suivant et de venir en reprendre une deuxième dose. Mais comme il se faisait tard, j'ai accéléré. Pendant un moment j'ai eu l'impression de percevoir une odeur de chair brûlée et je me suis tâté la tête plusieurs fois pour vérifier. Mais c'était probablement la conséquence de trop longues heures passées seul au volant. A Monroe, une ville à mi-chemin entre Toledo et Detroit, je fus accueilli par un panneau géant planté au bord de la route : « BIENVENUE À MONROE, PATRIE DU GÉNÉRAL CUSTER. » Environ deux kilomètres plus loin, il y avait un autre panneau encore plus grand : « MONROE, MICHIGAN. PATRIE DES MEUBLES PAR-S-EUX. » Bonté divine, me suis-je dit, ces émotions fortes ne prendront-elles donc jamais fin ? Mais elles prirent fin et le reste de la journée se termina sans incident dramatique.

18

J'ai passé la nuit à Dearborn pour deux raisons. D'abord, pour ne pas passer la nuit à Detroit, ville qui a le taux de criminalité le plus élevé de l'ensemble du pays. En 1987 on y a compté six cent trente-cinq homicides, soit un taux de 58,2 pour 100 000 habitants, c'est-à-dire huit fois la moyenne nationale. Et chez les jeunes on a recensé trois cent soixante-cinq meurtres par armes à feu où la victime et l'agresseur avaient tous les deux moins de seize ans. Il s'agit d'une ville vraiment dure — et attention, elle est encore riche. On n'ose imaginer ce qui se passera quand l'industrie américaine de l'automobile se sera totalement effondrée. Pour être tranquilles, les gens devront alors se promener avec des bazookas.

Il y avait une seconde raison, plus sérieuse, qui motivait mon arrêt à Dearborn : je voulais revoir le musée Henry Ford où mon père nous avait emmenés quand j'étais gosse et dont j'avais gardé de très bons souvenirs. Henry Ford a passé la fin de sa vie à acheter des objets typiquement américains et à les expédier par camions entiers dans le musée qu'il avait fondé près de la chaîne de montage de la Ford Motor Company. Le parc de stationnement du musée est gigantesque — il pouvait rivaliser avec ceux des usines automobiles concurrentes que j'avais vus la veille — mais à cette époque de l'année il y avait très peu de voitures et elles étaient en majorité de marques japonaises.

En entrant j'ai découvert, comme je m'y attendais, que le prix d'admission était élevé : 15 dollars pour un adulte et 7 dollars 50 pour un enfant. On sent que les Américains sont vraiment prêts à investir des sommes importantes dans leurs distractions. J'ai payé l'entrée en maugréant et j'ai pénétré dans le musée. Et, la porte franchie, je fus pris sous le charme. Tout d'abord la taille même du musée vous coupe le souffle. C'est un immense hangar construit sur six hectares et rempli d'une variété indescriptible d'objets les plus divers : des engins mécaniques, des trains, des réfrigérateurs, le rocking chair d'Abraham Lincoln, la limousine dans laquelle John F. Kennedy fut assassiné (désolé, pas de bouts de cervelle sur le plancher), la cantine de Washington, le billard miniature du général Tom Pouce, la bouteille qui contient le dernier soupir de Thomas Edison. J'ai trouvé ce dernier objet particulièrement fascinant. Outre le fait que c'est ridiculement morbide et sentimental, je me demande bien comment les gens ont su que ce soupir allait être le dernier. J'imagine Henry Ford debout près du lit où se mourait Edison, n'arrêtant pas de lui passer un flacon sous le nez en demandant : « Alors, bientôt fini ? »

Autrefois le Smithsonian possédait ce caractère-là, qu'il aurait toujours dû garder, à mi-chemin entre le grenier et la brocante. On aurait dit qu'un chiffonnier de génie avait passé au crible la mémoire collective de la nation pour en extraire et rassembler ici tout ce qui dans la vie américaine était sublime, remarquable et attendrissant. J'ai pu y retrouver tous les objets de mon enfance — les vieilles bandes dessinées, les mallettes à déjeuner, les images qu'on trouvait dans les pâtes à claquer, les livres de lecture de l'école primaire, une cuisinière Hotpoint comme celle de ma maman, un distributeur de sodas comme devant la salle de billard de Winfield.

Il y avait même une collection de bouteilles à lait tout à fait semblables à celles que M. Morrisey, notre laitier sourd, mettait devant la porte de notre maison chaque matin. Morrisey était le laitier le plus bruyant de toute l'Amérique. Il avait une soixantaine d'années et portait un appareil acoustique volumineux. Il était toujours accompagné de son fidèle chien Skipper. Et avec une précision d'horloger il commençait sa tournée juste avant l'aube. Il fallait livrer le lait très tôt car, voyez-vous, dans le Middle West il tourne très vite avec la chaleur. On savait toujours qu'il était cinq heures trente du matin quand Morrisey se pointait en sifflotant de toutes ses forces, réveillant tous les chiens des environs, ce qui énervait Skipper qui se mettait à aboyer. Comme il était sourd, Morrisey avait tendance à parler très fort et on ne ratait aucun des commentaires qu'il adressait à Skipper dans un tintamarre de casiers à bouteilles à l'arrière de la maison : « TIENS JE M'DEMANDE C'QUE VEULENT LES BRYSON AUJOURD'HUI. VOYONS VOIR... SIX LITRES DE LAIT ÉCRÉMÉ ET DU FROMAGE BLANC. PUTAIN DE BORDEL, SKIPPER, TU M'CROIRAS SI TU VEUX MAIS V'LÀ QUE J'AI OUBLIÉ CE FOUTU FROMAGE DANS LE CAMION ! » Et en regardant par la fenêtre, on voyait Skipper qui pissait sur les vélos tandis que les lumières s'allumaient dans tout le quartier. Personne ne souhaitait voir Morrisey perdre son emploi car c'était un malheureux infirme, mais il faut reconnaître que, lorsque les laiteries Flynn ont décidé, dans les années soixante, d'abandonner les livraisons à domicile pour des raisons de rentabilité, notre secteur a été le seul de la ville à ne pas protester violemment.

J'ai parcouru ce musée, saisi d'une admiration soudaine et profonde pour Henry Ford. Ce type était peut-être une brute et un antisémite, mais question musée on n'a rien à lui reprocher. J'aurais pu passer des heures à fouiner dans tous ces souvenirs. Et le hangar ne constitue qu'une partie de l'ensemble ! A l'extérieur, il y a tout un village, disons une petite ville, où se trouvent les maisons de quatre-vingts Américains célèbres. Il s'agit de *vraies* maisons, pas de reproductions. Ford a sillonné le pays à la recherche des maisons et des ateliers de gens qu'il admirait tout particulièrement : Thomas Edison, Harvey Firestone, Luther Burbank, les frères Wright, et lui-même bien sûr. Il a tout mis dans des caisses qu'il a expédiées à Dearborn pour édifier sur cent cinquante hectares cet univers de rêve : une petite ville américaine par excellence, une communauté pittoresque et hors du temps, où chaque bâtisse abrite un homme de génie (presque invariablement un homme de race blanche, chrétien et originaire du Middle West). Et là, dans cet endroit parfait, plein d'espaces verts, de charmantes églises et de magasins, l'heureux habitant aurait pu frapper chez Orville ou Wilbur Wright pour demander une chambre à air, aller à la ferme Firestone chercher des œufs et du lait — mais pas de caouthcouc, Harvey n'a pas fini ses recherches ! —, emprunter un livre à Noah Webster et consulter Abraham Lincoln sur un point de procédure légale, en admettant qu'il ne soit pas trop occupé par les demandes de brevet de Charles Steinmetz ou par l'émancipation de George Washington Carver qui vit dans une petite bicoque là-bas, juste de l'autre côté de la rue.

C'est tout à fait fascinant. Pour commencer, des lieux comme l'atelier d'Edison et les dortoirs où logeaient ses employés ont été scrupuleusement préservés. On peut vraiment se faire une idée sur les conditions de vie et de travail des gens de l'époque. Ensuite, il faut admettre que c'est assez pratique d'avoir rassemblé toutes ces maisons. Car qui serait assez fou pour aller spécialement à Columbiana, Ohio, voir la maison natale d'Harvey Firestone ? Ou à Dayton voir la demeure des frères Wright ? Pas moi, mon pote. Mais, par-dessus tout, ce rassemblement de bâtiments vous permet d'apprécier l'incroyable esprit d'invention de l'Amérique en son temps, son génie de l'innovation, son sens pratique et commercial qui

234

devaient la conduire à une richesse inimaginable et qui prouvent bien que tous les avantages et agréments de la vie moderne plongent leurs racines dans ces petites villes du Middle West. J'en étais fier.

Je repris la route, continuant vers le nord puis vers l'ouest à travers le Michigan, encore tout baigné dans cette aura de douce béatitude qu'avait fait naître cette visite au musée. Et sans même m'en rendre compte j'ai parcouru cent soixante kilomètres et je me suis retrouvé au-delà de Lansing et Grand Rapids, à l'orée de la forêt domaniale de Manistee. Le Michigan a la même forme qu'un gant de cuisine, et il est à peu près aussi passionnant. La forêt de Manistee, sombre et peu souriante, n'est qu'une étendue sans fin de pins identiques que l'autoroute traverse en une ligne droite et plate. De temps à autre on entrevoit une cabane ou un petit lac qu'on discerne à peine à travers les arbres, mais le plus souvent il n'y a rien à signaler. Les villes sont rares et souvent crasseuses — des baraques isolées et des bâtiments préfabriqués où l'on construit et vend d'horribles chalets en kit afin que chacun puisse acheter son petit morceau de laideur pour l'installer dans les bois.

Après Baldwin la route devient plus large, moins fréquentée, et l'activité commerciale se fait rare. A Manistee, l'autoroute plonge vers le lac Michigan et suit plus ou moins la côte pendant des kilomètres. Je traversais alors des bourgades plutôt sympathiques où les maisons de vacances avaient été barricadées de planches en prévision de l'hiver — Pierport, Arcadia, Elberta (« Une Petite Perle »), Frankfort. A Empire, je me suis arrêté pour admirer le lac. Il faisait un froid surprenant. Un vent venu du Wisconsin soufflait par rafales après avoir survolé cent kilomètres d'eau bleu acier et ridait le lac de petites vagues ourlées d'écume blanche. Je tentai de faire une promenade mais au bout de cinq minutes le vent me força à regagner la voiture. Je continuai jusqu'à Traverse

City où il faisait plus doux, sans doute parce que la ville est plus abritée. Traverse City est une vieille ville merveilleuse qui semble ne pas avoir changé depuis 1948. Le Woolworth existe toujours, ainsi que le J.C. Penney, un cinéma démodé qui s'appelle The State et un charmant vieux restaurant, le Sidney, avec des banquettes en cuir noir et un très long comptoir. C'est le genre d'endroit comme on n'en voit plus en Amérique. J'ai commandé un café, tout heureux de me trouver là. Ensuite, j'ai repris la direction du nord en empruntant la route qui longe un côté de la baie de Traverse City, puis le côté opposé, ce qui vous permet de voir où vous allez et d'où vous venez. Parfois la route pique vers l'intérieur des terres au milieu des fermes et des vergers de cerisiers pendant quelques kilomètres avant de regagner le bord de l'eau. En cours d'après-midi, le vent s'est calmé et le soleil s'est montré, d'abord hésitant comme un invité timide, puis il est resté, jetant des taches brillantes d'argent et de bleu sur le lac. Loin sur l'eau, peut-être à trente kilomètres de là, des nuages noirs déversaient une pluie lourde qui tombait en rideau gris pâle sur le lac. Et au-dessus de tout ça, un arc-en-ciel à demi estompé traversait le ciel. C'était d'une beauté indescriptible. J'en étais transfiguré.

Au début de la soirée j'ai atteint Mackinaw, la pointe du gant de cuisine, l'endroit où les rives du Michigan sud et nord se rapprochent pour former les détroits de Mackinac qui séparent le lac Michigan du lac Huron. Un pont suspendu long de huit kilomètres franchit l'eau à cet endroit. La ville de Mackinaw — on n'est pas très fixé sur l'orthographe du nom dans la région — est une petite ville aérée, sans rien de pittoresque, où abondent les magasins de souvenirs, les motels, les pizzerias, les parkings et les agences de ferries qui mènent à l'île Mackinac. Presque tous les commerces, y compris les motels, étaient déjà barricadés en prévision de l'hiver. Le Holiday Motel, au bord du lac Huron, semblait être ouvert.

J'y suis entré et j'ai sonné à la réception. Un jeune gars est arrivé, visiblement tout surpris d'avoir un client. « On est sur le point de fermer pour la saison, dit-il, d'ailleurs tout le monde est parti dîner en ville pour fêter ça. Mais on a encore des chambres si vous voulez.

— Combien ? » ai-je demandé.

Il a semblé prendre un chiffre au hasard. « Vingt dollars ? » a-t-il dit. « Pour moi ça va », ai-je répondu et j'ai signé le registre. La chambre était petite mais agréable et il y avait du chauffage, ce que j'ai apprécié. Je suis sorti me promener à la recherche de quelque chose à manger. Il était à peine sept heures du soir, pourtant il faisait déjà nuit et la fraîcheur de l'air évoquait plutôt décembre qu'octobre. Mon haleine faisait de la buée. C'était étrange de se trouver dans un endroit si plein d'immeubles et pourtant si dépourvu d'animation. Même le MacDonald était fermé et une pancarte collée sur la devanture me souhaitait de passer un bon hiver.

Je suis descendu à pied jusqu'au terminal du Shepler's ferry — en fait un simple hangar entouré d'un grand parking — pour prendre les horaires du bateau pour l'île Mackinac. C'était pour cela que j'étais venu jusque-là. Il y en avait un à onze heures du matin. Je suis resté un moment debout près de la jetée, face au vent, contemplant le lac Huron qui s'étendait devant moi. L'île Mackinac était ancrée à quelques kilomètres du bord comme un paquebot de croisière tout scintillant. Toute proche mais sans lumières, bien que plus grande, s'étendait l'île du Bois-Blanc, sombre et arrondie. Vers la gauche, le pont Mackinac, illuminé comme un sapin de Noël, reliait les deux rives du détroit. Et de tous côtés scintillaient des lumières à la surface de l'eau. Curieux qu'une petite ville aussi peu importante puisse jouir d'une vue aussi splendide, non ?

J'ai dîné dans un restaurant pratiquement vide et je suis allé me payer des bières dans un bar tout aussi vide. Dans les deux cas il y avait du chauffage et c'était douillet et confortable. Dehors, le vent fouettait les vitres avec un petit martèlement régulier. Ce bar tranquille me plaisait. Généralement les bars en Amérique sont des endroits peu éclairés et remplis de gens mal embouchés qui se contentent de boire en regardant fixement droit devant eux. On n'y trouve rien de l'ambiance agréable des cafés européens. En Amérique, un bar est avant tout un endroit sombre où on se soûle. En général je ne m'y plais pas tellement mais celui-ci n'était pas désagréable. Il était gai, tranquille et bien éclairé, assez pour que je puisse m'y installer pour lire. Il ne m'a pas fallu longtemps pour me sentir moi-même légèrement gai. Et cela, non plus, n'était pas désagréable.

Le lendemain je me suis réveillé de bonne heure et j'ai essuyé de la main la vitre embuée pour voir le temps qu'il faisait. Réponse : un sale temps. De la neige fondue flottait dans le vent comme une nuée d'insectes blancs. J'ai mis la télé et je suis retourné me glisser dans la tiédeur du lit. Le poste était branché sur la chaîne PBS, Public Broadcasting Service, ce que l'on appelait autrefois la chaîne éducative et culturelle. En principe elle doit émettre des programmes de qualité mais comme elle est toujours à court d'argent, la chaîne se contente de rediffuser des vieux mélos de la BBC (avec Susan Hampshire en vedette) ou de présenter des émissions locales qui coûtent environ douze dollars au producteur : des cours de cuisine, des discussions religieuses, des matchs de catch entre élèves des écoles secondaires du coin. La plupart du temps c'est assez insupportable et ça ne fait qu'empirer. L'émission que je regardais était d'ailleurs un téléthon organisé par la chaîne en faveur de sa propre survie. Deux messieurs entre deux âges, en tenue de sport, étaient assis dans des fauteuils pivotants avec deux téléphones posés sur la table et réclamaient de l'argent. Ils essayaient de prendre un air jovial et décontracté mais on décelait une espèce de désespoir dans leur regard.

« Ne serait-il pas tragique que vos enfants soient privés de *Sesame Street*? disait l'un d'eux à la caméra. Alors vous tous, papas et mamans qui nous regardez, vous allez nous appeler et vous vous engagerez à nous soutenir par un don financier. »

Mais personne n'appelait. Alors les deux gars en étaient réduits à discuter entre eux et à se décrire les merveilleux programmes offerts par la PBS. On sentait nettement que la conversation durait déjà depuis un moment. Enfin un appel parvint à l'un d'eux. « Eh bien, nous avons eu un premier appel, dit-il en reposant le téléphone. Il venait de Melanie Bitowski, de Traverse City. Melanie a quatre ans aujourd'hui. Joyeux anniversaire, ma chérie. Mais la prochaine fois demande à ton papa ou à ta maman de nous envoyer un peu d'argent, mon chou. » Ces deux gars essayaient visiblement de sauver leur emploi et tout le nord de l'État du Michigan faisait la sourde oreille.

J'ai pris ma douche, je me suis habillé et j'ai fait mes bagages sans quitter le poste des yeux pour voir si quelqu'un allait enfin proposer un don. Mais personne ne l'a fait. Au moment où j'ai éteint la télé, l'un des messieurs a dit avec une nuance d'aigreur dans la voix : « Voyons, vous ne me ferez pas croire que *personne* ne nous regarde ? Il doit bien y avoir quelqu'un de réveillé, quelqu'un qui se soucie de préserver la qualité de la télévision pour lui-même et pour ses enfants ? » Mais il avait tort.

J'ai pris un bon petit déjeuner dans le restaurant où j'avais mangé la veille puis, comme il n'y avait absolument rien d'autre à faire, je suis allé attendre le ferry sur le quai du terminal. Le vent était tombé. Les derniers flocons de neige fondaient en touchant le sol. Puis il s'est arrêté de neiger. On n'entendait plus que le tip-tip-tip des gouttes qui tombaient des toits, des arbres et de mon nez. C'était dix heures du matin et rien ne se passait sur le quai. La Chevette, habillée de neige fondue, semblait triste et abandonnée sur le grand parking. J'ai préféré aller faire un tour du côté du Fort Mackinac, site du fort d'origine, et revenir par le quartier résidentiel, au milieu

239

des maisons à un étage style ranch et des pelouses sans arbres. Quand je suis retourné au ferry, quelque quarante minutes plus tard, la Chevette avait de la compagnie et une troupe appréciable de gens — disons vingt ou trente — embarquait déjà à bord du ferry.

Tout le monde a pris place sur des rangées de sièges dans une petite salle. L'hydroglisseur s'est mis en marche avec un bruit d'aspirateur, a fait demi-tour et s'est laissé glisser sur l'étendue morne et verte du lac Huron. L'eau du lac était agitée comme l'eau d'une casserole qui mijote à feu doux, mais la traversée a été calme. Les gens autour de moi manifestaient une curieuse excitation. Ils n'arrêtaient pas de se lever pour prendre des photos et se signaler mutuellement les choses intéressantes. Peut-être n'avaient-ils jamais pris de ferry auparavant ni mis les pieds sur une île, du moins une île habitée ? Pas étonnant dans ces conditions qu'ils soient excités. Moi aussi, j'étais excité, mais pas pour les mêmes raisons.

Car je connaissais déjà l'île Mackinac. Mon père nous y avait emmenés quand j'avais quatre ans et j'en avais gardé un souvenir attendri. En fait, c'est peut-être le plus ancien de mes véritables souvenirs d'enfance. Je me souvenais qu'il y avait un grand hôtel blanc avec une longue marquise et des plates-bandes de fleurs qui étincelaient littéralement sous le soleil de juillet, qu'il y avait un gros fort sur la colline, qu'il n'y avait pas d'automobiles sur l'île mais seulement des calèches tirées par des chevaux et qu'il y avait du crottin de cheval partout et que j'avais marché dedans et que c'était chaud et mou et que ma mère avait nettoyé ma chaussure avec un bout de bois et un mouchoir en papier, en réprimant discrètement un haut-le-cœur, et qu'à peine ma chaussure remise, j'avais fait un pas en arrière et plongé l'autre pied dans le crottin mais qu'elle ne s'était pas fâchée. D'ailleurs ma mère ne se fâchait jamais. Elle n'a pas sauté en l'air de joie, comprenez bien, mais elle n'a pas crié ni hurlé ni donné l'impression de friser l'apoplexie comme je le fais toujours avec mes enfants quand ils marchent dans quelque chose de chaud et mou, ainsi qu'ils le font toujours. Elle a simplement laissé transparaître une certaine fatigue pendant un court instant puis elle m'a fait un grand sourire en me disant que j'avais bien de la chance qu'elle m'aime. Ce qui est vrai. C'est une sainte, ma mère, surtout quand il s'agit du crottin de cheval.

L'île de Mackinac n'est pas très étendue — environ huit kilomètres de long sur quatre de large — mais comme beaucoup d'îles, elle paraît plus grande quand on se trouve dessus. Depuis 1901, les automobiles et les véhicules à moteur de toute espèce y sont interdits, aussi, lorsqu'on débarque du bateau dans la rue principale, on trouve une file de calèches qui vous attend au bord du trottoir. La plus décorée de toutes emmène les clients au Grand Hôtel, des phaétons découverts proposent des tours de l'île aux touristes qui en ont les moyens et des espèces de traîneaux se chargent du transport des bagages et des marchandises. Le village de Mackinac est resté aussi parfait que dans mon souvenir avec ses rangées de villas victoriennes blanches qui descendent le long de la rue principale, avec ses petits cottages coquets qui escaladent les pentes escarpées de la colline où le fort Mackinac, construit en 1780 pour défendre le détroit, monte encore la garde au-dessus de la cité.

Je suis parti flâner dans la ville, en essayant d'éviter les petits tas de crottin. Sans automobiles, le silence était presque total. L'île tout entière semblait prête à s'enfoncer dans un coma de six mois. Les commerces et les restaurants de la Grand-Rue étaient en général fermés pour la saison. J'imagine qu'en plein été l'arrivée de milliers de vacanciers venus y passer la journée doit tout gâcher. Le prospectus que j'avais ramassé au port donnait la liste de soixante boutiques-souvenirs et d'une trentaine de restaurants, glaciers, pizzerias et vendeurs de gâteaux. Mais à cette époque de l'année, tout avait l'air vieillot, reposant et tout à fait ravissant.

Pendant un certain temps, l'île de Mackinac a été le grand comptoir commercial du Nouveau Monde — la

241

compagnie de fourrures John Jacob Astor y avait son siège — mais sa gloire véritable remonte à la fin du XIXe siècle, quand les riches familles de Detroit et de Chicago s'y sont installées pour échapper à la chaleur des villes et respirer l'air dépourvu de pollen. La construction du Grand Hôtel, qui est le plus grand et le plus vieil hôtel de tourisme des États-Unis, date de cette époque, et les riches industriels ont rivalisé pour bâtir les résidences d'été les plus tarabiscotées sur les pentes escarpées qui dominent le bourg de Mackinac et le lac Huron. Je suis monté à pied jusqu'en haut. La vue sur le lac est grandiose mais les maisons sont littéralement stupéfiantes. Elles figurent parmi les résidences les plus somptueuses, les plus élaborées jamais construites en bois, des maisons avec vingt chambres à coucher, ornées de tous les raffinements que l'esprit victorien de l'époque pouvait concevoir : des coupoles, des dômes, des pignons, des tours, des tourelles, et des vérandas où l'on pourrait circuler à bicyclette. Certaines coupoles sont même surmontées de coupoles. Toutes ces maisons sont d'une splendeur inimaginable et en plus il y en a des dizaines, alignées sur les hauteurs qui mènent au fort Mackinac. Quel rêve pour un enfant de jouer à cache-cache dans de telles demeures, d'avoir sa chambre dans une tour et de pouvoir, couché dans son lit, contempler le lac, de dévaler à bicyclette des pentes sans voitures jusqu'aux petites plages et criques encaissées, et surtout de pouvoir partir à l'aventure dans les bois de bouleaux et de hêtres qui couvrent les trois quarts de l'île.

J'étais justement en train de les explorer en suivant un de ces nombreux sentiers empierrés qui sillonnent ces forêts obscures et je me sentais comme un gosse de sept ans vivant une grande aventure. A chaque détour du sentier m'attendait quelque surprise exotique — la Grotte du Crâne, où selon une pancarte, un marchand de fourrure anglais avait trouvé refuge contre les Indiens en 1763 ; Fort Holmes, vieille redoute britannique perchée sur le point culminant de l'île à trois cent vingt-cinq pieds au-dessus du lac Huron ; et deux vieux cimetières envahis par la mousse, perdus dans la nature, l'un catholique et l'autre protestant. Ils semblaient tous les deux d'une importance démesurée pour la petite taille de l'île et les mêmes noms revenaient depuis des générations : les Truscott, les Gable, les Sawyer. Je me suis promené pendant trois heures sans rencontrer personne, sans entendre le moindre son émis par un être humain, et pourtant je n'avais eu qu'un petit aperçu de l'île. J'aurais pu facilement y passer plusieurs jours. Je suis revenu au village en passant par le Grand Hôtel, certainement l'endroit le plus splendide et le plus odieusement prétentieux que j'aie jamais vu, un édifice en bois blanc qui n'en finit pas, avec la plus grande véranda du monde (deux cent vingt mètres), le truc vraiment rupin et cher. La chambre pour une personne coûtait au moment de ma visite 135 dollars la nuit. Un panneau dans la rue qui menait à l'hôtel vous avertissait : GRAND HÔTEL — TENUE CORRECTE EXIGÉE DANS L'HÔTEL ET DANS LA RUE DE L'HÔTEL. APRÈS SIX HEURES DU SOIR, LES MESSIEURS SONT PRIÉS DE PORTER VESTON ET CRAVATE. POUR LES DAMES, PANTALONS INTERDITS. C'est sans doute le seul endroit du monde où l'on vous dit comment il faut vous habiller pour descendre une rue. Un autre panneau précisait qu'on était en droit de faire payer toute personne venant faire le badaud dans l'hôtel. Je vous jure. J'imagine qu'ils doivent avoir des tas de problèmes avec les excursionnistes venus passer la journée sur l'île. Aussi c'est avec d'infinies précautions que je me suis approché de l'hôtel, m'attendant presque à trouver une pancarte : « Toute Personne En Pantalon à Carreaux Et En Chaussures Blanches Qui Dépassera Cette Limite Sera Arrêtée. » Mais il n'y en avait pas. Je m'étais promis d'aller jeter un coup d'œil à l'intérieur, histoire de voir comment vivent des gens vraiment riches mais il y avait un portier en livrée qui montait la garde et j'ai dû battre en retraite.

Dans l'après-midi j'ai repris le ferry pour le continent et j'ai traversé en voiture le pont Mackinac qui mène à cette partie du Michigan qu'on appelle la péninsule supérieure. Avant qu'on ne construise le pont en 1957, ce morceau du Michigan était pratiquement coupé du reste de l'État et maintenant encore subsiste un certain sentiment d'isolement. Ce n'est qu'une étendue sablonneuse et triste de deux cent quarante kilomètres, coincée entre trois des Grands Lacs, les lacs Supérieur, Huron, et Michigan. Une fois encore, je me trouvais tout près du Canada avec Sault Sainte Marie juste au nord. Les grandes écluses qui relient le lac Huron au lac Supérieur sont les plus fréquentées du monde et leur tonnage global dépasse le trafic des canaux de Suez et de Panama réunis. Incroyable mais vrai.

Je roulais maintenant sur la Route 2 qui suit la côte nord du lac Michigan sur presque toute sa longueur. Jamais on ne pourra donner une idée de l'immensité des Grands Lacs, même en exagérant. Il y en a cinq, Erié, Huron, Supérieur, Michigan et Ontario, et ils s'étendent sur mille cent vingt kilomètres du nord au sud, sur mille quatre cent quarante d'est en ouest. Ils couvrent 245 700 kilomètres carrés, soit presque exactement la taille du Royaume-Uni, et constituent la plus grande réserve d'eau douce du globe.

Des averses orageuses agitaient la surface du lac dans le lointain mais là où je me trouvais il ne pleuvait pas. A trente kilomètres au large il y avait un groupe d'îles — Beaver Island, High Island, Whiskey Island, Hog Island et plusieurs autres. A une certaine époque, High Island a appartenu à une secte religieuse, la Maison de David, dont les membres portaient tous la barbe et se consacraient, croyez-le ou non, au base-ball. Dans les années vingt et trente, ils ont fait le tour du pays en affrontant toutes les équipes locales qu'ils battaient presque à tous les coups. High Island était une sorte de colonie pénitentiaire pour ceux de leurs membres qui avaient commis de sérieuses infractions contre la secte — comme d'avoir envoyé la balle hors jeu trop souvent par exemple. On racontait que les gens étaient expédiés sur cette île et qu'on n'en entendait plus jamais parler. Maintenant, comme toutes les îles de l'archipel sauf Beaver Island, elle est déserte. J'éprouvais comme un gros regret à l'idée de ne pas pouvoir aller les explorer. En vérité toute cette région des Grands Lacs commençait à exercer sur moi une curieuse fascination que je n'arrivais pas à comprendre. Il y a quelque chose de fascinant dans ces grandes mers intérieures où, si vous avez un bateau, vous pouvez passer des années à faire du cabotage d'un grand lac à l'autre, allant sans vous presser de Chicago à Buffalo, de Milwaukee à Montréal, faisant halte *en route* pour explorer des îles, des baies, des villes aux noms étranges — la Pointe de l'Homme Mort, le Port de l'Œuf, l'Ile de l'Été. J'imagine qu'il y a des tas de gens qui font ça : ils achètent un bateau et on n'entend plus parler d'eux. Je peux les comprendre. Partout sur la péninsule je rencontrais de petites baraques en bord de route annonçant à grand renfort de panneaux « Vente de pâtés ». La plupart d'entre elles étaient fermées et barricadées de planches mais à Menominee, la dernière ville avant le Wisconsin, j'en ai dépassé une qui était toujours ouverte. Sans même réfléchir j'ai fait demi-tour. Je tenais absolument à voir s'il s'agissait de pâtés de Cornouailles ou bien d'un autre produit portant le même nom. Le gars qui tenait la boutique était tout excité d'avoir affaire à un véritable Anglais. Il fabriquait des pâtés depuis trente ans mais il n'avait encore jamais vu de vrais pâtés de Cornouailles ni un vrai Britannique non plus, à la réflexion. Je n'ai pas eu le cœur de lui avouer que je venais de l'Iowa, l'État d'à côté. La rencontre avec un « Iowan » n'excite jamais personne. Les pâtés étaient tout à fait authentiques, leur recette avait été apportée au XIXᵉ siècle par des émigrants venus de Cornouailles travailler dans les mines de la région. « Tout le monde en mange au nord de la péninsule, me dit le gars, mais c'est très peu connu ailleurs. Si vous allez dans le Wisconsin, juste de l'autre côté de la rivière, personne ne sait ce que c'est. Bizarre, non ? » Il me tendit un pâté dans un sac en papier et je l'emportai jusqu'à la voiture. Cela ressemblait tout à fait à un vrai pâté de Cornouailles sauf qu'il avait la taille d'un ballon de rugby. Il était posé sur une barquette de plastique accompagnée d'une fourchette et de sachets de ketchup. J'attaquai avec entrain car, finalement, je mourais littéralement de faim.

C'était affreux. A vrai dire il n'y avait rien qui clochait : c'était le pâté authentique, fidèle à la recette dans ses moindres détails, mais tout simplement, après plus d'un mois de prêt-à-bouffer américain, ça me semblait horriblement fade et insipide, du carton bouilli tiède. « Mais où est passée la graisse ? me demandai-je. Où est la petite couche de fromage fondu ? Et le jus de poulet frit du fond de la poêle ? Et surtout où est passé le glaçage au chocolat caramélisé ? »

Il n'y avait là que des pommes de terre et de la viande, rien que du naturel sans rehausseur de goût. « Pas étonnant que ça n'ait jamais marché par ici », ai-je grommelé en le remettant dans le sac.

J'ai redémarré et pris la route du Wisconsin à la recherche d'un motel et d'un restaurant où je pourrais trouver de la vraie nourriture, de celle qui gicle partout à la première bouchée et qui vous dégouline le long du menton. Autrement dit, quelque chose qui mérite vraiment le nom de nourriture.

19

« A l'hôpital général du Nord-Wisconsin, on vous aide à réaliser vos objectifs de natalité », disait une voix à la radio. Seigneur Dieu, pensai-je, encore une de ces nouveautés depuis mon départ des États-Unis : l'avènement de la publicité dans le monde hospitalier. Où qu'on aille, on tombe sur des réclames vantant les hôpitaux. Je me demande bien à qui elles sont destinées. Si un type se fait renverser par un autobus, vous croyez qu'il va dire : « Vite, transportez-moi au Michigan General. Ils ont un scanner à résonance magnétique de première classe » ? C'est quelque chose que je ne comprends pas. De toute façon, je ne comprends rien du tout au système médical américain en général.

Avant d'entreprendre ce voyage, j'avais appris qu'une amie était au Mercy Hospital de Des Moines. J'ai donc voulu chercher le numéro de téléphone dans l'annuaire mais sous Mercy Hospital se trouvait une liste de quatre-vingt-quatorze numéros de téléphone différents. La série commençait avec Admissions et continuait par ordre alphabétique avec Apnée du nourrison, Biofeedback, Programme Ostéoporose, Relations publiques, SOS cancer, SOS impuissance, Troubles du Sommeil, Stop-Tabac, etc. La santé aux États-Unis est devenue maintenant une industrie monstrueuse qui échappe à tout contrôle.

La personne à laquelle je rendais visite, une vieille amie de la famille, venait d'apprendre qu'elle souffrait d'un cancer des ovaires ; et pour compliquer les choses, elle avait attrapé une pneumonie. Vous pouvez facilement imaginer qu'elle n'était pas exactement dans une forme olympique. Pendant que j'étais à son chevet, une assistante sociale est venue lui expliquer gentiment ce que lui coûterait son traitement. Mon amie pouvait, par exemple, choisir le remède « X », à cinq dollars la dose, qu'elle devrait prendre quatre fois par jour ; ou bien le remède « Y » qui valait dix-huit dollars mais qu'on ne prenait qu'une fois par jour. Le travail de cette assistante sociale consistait à faire la liaison entre le docteur, le malade et la compagnie d'assurances pour veiller à ce que le patient n'hérite pas d'un tas de notes que la compagnie d'assurances refuserait de payer. Naturellement les services de l'assistante étaient facturés, eux aussi. C'était une situation complètement folle et irréelle. J'étais là, à voir cette vieille copine, le masque à oxygène sur le nez, quasiment morte, obligée de répondre par de faibles hochements de tête aux questions qui allaient décider de sa survie, à condition qu'elle en ait les moyens financiers.

Contrairement à ce qu'on croit généralement à l'étranger, il est possible et même assez facile de se faire soigner gratuitement dans un hôpital public américain. Ce sont des endroits pas très gais et même plutôt sinistres, mais ils ne sont pas pires que les hôpitaux de la Sécurité sociale britannique, le National Health Service. D'ailleurs il faut bien qu'il y ait une médecine gratuite puisque quarante millions d'Américains ne bénéficient d'aucune assurance d'hospitalisation. Mais malheur à vous si vous essayez de vous faire soigner gratuitement dans un hôpital alors que vous avez de l'argent en banque. J'ai travaillé un an à l'hôpital de Des Moines et je peux vous garantir qu'ils ont une armée d'hommes de loi et de collecteurs de dettes dont le seul travail est de fouiner dans le passé des gens qui utilisent les services de l'hôpital et de s'assurer qu'ils sont bien aussi démunis qu'ils le prétendent.

Mais malgré les aberrations évidentes du système médical privé aux États-Unis, il faut reconnaître que les soins sont les meilleurs du monde. Mon amie a été soignée de manière extraordinaire et remarquable et, ce qui n'est pas négligeable, on a réussi à guérir et son cancer et sa pneumonie. Elle avait une chambre privée avec salle de bain, téléphone, télévision avec télécommande et magnétoscope. Il y avait de la moquette partout dans l'hôpital, des plantes exotiques et des tableaux pour égayer les murs. Dans les hôpitaux britanniques, le seul bout de moquette se trouve dans le bureau des infirmières qui possède aussi la seule télévision. J'ai travaillé, il y a quelques années de cela, dans un hôpital du NHS britannique et une fois, tard dans la nuit, j'ai passé le nez dans le bureau des infirmières pour voir à quoi il ressemblait. Eh bien, ça ressemblait au salon de la reine. Rien que des fauteuils en velours et des boîtes de chocolat Milk Tray à peine entamées.

Pendant ce temps-là les malades dormaient sous des ampoules nues dans de grandes chambrées froides qui résonnaient et ils passaient leurs journées à essayer de faire des puzzles où environ un cinquième des pièces manquait, à attendre la visite de vingt secondes que leur faisait tous les quinze jours un cortège de docteurs et d'internes marchant au pas de charge. C'était, bien sûr, l'époque dorée du NHS. Maintenant les choses ont considérablement empiré.

Excusez-moi. Je crois que j'ai fait une petite digression. J'étais censé vous faire visiter le Wisconsin et vous dire un tas de choses instructives sur cet État, premier producteur laitier des USA, et puis j'ai dévié pour vous faire des remarques négatives sur la médecine britannique et américaine. Cela ne s'imposait pas.

Donc le Wisconsin est le premier État laitier de l'Amérique et fournit dix-sept pour cent du fromage et des produits laitiers de tout le pays, sacrebleu ! — bien qu'en traversant cette campagne vallonnée et plaisante, on ne soit pas frappé par une abondance particulière en vaches laitières. J'ai conduit pendant de longues heures d'abord en direction du sud, Green Bay, Appleton, Oskosh, puis vers l'ouest, vers l'Iowa. C'était vraiment le Middle West rural par excellence, avec ses dégradés de bruns, avec ses paysages de petites collines boisées, d'arbres dénudés, de pâturages fanés, de maïs couché. L'ensemble baignait dans une sorte de beauté feutrée. Les fermes étaient grandes, distantes les unes des autres et semblaient florissantes. Tous les kilomètres, je passais devant des corps de fermes cossus où s'agitait un rocking chair dans la véranda et où un bouquet d'arbres ornait le jardin. Tout près des habitations s'élevaient une grange rouge au toit arrondi et un silo à grains. Les silos à maïs étaient tous pleins à craquer. Des vols d'oiseaux migrateurs remplissaient le ciel pâle. Dans les champs, le maïs donnait l'impression d'être fané et cassant mais je voyais souvent de grandes moissonneuses en avaler des rangées entières pour recracher des masses d'épis jaune vif.

J'empruntais les petites routes de l'arrière-pays dans la lumière pâle de l'après-midi. La traversée de l'État n'en finissait pas mais ça m'était égal tant le paysage était harmonieux et reposant. Le jour, la saison, ce sentiment que l'hiver était proche, tout exerçait une curieuse fascination. Dès quatre heures, le jour s'était mis à baisser. A cinq heures, le soleil s'était dégagé des nuages et avait commencé à se glisser dans les collines lointaines comme une pièce de monnaie qu'on introduit dans une tirelire. A Ferryville, j'ai brutalement retrouvé le cours du Mississippi. Et cela m'a presque coupé le souffle de le voir aussi imposant, splendide, élégant, là, tout lisse et paisible. Sous le soleil couchant, on aurait dit une coulée d'acier inoxydable. Sur la rive opposée, à deux kilomètres, c'était l'Iowa. Chez moi. Un étrange sentiment d'excitation m'a poussé à me pencher davantage sur le volant. Pendant trente-deux kilomètres j'ai descendu la rive est de la rivière en contemplant les falaises sombres du côté de l'Iowa. A Prairie du Chien, j'ai traversé le fleuve sur un pont de fer, plein d'étais et de traverses. Et je me suis retrouvé en Iowa. Sans exagérer, j'ai vraiment senti mon cœur battre plus vite. J'étais chez moi. C'était mon pays. Mon auto portait la même plaque d'immatriculation que les autres. Personne ne me regarderait plus comme pour dire : « Qu'est-ce que tu fiches dans ce coin-ci ? » J'en faisais partie.

Dans le jour qui baissait, je conduisais presque au hasard dans cette partie nord-est de l'Iowa. Tous les deux ou trois kilomètres, je dépassais un fermier sur un tracteur bringuebalant sur la chaussée qui rentrait souper dans une des fermes qui s'étalent sur les collines abritées dominant le Mississippi. C'était vendredi, un jour qui compte dans la semaine d'un fermier. Il se laverait les bras et le cou et s'installerait avec toute sa famille autour d'une table chargée de platées de nourriture. On réciterait le bénédicité. Après le repas, la famille au complet irait en voiture à Hooterville pour assister, dans les nuages de buée que ferait leur haleine dans l'air froid d'octobre, à la défaite de Kraut City contre l'équipe locale des Diables Bleus de Hooterville (28 à 7). C'est le fils du fermier, Merle Junior, qui marquerait trois des buts. Après cela, Merle Senior irait célébrer l'événement à la taverne Chez Ed (deux bières, jamais plus) et toute l'assistance le féliciterait des prouesses de son fils. Puis ce serait le retour à la maison et il se mettrait vite au lit pour pouvoir se lever tôt le matin et partir dans l'aube givrée à la chasse au cerf avec ses grands copains Ed, Art et Wally. Ils traîneraient leurs bottes dans les champs en friche, tout en savourant l'air pur et leur chaude camaraderie. Et je me suis mis à envier ces gens-là, leur vie simple et sans prétention. Quel bonheur de vivre dans un endroit sécurisant et hors du temps, où l'on connaît tout le monde et où tout le monde vous connaît, où l'on peut compter l'un sur l'autre. Je les enviais pour leur sens de la vie en communauté, leurs matches de football, leurs ventes de charité, leurs fêtes paroissiales. Et je me sentais coupable de les tourner en ridicule. C'étaient de braves gens.

Je traversai dans le noir le plus complet les villes de Millville, New Vienna, Cascade, Scotch Grove. Il m'arrivait de voir une ferme au loin dont les fenêtres jetaient de grandes taches de lumière, chaudes et accueillantes. De temps en temps la ville était plus importante et je voyais alors un grand lac de lumière se découpant dans la nuit : c'était le stade de l'école secondaire où se disputait la rencontre de la semaine. Ces terrains de football éclairaient la nuit, on les voyait des kilomètres à la ronde. En traversant chacune de ces villes, je constatai que tout le monde était au match. Il n'y avait pas âme qui vive dans les rues. Mis à part une adolescente tristounette debout derrière le comptoir du Dairy Queen local dans l'attente de la grande affluence qui suivrait le match, tout le monde était au stade. En Iowa on pourrait débarquer avec une file de camions et dévaliser la ville entière pendant le grand match de football de l'école secondaire. On pourrait faire sauter les banques à coups d'explosifs et emporter tout l'argent dans des brouettes, personne ne s'en rendrait compte. Mais évidemment, ça ne vient à l'idée de personne car la délinquance n'existe pas ici dans l'Iowa rural. Le seul délit qu'on puisse imaginer ici, c'est de rater le match du vendredi. Tout ce qui dépasse ce niveau de criminalité-là n'existe qu'à la télévision et dans les journaux, dans cet univers lointain et quasiment mythique qu'on appelle la Grande Ville.

J'avais pensé continuer jusqu'à Des Moines mais j'eus soudain envie de m'arrêter à Iowa City. C'est une ville universitaire, siège de l'université d'Iowa où vivent encore deux de mes amis, des gens qui y ont fait leurs études et qui n'ont jamais trouvé de raisons suffisantes pour en partir. Il n'était pas loin de dix heures du soir quand je suis arrivé mais les rues étaient remplies d'étudiants en goguette. J'appelai mon vieux copain John Horner d'une cabine téléphonique au coin de la rue et il me proposa de le retrouver au Fitzpatrick's Bar. J'arrêtai un étudiant dans la rue pour lui demander où se trouvait ce bar mais il était tellement soûl qu'il en avait perdu l'usage de la parole. Il s'est contenté de me fixer d'un regard vitreux. On ne lui aurait pas donné plus de quatorze ans. J'arrêtai un groupe de jeunes filles dans le même état d'ébriété et je leur demandai si elles connaissaient le chemin du bar. Après m'avoir toutes répondu oui, elles m'ont chacune indiqué une direction différente avant de piquer une crise de fou rire convulsif qui les a pratiquement fait tomber par terre. Elles tanguaient devant moi comme les passagers d'un paquebot sur une mer houleuse. Elles aussi paraissaient âgées de quatorze ans.

« Vous êtes toujours aussi joyeuses que ça ? leur demandai-je.

— Seulement quand c'est le *Homecoming* », répondit l'une d'elles. Tout s'expliquait : Homecoming, ce grand événement social de la vie scolaire américaine. Pour le célébrer dignement on doit franchir trois étapes rituelles : 1. Prendre une méga-cuite ; 2. Dégueuler en public ; 3. Se réveiller sans savoir où l'on est ni comment on se retrouve là et avec son caleçon à l'envers. Apparemment mon arrivée en ville se situait quelque part entre les étapes une et deux, mais certains fêtards, plus assidus, s'attaquaient déjà à l'épisode caniveau. Je me frayai un chemin dans la foule vacillante du centre d'Iowa City tout en continuant à demander le chemin du Fitzpatrick's Bar. Personne ne semblait en avoir entendu parler mais il faut admettre que la plupart de mes interlocuteurs auraient eu de la peine à se reconnaître eux-mêmes dans une glace. Finalement je suis tombé sur le bar par hasard.

Comme tous les bars d'Iowa City un vendredi soir, il était bourré à craquer. Tous les clients semblaient avoir quatorze ans à l'exception d'une seule personne : mon copain John Horner qui, lui, faisait bien ses trente-cinq ans. Rien de tel qu'une ville universitaire pour vous faire paraître vieux avant l'âge. J'ai rejoint John au bar.

Il n'avait pas tellement changé. Il était devenu pharmacien et membre respectable de la communauté. Mais il avait toujours ce petit éclat semi-sauvage dans les prunelles. A l'époque il avait été l'un des drogués les plus invétérés de la communauté étudiante. Et d'ailleurs, en dépit de ses démentis vigoureux, on racontait que, s'il avait choisi d'étudier la pharmacie, c'était en réalité pour se concocter des cocktails hallucinogènes encore plus exotiques. Nous étions des amis de longue date, en fait depuis le début de l'école primaire. Après avoir échangé de grands sourires et de chaleureuses poignées de main, on a essayé de se parler mais il y avait tant de bruit et la musique vibrait si fort qu'on en fut réduits à se regarder bouger les lèvres sans rien entendre. Nous avons donc renoncé à discuter et, au lieu de cela, nous avons bu une bière en échangeant des sourires béats, comme on le fait quand on n'a pas vu quelqu'un depuis des années, tout en observant les gens autour de nous. C'était fou ce qu'ils avaient l'air jeunes et innocents. Tout dans leur apparence semblait être neuf et intact — leurs vêtements, leur visage, leur corps. Après avoir vidé nos bouteilles de bière, Horner et moi sommes sortis et nous avons regagné sa voiture. La fraîcheur de l'air était merveilleuse. Autour de nous, des gens étaient appuyés aux murs et dégueulaient.

« Est-ce que tu as déjà vu un tel ramassis de petits connards ? me demanda Horner, question de pure rhétorique.

— Et quand on pense qu'ils n'ont que quatorze ans, ajoutai-je.

— Physiquement, ils ont quatorze ans, rectifia-t-il, mais sur le plan émotions et intelligence, ils n'ont même pas huit ans.

— Tu penses qu'on était pareils à leur âge ?

— Je me suis souvent posé la question mais finalement je ne crois pas. J'ai peut-être été aussi stupide à un certain moment mais jamais aussi vide. Ces gosses portent des chemises à col boutonné et des mocassins, on dirait qu'ils se rendent à un concert des Osmonds. Et, en plus, ils ne connaissent rien à rien. Discute avec eux dans un bar et tu verras qu'ils ne savent même pas qui se présente à la présidence. Ils n'ont jamais entendu parler du Nicaragua. C'est effrayant. »

On a continué à marcher, ruminant en silence tout ce que cela avait d'effrayant.

« Mais il y a bien pire », reprit Horner.

On était arrivés à sa voiture. Je lui jetai un regard par-dessus le toit.

« Et qu'est-ce que c'est ? lui demandai-je.

— Ils ne fument même plus de hasch, tu te rends compte ? »

Eh bien non, je ne le pouvais pas. L'idée que les étudiants de l'université d'Iowa ne fument plus de hasch est tout simplement... inconcevable. Dans la liste des motivations qui nous poussaient à aller étudier à l'université d'Iowa, fumer du hasch occupait bien deux des cinq priorités.

« Mais alors qu'est-ce qu'ils sont venus faire ici ?

— Ils veulent des diplômes, me dit Horner d'un ton incrédule. Tu imagines ça ? Ils veulent vraiment devenir agents d'assurances ou informaticiens. C'est le rêve de leur vie. Ils veulent gagner un tas de fric pour pouvoir s'acheter des chaussures à la mode et des disques de Madonna. Il y a des moments où ça m'angoisse. »

On a repris sa voiture et on est rentrés chez lui par les rues obscures. En chemin, Horner m'a expliqué que les choses avaient bien changé. Quand j'ai quitté l'Amérique pour partir en Angleterre, Iowa City était une ville pleine de hippies. Cela paraît difficile à croire mais ici même, au beau milieu des champs de maïs, l'université d'Iowa a été pendant une longue période un véritable haut lieu du radicalisme, devancée seulement dans son extrémisme par les universités de Berkeley et de Columbia. Tout le monde y était hippy, les professeurs aussi bien que les étudiants. Non seulement ils fumaient du hasch et participaient aux émeutes, mais en plus ils étaient très larges d'esprit et intellectuels. On s'y intéressait à des choses comme la politique, l'environnement, l'avenir de la planète. Maintenant, aux dires d'Horner, il semblerait que toute la population d'Iowa City ait subi un lavage de cerveau à l'institut Ronald MacDonald de réadaptation mentale.

« Mais qu'est-ce qui s'est donc passé ? demandai-je à Horner après nous être confortablement installés chez lui devant une bière.

— Je ne sais pas au juste, dit-il, mais je pense que c'est surtout lié à cette obsession de l'administration Reagan contre la drogue. On ne fait plus aucune différence entre drogue dure et drogue douce. Si tu es revendeur et qu'on te pince avec de l'herbe, tu écopes autant que si c'était de l'héroïne. Donc personne ne vend plus de hasch. Tous ceux qui en vendaient sont passés à l'héroïne ou au crack puisqu'ils ne risquent pas davantage et que les profits sont bien plus élevés.

— C'est dingue.

— Bien sûr que c'est dingue », reprit Horner, un brin énervé. Puis il se reprit : « En fait, des tas de gens ont laissé tomber complètement la vente du hasch. Tu te souviens de Frank Dortmeier ? »

Frank Dortmeier était un type qui consommait la drogue à la pelle. Il aurait sniffé de la coke au tuyau d'arrosage si on l'avait laissé faire.

« Tu parles si je m'en souviens, dis-je.

— C'est lui qui me fournissait mon hasch. Et puis ils ont passé cette loi selon laquelle quiconque est surpris en train de vendre de la drogue à moins de mille mètres d'une école publique est passible d'emprisonnement à vie. Peu importe si tu as simplement filé un petit joint à ta vieille maman, on te fiche en cabane pour l'éternité comme si tu t'étais mis sur les marches de l'école à fourguer la drogue de force dans la gorge des morveux qui passent. Donc, quand la loi a été votée, Dortmeier s'est inquiété car il habitait pas très loin d'une école. Et un soir, profitant de l'obscurité, il est sorti avec une chaîne d'arpenteur pour mesurer la distance qu'il y avait jusqu'à l'école. Et, pas de bol, il n'y avait que neuf cent quatre-vingt-dix-sept mètres ! Alors, du jour au lendemain, il s'est arrêté de vendre de la drogue. »

Horner sirotait tristement sa bière.

« C'est drôlement frustrant, tu sais. Tu t'imagines : regarder la télé américaine sans un petit joint ? »

J'admis avec lui que ça devait être dur.

« Dortmeier m'a donné le nom de son fournisseur pour que je puisse m'approvisionner moi-même. Le gars vivait à Kansas City. J'étais désespéré. Alors j'ai fait le trajet jusque-là pour acheter quelques malheureux grammes de hasch et c'était vraiment de la folie. Sa maison était un vrai arsenal. Le type n'arrêtait pas de regarder par la fenêtre comme s'il s'attendait à une descente de police qui le ferait sortir les mains en l'air. Et il me soupçonnait à moitié d'être un agent secret du bureau des narcotiques. Tu t'imagines, moi, un père de famille tranquille de trente-cinq ans, avec diplômes universitaires, un job respectable, à trois cents kilomètres de chez moi en train de me demander si on n'allait pas me faire sauter le caisson, et tout ça pour un petit joint qui devait m'aider à supporter les vieux épisodes de *Love Boat* à la télévision ! C'était vraiment trop dingue pour moi. Il faut être Dortmeier pour accepter de se mettre dans une situation pareille — quelqu'un avec une passion pour la drogue et rien dans le ciboulot. »

Horner secoua sa canette de bière pour vérifier qu'elle était vide et leva les yeux sur moi. « Tu n'aurais pas par hasard un petit joint sur toi ? me demanda-t-il.

— Non, John, vraiment désolé.

— Bien dommage », dit Horner en se dirigeant vers la cuisine pour nous chercher d'autres bières.

Je passai la nuit dans la chambre d'amis des Horner et je me retrouvai le matin dans la cuisine avec John et sa charmante femme à boire du café et à discuter tandis que des bambins couraient entre nos jambes. Que la vie est drôle, pensai-je. Cela me semblait tellement bizarre que Horner ait une femme, des gosses, un début de brioche, des traites immobilières et qu'il approche comme moi de cette rupture de pente que constitue la quarantaine. Ensemble nous avions été des gamins si longtemps qu'il me semblait que cela soit destiné à rester un état permanent. J'ai senti tout à coup avec un peu d'angoisse qu'à notre prochaine rencontre nous allions probablement parler d'opérations de la vésicule biliaire et des mérites comparés de différentes marques de double vitrage. Cela m'a mis d'humeur mélancolique, sentiment qui m'a poursuivi quand je suis retourné prendre ma voiture au parking du centre ville pour regagner la nationale.

Je suivais maintenant la Route 6, autrefois la grand-route pour Chicago mais qui, depuis la construction de l'autoroute 80 à cinq kilomètres au sud, est complètement tombée dans l'oubli. En fait, il n'y avait pas un chat. Je passai une heure et demie au volant, l'esprit vide, simplement envahi d'une joie un peu lasse à l'idée de rentrer à la maison, de revoir ma mère, de prendre une bonne douche et de ne plus remettre les mains sur un volant pendant très, très longtemps.

Des Moines était splendide dans le soleil du matin. Le dôme qui surmonte le Capitole de l'État étincelait et les arbres avaient gardé toutes leurs couleurs d'automne. La ville a été complètement bouleversée — le centre ville est plein de bâtiments modernes et de jeux de fontaines, et quand j'y passe je dois constamment me référer aux panneaux indicateurs pour trouver mon chemin — mais je m'y sens chez moi. Et j'imagine qu'il en sera toujours ainsi. Enfin je l'espère. Je traversai la ville, heureux d'être là et fier d'y être né.

Sur Grand Avenue, près du palais du gouverneur, je me suis rendu compte que j'étais en train de suivre ma mère qui avait de toute évidence emprunté la voiture de sa sœur. Je l'ai tout de suite reconnue au fait que son indicateur droit clignotait sans raison alors qu'elle descendait la rue. C'est généralement ce que fait ma mère :

elle sort du garage, elle met son clignotant et le laisse en marche, pratiquement pour le reste du voyage. Autrefois j'ai bien essayé de la corriger de ce travers mais finalement je me suis rendu compte que c'était peut-être une bonne chose. Au moins cela avertit les autres automobilistes qu'ils approchent d'une conductrice qui ne maîtrise pas tout à fait la situation. Je continuais donc à la suivre. Vers la Trente et Unième Rue, le clignotant est passé du côté droit au côté gauche — elle aime le bouger de temps à autre — en prenant le virage qui mène à la maison. Puis il a continué à clignoter joyeusement pendant les derniers kilomètres, dans la descente de la Trente et Unième Rue et la montée d'Elmwood Drive.

J'ai dû me garer à une certaine distance de la maison et malgré une impatience de gamin à l'idée de retrouver ma mère, j'ai passé quelques instants à consigner les derniers détails de mon voyage sur un carnet que j'avais réservé à cet usage. Cela me donnait toujours la curieuse impression d'être à la fois important et très professionnel, un peu comme un pilote de jumbo-jet à la fin d'un vol transatlantique. Il était dix heures trente-huit, j'avais parcouru 11 027 kilomètres depuis mon départ, trente-quatre jours plus tôt. J'entourai ce chiffre, sortis mes bagages du coffre et marchai d'un pas vif jusqu'à la maison. Ma mère était rentrée et je la voyais par la fenêtre de derrière en train de s'activer dans la cuisine, rangeant ses achats tout en chantonnant. Ma mère chantonne toujours. J'ai ouvert la porte arrière, laissé tomber mes bagages et lancé ces quelques mots, si typiquement américains : « Salut, maman, je suis de retour ! » Elle a eu l'air vraiment heureuse de me voir.

« Salut, mon chéri, a-t-elle dit joyeusement en me serrant dans ses bras. Je me demandais justement quand tu allais rentrer. Est-ce que tu veux un sandwich ?

— Ce serait super », ai-je répondu alors que je n'avais pas vraiment faim.

C'était bon d'être de retour.

Deuxième Partie

L'Ouest

20

J'étais en route pour le Nebraska. Eh bien, voilà le genre de phrase qu'il vaut mieux ne pas avoir à prononcer trop souvent si on peut l'éviter. Car le Nebraska est sans doute le moins passionnant de tous les États américains. En comparaison, l'Iowa est un vrai paradis. Au moins l'Iowa est fertile, verdoyant et possède *une* colline. Le Nebraska est un morceau de terre nue d'environ 120 000 kilomètres carrés. Au milieu de l'État coule la rivière Platte qui, à certaines périodes de l'année, mesure bien quatre ou cinq kilomètres de large, ce qui semble impressionnant jusqu'au moment où l'on apprend qu'elle n'a que dix centimètres de profondeur. C'est une rivière qu'on pourrait traverser en fauteuil roulant. Dans un paysage qui ne possède ni relief, ni dénivellations qui pourraient modeler son tracé, la Platte se contente d'être étendue là, comme un verre d'eau qu'on vient de renverser sur la table. Et c'est bien ce qu'il y a de plus excitant dans tout l'État du Nebraska.

Quand j'étais gamin, je me demandais toujours par quel miracle le Nebraska était habité. Suivez mon raisonnement : les premiers colons qui ont traversé l'Amérique dans leurs chariots grinçants ont dépassé l'Iowa — qui est vert et fertile et qui, comme je l'ai déjà dit, possède une colline — et se sont arrêtés juste avant le Colorado — qui est vert, fertile et possède une chaîne de montagnes — pour s'installer dans cet endroit qui est plat, brunâtre, plein d'herbe courte et de chiens de prairie. Ce n'est pas tellement logique, non ? Et devinez avec quoi les premiers colons ont construit leurs maisons ? Avec de la boue séchée. Et que se passe-t-il chaque année à la saison des pluies ? Vous avez deviné : ces maisons de boue s'effondraient et glissaient dans la rivière Platte.

Pendant très longtemps je me suis demandé si les premiers colons du Nebraska étaient fous ou tout simplement stupides. Et puis un samedi, j'ai eu l'occasion de voir un stade rempli de supporters à un match de football de l'université du Nebraska et j'ai compris qu'ils étaient probablement l'un et l'autre. Les choses ont peut-être changé depuis la décennie où j'ai quitté l'Amérique, mais à l'époque, l'université du Nebraska ne jouait pas vraiment au football : elle se livrait plutôt à une sorte de massacre rituel hebdomadaire.

Ils marquaient des scores de 58 à 3 contre des adversaires sans défense. La plupart des universités, lorsqu'elles sentent qu'elles ont une avance confortable, envoient une équipe de vrais débutants en tenue toute neuve pour qu'ils s'aguerrissent un peu et salissent leur bel équipement tout en donnant aux perdants une occasion de redresser un peu le score. On appelle ça du fair play.

Mais pas au Nebraska. L'université du Nebraska utiliserait volontiers des lance-flammes si c'était toléré. Voir l'équipe du Nebraska jouer au football rappelait un peu le spectacle de hyènes déchiquetant des gazelles. C'était indécent. Ce n'était plus du sport. Et naturellement les supporters ne s'en lassaient pas. Être assis au milieu de cette foule avec un score de 66 à 0 et les entendre réclamer en hurlant plus de sang est vraiment une expérience qui vous traumatise, surtout lorsqu'on sait que la plupart de ces gens travaillent à la base stratégique aérienne d'Omaha. Si l'Iowa indispose un jour le Nebraska, je ne serais pas étonné qu'ils envoient une bombe atomique sur Ames. Toutes ces pensées s'agitaient dans mon esprit ce matin-là et franchement je n'étais pas rassuré.

J'avais repris la route. Il était à peu près sept heures trente, un matin d'avril ensoleillé mais encore hivernal. J'étais parti de Des Moines par l'autoroute 80 en direction de l'ouest, avec l'intention de traverser en un éclair cette partie occidentale de l'Iowa et de m'enfoncer dans le Nebraska. Mais je n'avais pas le courage d'affronter le Nebraska, du moins pas si tôt le matin, et brusquement j'ai pris la décision de quitter l'autoroute à De Soto, à une vingtaine de kilomètres de Des Moines, pour m'aventurer dans l'arrière-pays. En quelques minutes, j'étais complètement perdu. Se perdre est un trait de famille.

Mon père au volant se perdait toujours plus ou moins. Généralement il se perdait « un peu » mais dès qu'on s'approchait d'un endroit qu'on voulait vraiment visiter, il se perdait tout à fait. En général, il mettait une heure pour se rendre compte qu'il était passé de l'état numéro un à l'état numéro deux. Et pendant tout le temps où il avançait à l'aveuglette dans une ville inconnue, tournant brutalement et sans préavis, se faisant reprendre à coups de klaxon quand il prenait les sens uniques à l'envers ou quand il hésitait au milieu d'un carrefour particulièrement fréquenté, ma mère suggérait d'une voix douce qu'on pourrait peut-être s'arrêter pour demander le chemin. Mais mon père faisait semblant de ne pas l'entendre et continuait sa route dans cet état obsessionnel qui envahit les pères quand les choses vont mal.

Finalement, après avoir pris à contre-courant la même rue à sens unique tant de fois que les commerçants se mettaient sur le pas de la porte pour nous regarder passer, papa arrêtait enfin la voiture et annonçait d'un ton solennel : « Eh bien, d'après moi, on devrait demander le chemin » d'une manière qui laissait sous-entendre que telle avait été son idée depuis le début.

C'était toujours une évolution favorablement accueillie, mais rarement davantage qu'un léger progrès. Ou bien ma mère sortait de l'auto et s'adressait à une personne visiblement incompétente — généralement une bonne sœur faisant partie d'un programme d'échange avec le Costa Rica — et revenait avec d'obscures indications embrouillées ou bien c'était mon père qui partait chercher quelqu'un, et ne revenait plus. Le problème avec mon père c'est que c'était un homme qui aimait parler, ce qui est toujours dangereux chez quelqu'un qui se perd souvent. Par exemple, il entrait dans un bar et demandait la route du Parc national du Grand Champignon et une minute après on le retrouvait installé devant une tasse de café avec le propriétaire ; ou alors ce même propriétaire l'entraînait à l'arrière admirer sa fosse septique ou quelque chose de ce genre. Pendant ce temps-là le reste de la famille rôtissait tranquillement en plein soleil dans une voiture surchauffée où la seule chose à faire était de transpirer, attendre et regarder un couple de mouches copuler sur le tableau de bord.

Au bout d'un temps infini, mon père réapparaissait en s'essuyant les miettes autour de la bouche, l'air tout guilleret. « Vraiment dingue, disait-il alors à maman en se penchant vers la portière, ce type là-bas collectionne les dentiers. Il en a plus de sept cents dans sa cave. Il était tellement content de me les montrer que je n'ai pas pu refuser. Et sa femme a absolument voulu me donner un morceau de tarte aux myrtilles et me faire voir les photos du mariage de sa fille. Malheureusement ils n'ont jamais entendu parler du Parc national du Grand Champignon mais le gars m'a dit que son frère qui tient la station-service Conoco près des feux devait connaître. Il collectionne les courroies de ventilateur, tu t'imagines, et il a la plus grande collection de courroies d'avant-guerre de tout le Middle West. Je vais aller voir ça. »

Et avant qu'on ait pu dire quoi que ce soit, il était reparti. Et quand finalement il revenait, mon père connaissait pratiquement tous les habitants de la ville et les mouches avaient eu une flopée de petits.

J'ai fini par trouver ce que je cherchais : Winterset, patrie de John Wayne. J'ai fait le tour de la bourgade pour trouver sa maison — Winterset est si petit que ça m'a seulement pris une minute — et j'ai ralenti pour la regarder sans descendre de voiture. La maison était minuscule et la peinture s'écaillait. Wayne ou Marion Morrison, comme il s'appelait encore, n'y a vécu qu'un an avant que sa famille s'installe en Californie. La maison est devenue un musée mais il était fermé. Cela ne m'a pas vraiment étonné car tout le reste de la ville était fermé, et de façon définitive selon toute apparence. Le cinéma local de la place était fermé, ses panneaux d'affichage vides, et les autres commerces étaient ou bien fermés ou tout juste en sursis. C'était un spectacle affligeant car Winterset est en fait une jolie petite ville avec son palais de justice, sa place et ses rangées de maisons de style victorien. Je parie que, tout comme à Winfield, les choses étaient différentes il y a quinze ou vingt ans. Je repris la route nationale en passant devant le Gold Buffet *(On y danse tous les soirs)* avec un curieux sentiment de vide.

Toutes les villes que je traversais offraient le même spectacle : peintures écaillées, commerces fermés, un air de mort. L'Iowa du Sud-Ouest a toujours été la partie la plus pauvre de l'État et cela se voyait. Je ne m'y suis pas arrêté parce que vraiment rien ne valait la peine d'un arrêt. Je n'ai même pas trouvé d'endroit pour boire un café. Et puis brutalement, à ma grande surprise, j'ai passé un pont qui enjambe la rivière Missouri et je me suis retrouvé à Nebraska City, au Nebraska. Et ce n'était pas mal du tout. En fait c'était même plutôt plaisant — bien mieux que l'Iowa, et de loin —, j'étais gêné de le reconnaître. Les villes étaient plus prospères et mieux entretenues. Le bord des routes était planté d'arbustes d'où jaillissaient une profusion de fleurs jaune crème. C'était tout à fait charmant, bien que plutôt monotone.

C'est l'ennui avec le Nebraska. C'est un État qui n'en finit pas et même ses bons côtés deviennent lassants. J'ai passé des heures au volant sur une autoroute qui n'exigeait aucun effort d'attention, traversant Auburn, Tecumseh, Beatrice — petite ville de 10 000 habitants qui a donné deux grandes stars d'Hollywood, Harold Lloyd et Robert Taylor —, Fairbury, Hebron, Deshler et Rushkin.

A Deshler je me suis arrêté pour boire un café et j'ai constaté avec surprise qu'il faisait vraiment froid. En ce qui concerne le climat, le Middle West cumule tous les désavantages de deux univers. En hiver le vent est d'un froid qui coupe comme un rasoir. Il vient directement de l'Arctique et vous scie en deux. Il hurle et tourbillonne et secoue les maisons. Il apporte de grands tas de neige et un froid à vous rompre les os. De novembre à mars, on doit marcher le corps incliné à vingt degrés, même à l'intérieur des maisons, et on passe des heures à attendre que la voiture chauffe, à la dégager des congères ou à essayer vainement de libérer les vitres d'une couche de glace qui semble avoir été appliquée avec de la Superglu. Et un beau jour arrive le printemps. La neige fond, on se promène en manches de chemise et on tourne le visage vers le soleil. Et puis brutalement le printemps s'achève et c'est l'été. Alors c'est comme si le bon Dieu venait d'actionner un levier de sa grande centrale céleste. Maintenant la température vient de l'autre direction, des Tropiques, loin au sud, et ça vous frappe comme un mur de chaleur. Pendant six mois la touffeur vous écrase. Pores béants, vous transpirez toute votre graisse. L'herbe vire au brun. Les chiens vous regardent comme s'ils en étaient à leur dernier souffle. Quand vous allez vous promener en ville, vous sentez le bitume du trottoir transpercer vos semelles. Et juste au moment où vous sentez que vous allez devenir fou, l'automne arrive et pendant deux ou trois semaines l'air est doux et la nature bienveillante. Et puis l'hiver revient et le cycle recommence. Et vous vous dites : « Dès que je serai assez grand, je m'en irai très, très loin de ce sacré pays. » A Red Cloud, pays de la romancière Willa Cather, j'ai rejoint l'autoroute US 281 et j'ai filé vers le sud en direction du Kansas. De l'autre côté de la limite de l'État, on arrive à Smith Center, le pays de Dr Brewster M. Higley l'auteur des paroles de la chanson *Home on the Range*. Vous étiez sûrs, n'est-ce pas, que l'auteur de *Home on the Range* ne pouvait pas s'appeler autrement que Dr Brewster M. Higley ? Il y a encore la cabane en rondins où il a composé le texte. Mais en fait, ma destination était quelque chose de beaucoup plus excitant : le centre géographique des États-Unis. On quitte la nationale juste à la sortie de Lebanon et on suit une petite route secondaire pendant deux kilomètres à travers les champs de blé. Puis on tombe sur un petit parc sinistre, avec des tables pour pique-niquer et un monument de pierre surmonté d'un petit drapeau agité par le vent où une plaque vous dit que vous avez atteint le point qui correspond au centre des États-Unis continentaux. Bigre. A côté du parc, comme pour en rajouter dans le genre sinistre, il y a un motel fermé qui a été construit dans l'espoir évident que les touristes viendraient passer la nuit dans cet endroit isolé et enverraient à leurs amis des cartes portant la légende « Devinez où nous sommes ? ».

Visiblement le propriétaire avait mal fait son étude de marché. J'ai grimpé sur une des tables et du coup mon regard a porté à des kilomètres à la ronde, par-dessus les ondulations des champs. Le vent venait vers moi à la vitesse d'un train de marchandises. Tout à coup, j'ai eu l'impression d'être la première personne à mettre les pieds ici depuis des années. Et ce fut un sentiment étrange de penser que, sur les 230 millions d'habitants des USA, j'étais géographiquement le plus caractéristique. Si l'Amérique était envahie, je serais la dernière personne à être capturée. C'était le dernier bastion et en redescendant de la table pour retourner à la voiture, je me suis senti vaguement coupable de laisser ainsi la position sans défense.

J'ai repris la route dans un crépuscule qui s'épaississait. Les nuages volaient bas et vite. Le paysage évoquait une mer d'herbes blanches, aussi fines que les cheveux d'un enfant. C'était d'une beauté étrange. A mon arrivée à Russell, il faisait nuit et la pluie s'était mise à tomber. Mes phares éclairèrent une banderole portant : BIENVENUE AU PAYS DE BOB DOLE. Russell est la ville de Bob Dole qui se présentait alors comme candidat à la présidence sous l'étiquette républicaine. Je m'y arrêtai pour la nuit en me disant que si Bob Dole était élu président, je pourrais raconter à mes enfants que j'avais passé une nuit dans sa ville natale, ce qui ne manquerait pas d'accroître leur respect à mon égard. De plus, chaque fois que Dole apparaîtrait à la télé au cours des quatre prochaines années, je pourrais dire : « Hé, j'y suis passé ! » et tout le monde ferait silence tandis que j'indiquerais les endroits que j'avais vus. En l'occurrence, Dole s'est retiré de la course à la présidence deux jours plus tard, principalement parce que personne ne pouvait le sentir, sauf sa proche famille et quelques amis du coin. Et la ville de Russell perdit ainsi toute chance de notoriété.

Au réveil, je trouvai un ciel plus prometteur. Le soleil brillait et l'air était limpide. Les insectes explosaient contre le pare-brise en taches multicolores, signe infaillible de l'arrivée du printemps dans le Middle West. Sous le soleil, le Kansas semblait un endroit beaucoup plus sympathique, ce qui n'a pas laissé de me surprendre. J'avais toujours pensé que la pire des choses qu'on puisse s'entendre dire était : « On va vous transférer au Kansas, mon gars. » Le Kansas s'est donné comme surnom : « L'État du Blé », ce qui est tout un programme. On a vraiment envie d'annuler ses prochaines vacances aux Bahamas, vous ne trouvez pas ? Mais en fait le Kansas est supportable. Toutes les villes que j'ai traversées étaient propres, florissantes et typiquement américaines. Mais le Kansas, après tout, est le plus typiquement amé

ricain de tous les États. N'oublions pas que c'est l'État
où sont nés Superman et Dorothy du *Magicien d'Oz*. Toutes les villes avaient l'air d'être confortables, verdoyantes et complètement hors du temps. C'était le genre
d'endroit où on s'attendait presque à voir un garçon
livrer vos courses à vélo et à entendre les gens utiliser des
expressions comme « Bigre » et « Doux Jésus ». A Great
Bend, je me suis arrêté sur la place près du tribunal du
comté de Barton et j'ai exploré les alentours. C'était
comme si j'avais franchi un autre espace-temps. La place
semblait ne pas avoir changé d'un iota depuis 1965. Le
cinéma, le Crest Movie Theater, était toujours en activité. Tout à côté on trouvait le bureau du journal local,
le *Great Bend Daily Tribune*, et un magasin de vêtements
A La Boucle de Cuivre avec une grande inscription :
ARTICLES POUR DAMES ET MESSIEURS. Doux Jésus. Un
homme et sa femme m'ont croisé sur le trottoir et m'ont
salué comme de vieilles connaissances. L'homme a même
porté sa main à son chapeau. De la radio d'une voiture
qui passait, s'échappait un air des Everly Brothers.
C'était vraiment trop irréel. Je m'attendais presque à voir
Rod Serling sortir d'un buisson et déclarer : « Bill Bryson
ne le sait pas mais il vient juste d'arriver dans une communauté qui n'existe ni dans l'espace ni dans le temps.
Il vient d'entamer un voyage sans retour… dans la Quatrième Dimension ! »

Je jetai un coup d'œil dans la vitrine de la Pharmacie
Familiale qui faisait aussi les articles cadeaux. L'étalage
était intéressant et inhabituel. On y trouvait une chaise
roulante, un paquet de couches jetables pour adultes (ce
n'est pas souvent qu'un magasin pense aux clients qui
sont à la fois impulsifs et incontinents), des ours en peluche, des chopes à café portant des inscriptions pleines de
bons sentiments (A La Plus Gentille Mémé Du Monde),
des cartes pour la fête des mères et toute une gamme de
petites statues d'animaux en porcelaine. Dans un coin de
la devanture il y avait une affiche annonçant, tenez-vous
bien, un concert de Paul Revere et des Raiders. Renver-

sant ! Et ils étaient là, dans leurs uniformes des gardes continentaux, chahutant et rigolant, exactement tels qu'ils étaient lorsque j'étais encore en secondaire. Ils allaient donner un spectacle au Civic Auditorium de Dodge City dans deux semaines. « Places à partir de 10 dollars 75. » Je me sentis incapable d'en supporter davantage. C'est avec grand plaisir que je repris la voiture pour regagner Dodge City, où là au moins tout est intentionnellement irréel.

Dans les cent dix kilomètres qui séparent Great Bend de Dodge City, on quitte le Middle West pour entrer dans l'Ouest. Les gens que l'on rencontre ne portent plus de casquette de base-ball et ne traînent plus les pieds avec cet air de gentillesse simplette qui caractérise les gens du Middle West. Au lieu de cela, ils portent des chapeaux de cow-boy, des bottes de cow-boy et marchent en se déhanchant, l'air vaguement méfiants et les yeux plissés comme s'ils se préparaient à vous tirer dessus à tout moment. A l'Ouest, les gens aiment bien tirer sur tout ce qui bouge. Au début, ils ont tiré sur des buffles*.

Autrefois il y avait soixante-dix millions de buffles dans les plaines et les gens de l'Ouest ont commencé à leur tirer dessus. Le buffle n'est qu'une vache à grosse tête. Si un jour vous avez eu l'occasion de regarder une vache dans les yeux et de mesurer la confiance et la stupidité qui les habitent, vous imaginerez sans peine la difficulté qu'ont eue les gens de l'Ouest pour leur faire la chasse et les exterminer. En 1875 il ne restait plus que huit cents buffles, pour la plupart dans des zoos ou dans des spectacles ambulants de l'Ouest sauvage. Puis comme il ne restait plus de buffles, les gens de l'Ouest se sont mis à

---

* On vous dira qu'il ne faut pas parler de buffles mais de bisons. Les buffles, disent certains, vivent en Chine ou très loin, et sont une race d'animal toute différente. Ce sont les mêmes personnes qui vous diront qu'il ne faut pas dire géraniums mais pélargoniums. Ignorez ces gens-là *(NdA)*.

tirer sur les Indiens. Entre 1850 et 1890, ils ont fait passer leur nombre de deux millions à quatre-vingt-dix mille.

Aujourd'hui, grâce au ciel, les deux populations ont augmenté. On compte désormais trente mille buffles et trois cent mille Indiens, et, bien évidemment, on n'a le droit d'abattre ni les uns ni les autres. Alors les gens de l'Ouest en sont réduits à tirer sur les panneaux de signalisation et à se tirer dessus, ce qu'ils adorent faire. Vous avez là en résumé toute l'histoire de l'Ouest.

Quand ils n'étaient pas occupés à leurs exercices de tir, les gens de l'Ouest allaient dans des villes comme Dodge City pour y satisfaire certains rapports sociaux et sexuels. A l'époque de sa grande gloire, Dodge City était le plus grand marché au bétail et déversoir de sperme de tout l'Ouest, avec une foule de trimardeurs, conducteurs de troupeaux, chasseurs de buffles et ce genre de femmes que seul un cow-boy peut trouver attirantes. Mais la vie n'y était pas aussi dure ni aussi dangereuse qu'on voudrait nous le faire croire dans *Gunsmoke* et tous ces westerns à la gloire de Bat Masterson et Wyatt Earp. Pendant dix ans, Dodge City a été le plus grand marché au bétail du monde. C'est tout.

Pendant toutes ces années on n'a enterré que trente-quatre personnes au cimetière de Boothill, pour la plupart des vagabonds morts de froid dans la neige ou décédés de causes naturelles. Je peux vous le certifier car j'ai dépensé 2 dollars 75 pour visiter le cimetière ainsi que la Rue Historique avoisinante où l'on a essayé de recréer le Dodge City d'autrefois, quand c'était une ville de la frontière et que Bat Masterson et Wyatt Earp en étaient les shérifs. Matt Dillon n'a jamais existé, ce que j'ai eu le regret d'apprendre. Mais Bat Masterson et Wyatt Earp, eux, ont bien vécu tous les deux. Masterson a terminé son existence comme rédacteur sportif du *New York Morning Telegraph*. Passionnant, non ? Autre anecdote passionnante que je ne vous ai pas racontée plus tôt pour ménager mes effets : Wyatt Earp venait de Pella, la petite ville de l'Iowa aux moulins à vent.

Renversant, non ?

273

A quatre-vingts kilomètres de Dodge City se trouve Holcomb dans le Kansas, ville d'une certaine célébrité car c'est là que se sont déroulés les meurtres décrits avec force détails dans le livre de Truman Capote *De sang-froid*. En 1959 deux petits malfrats sont entrés dans le ranch d'Herb Clutter, un riche fermier de Holcomb, parce qu'ils avaient entendu dire qu'il possédait un coffre-fort bien rempli. En fait il n'en était rien. Alors, tout dépités, ils ont ligoté à leurs lits la femme de Clutter et leurs deux enfants, des adolescents, ils ont conduit Clutter à la cave puis ils les ont tous massacrés. Ils ont tranché la gorge de Clutter (Capote nous décrit les gargouillis avec une délectation gênante) et tiré une balle à bout portant dans la tête des autres. Comme Clutter avait joué un certain rôle dans la politique de l'État, le *New York Times* avait fait un bref compte rendu de ces meurtres dans ses colonnes. C'est tombé sous les yeux de Capote qui s'y est intéressé et a passé cinq ans à interviewer tous les gens concernés, les amis, les voisins, les parents, les policiers chargés de l'enquête et les meurtriers eux-mêmes. A sa parution en 1965, le livre fut immédiatement considéré comme un grand classique, en grande partie parce que Truman Capote n'avait pas cessé de le répéter. En tout cas il y avait suffisamment de « matière », comme on disait à l'université, pour laisser un impact durable. Je m'étais donc dit que ce serait une bonne idée de le relire, d'aller ensuite à Holcomb récolter quelques observations percutantes sur le crime et la violence aux USA. J'avais tort. Je me suis rapidement rendu compte qu'il n'y avait rien de typique dans les meurtres Clutter. Ils provoqueraient autant de répulsion aujourd'hui qu'à l'époque et le livre de Capote ne possédait guère de « matière ». Ce n'était finalement qu'une effroyable histoire à sensation qui flattait sournoisement et sous des couleurs respectables les instincts les plus bas du lecteur. En fin de compte, là visite d'Holcomb ne m'offrirait qu'un frisson morbide à la vue d'une maison où une famille s'était fait massacrer il y a longtemps. Mais enfin, c'est à peu près tout ce que j'attends de la vie et cela risquait, en tout cas, d'être plus excitant que la Rue Historique de Dodge City.

Dans le livre de Capote, Holcomb était une bourgade tranquille et poussiéreuse, pleine de gens éminemment respectables, un endroit où les citoyens ne fumaient pas, ne buvaient pas, ne juraient pas et ne rataient pas un service religieux, un endroit où les relations sexuelles ne se concevaient pas en dehors du couple et encore moins avant le mariage, où les jeunes gens rentraient chez eux à onze heures le samedi soir, où les catholiques et les méthodistes se fréquentaient le moins possible, où les portes n'étaient jamais fermées à clé et où les enfants de onze ou douze ans pouvaient conduire une voiture. Je ne sais pas pourquoi, mais c'est ce dernier détail qui m'a toujours semblé le plus ahurissant. Dans le livre de Capote, la ville la plus proche était Garden City, à huit kilomètres de là sur la nationale. Les choses ont bien changé. Maintenant Holcomb et Garden City ont presque fusionné et sont reliés par une sorte de cordon ombilical de postes à essence et de restaurants fast food. Holcomb est restée poussiéreuse mais n'est plus une bourgade. Aux limites de la ville, il y a une école secondaire visiblement toute neuve, entourée de petites maisons bon marché, toutes neuves elles aussi, autour desquelles courent des gosses mexicains aux pieds nus. J'ai trouvé la maison Clutter sans trop de peine. Dans le livre, elle est située à l'écart de la ville au bout d'un chemin ombragé. Maintenant le chemin est bordé de maisons. La maison Clutter ne donnait pas l'impression d'être habitée. Les rideaux étaient tirés. J'ai hésité un long moment, puis je suis allé frapper à la porte d'entrée. J'ai franchement été soulagé de ne pas obtenir de réponse. Car sincèrement qu'aurais-je bien pu dire? Salut, je suis un étranger de passage, j'adore les histoires macabres et je voudrais savoir quel effet ça vous fait d'habiter une maison où il y a eu de la viande collée aux murs ? Est-ce qu'il vous arrive d'y penser, aux heures des repas, par exemple ?

J'ai repris ma voiture et j'ai parcouru le quartier à la recherche de ce qui aurait pu me rappeler le livre mais les magasins et les cafés semblaient avoir tous disparu ou changé de nom. Je me suis arrêté près de l'école secondaire. Les portes étaient fermées — c'était quatre heures de l'après-midi — mais quelques étudiants, membres de l'équipe d'athlétisme, se trouvaient sur le terrain de sport. J'ai accosté deux d'entre eux au bord de la piste et je leur ai demandé si je pouvais leur parler un peu de l'affaire Clutter. De toute évidence ils ne savaient pas de quoi il s'agissait.

« Vous savez bien, ai-je précisé, *De sang-froid*, le livre de Truman Capote. »

Ils m'ont regardé, l'œil vide de toute expression.

« Vous avez bien entendu parler du livre de Truman Capote ? »

Eh bien non, apparemment. Je n'arrivais pas à le croire.

« Vous n'avez jamais entendu parler des meurtres Clutter, toute une famille assassinée dans cette maison là-bas, près du château d'eau ? »

Le visage de l'un d'eux s'est éclairé. « Ah ouais, a-t-il dit, toute une famille liquidée. Un truc, ch'ais pas, bizarre.

— Est-ce que la maison est habitée actuellement ?

— Ch'ais pas, quelqu'un y vivait dans le temps mais plus maintenant. Enfin ch'ais pas. »

Le talent oratoire n'était visiblement pas son atout social majeur, bien que comparé à son petit camarade il semblât un véritable Cicéron. Je pensais n'avoir jamais rencontré d'étudiants aussi remarquablement ignorants mais par la suite j'eus l'occasion d'arrêter trois étudiants. Eux non plus n'avaient jamais entendu parler de *De sang-froid*. Vers la piste de saut à la perche j'ai fait la connaissance de leur entraîneur, un jeune professeur sympathique du nom de Stan Kennedy. Il surveillait trois jeunes athlètes qui, à tour de rôle, sprintaient le long d'une piste avec une longue perche et allaient se fracasser tête et épaules sur une barre horizontale à cinq pieds de hauteur. Si s'écraser contre une barre horizontale est une discipline sportive au Kansas, ces gars étaient sûrement champions de l'État. J'ai demandé à Kennedy s'il ne trouvait pas étrange que tant d'étudiants n'aient jamais entendu parler de *De sang-froid*. « Cela m'a étonné moi-même quand je suis arrivé ici il y a huit ans, m'a-t-il répondu. Après tout c'était l'événement le plus important de l'histoire de la ville. Mais il faut savoir que les gens d'ici ont détesté le livre. Ils l'ont interdit à la bibliothèque et beaucoup refusent d'en parler. »

Cela m'étonna. Quelque temps auparavant, j'avais relu un article d'un vieux *Life Magazine* expliquant que les gens de la ville avaient adopté Truman Capote bien qu'il ne soit qu'une petite pédale prétentieuse zézayante avec des chapeaux bizarres. En réalité, ils le détestaient cordialement, d'abord parce que c'était une petite pédale prétentieuse, mais surtout personne ne lui pardonnait d'être venu, lui, étranger à la ville, fourrer son nez dans leur douleur personnelle pour l'exploiter à son propre compte. La plupart des gens ne souhaitaient qu'oublier l'histoire et n'encourageaient pas leurs enfants à s'y intéresser. Kennedy avait demandé à ses étudiants les plus avancés combien d'entre eux avaient lu le livre et les trois quarts de la classe n'y avaient même pas jeté un coup d'œil.

Je lui dis que je trouvais ça étonnant. Si j'avais grandi dans un endroit où quelque chose d'aussi célèbre s'était passé, j'aurais voulu en apprendre davantage.

« Moi aussi, dit Kennedy, et la plupart des gens de notre génération. Mais de nos jours les gosses sont différents. Beaucoup d'entre eux savent à peine lire. Ils n'ont pas le moindre enthousiasme. On dirait que des années passées devant le petit écran les ont mis sous hypnose. Certains peuvent à peine formuler une phrase cohérente. »

On a tous les deux fini par conclure que c'était un truc, ch'ais pas, bizarre.

Il n'y a rien de spécial à raconter sur l'ouest du Kansas sauf que les villes sont petites, éloignées les unes des autres et que les routes sont généralement désertes. Environ tous les dix kilomètres, on croise une route secondaire où une vieille camionnette est arrêtée au niveau du panneau de stop. On l'aperçoit de loin — au Kansas on voit tout de très loin — renvoyant la lumière du soleil. D'abord on se dit que la camionnette doit être en panne ou abandonnée mais, dès qu'on arrive à dix mètres du carrefour, elle s'engage sur la nationale, juste devant vous, ce qui vous oblige à réduire votre vitesse brutalement, à passer de quatre-vingt-dix à vingt kilomètres à l'heure tout en testant le moelleux du volant avec votre front. Et cela se répète en permanence. Curieux de voir quel genre d'individu peut bien se comporter d'une telle façon, vous accélérez et vous découvrez qu'au volant il y a un petit vieux d'environ quatre-vingt-dix ans qui porte un chapeau de cow-boy trois fois trop grand pour lui et qui fixe la route avec la concentration d'un pilote d'avion en plein orage. Et bien sûr il vous ignore totalement. Au Kansas on trouve beaucoup plus de conducteurs de ce genre que dans le reste des États-Unis, phénomène que les statistiques démographiques n'expliquent pas. J'imagine que les autres États doivent expédier leur surplus de vieillards au Kansas, sans doute en leur offrant un chapeau de cow-boy en guise de prime.

21

J'aurais vraiment dû me méfier mais pour moi le Colorado signifiait des montagnes et rien d'autre. Je m'étais imaginé qu'à la minute même où je quitterais le Kansas, je me trouverais dans les Rocheuses au milieu de cimes enneigées, de prairies d'altitude où ondulent les boutons-d'or sous un ciel bleu et dans un air aussi ravigotant qu'une branche de céleri frais. Or le paysage n'offrait rien de tout cela. C'était plat, brun et rempli de petites bourgades éloignées aux noms sans attrait : Swink, Ordway, Manzanola. Elles-mêmes étaient pleines de gens l'air misérable et de chiens l'air hargneux, qui rôdaient autour des magasins d'alcool et des pompes à essence. Des tessons de bouteilles scintillaient dans le chaume des fossés en bordure de la route et tous les panneaux routiers étaient criblés d'impacts de balles. Ce n'était certainement pas le Colorado dont John Denver s'est tellement gargarisé.

Sans m'en rendre compte, je gagnais de la hauteur. Chaque ville affichait son altitude et chacune était des centaines de mètres plus haute que la précédente. Mais ce ne fut qu'en approchant de Pueblo, à deux cent quarante kilomètres à l'intérieur de l'État, que j'ai vraiment aperçu des montagnes. Soudain elles se dressaient devant moi, bleues, escarpées et couvertes de neige.

J'avais décidé de suivre la nationale 67 jusqu'à Victor et Cripple Creek, deux anciennes villes de la ruée vers l'or. La carte précisait que c'était un parcours pittoresque. Ce qu'elle ne disait pas, c'est que la route n'était pas goudronnée et qu'elle passait par un col portant le nom de Vallée Fantôme, ce qui n'augurait rien de bon. Je crois bien n'avoir jamais vu de ma vie de route aussi négligée, un vrai secoue-tripes plein de nids-de-poule et de cailloux, le genre de route qui fait vibrer chaque boulon de la carrosserie et s'ouvrir les portières. Le problème, c'est qu'il était impossible de faire demi-tour. Un des côtés de la route rasait une paroi abrupte qui s'élevait indéfiniment, comme un gratte-ciel. L'autre côté tombait à pic dans une gorge où bouillonnait un cours d'eau. Pas très rassuré, j'ai donc poursuivi ma route à une allure d'escargot, en pensant que les choses n'allaient pas tarder à s'améliorer. Mais naturellement ce ne fut pas le cas. La route ne fit que devenir plus raide et plus dangereuse. Çà et là, les deux bords du canyon se resserraient et je me trouvais encadré pendant quelque temps de murs de rocs brisés qu'on aurait dits taillés à coups de masse. Puis, tout à coup ces parois s'écartaient pour livrer des perspectives affolantes sur les méandres du canyon, au fond de la gorge, loin, loin, tout en bas.

Au-dessus de ma tête, de gros blocs de pierre aussi grands qu'une maison se balançaient en équilibre sur des colonnes rocheuses en aiguille, n'attendant, semblait-il, que mon passage pour dévaler la montagne et me réduire à l'état de paillasson. Les glissements de terrain étaient de toute évidence chose fréquente. Le fond de la vallée était un vrai cimetière de rochers. Je priais le ciel de ne pas avoir à croiser un autre véhicule, ce qui m'aurait contraint à faire marche arrière jusqu'au bas de la vallée. Mais j'avais tort de m'inquiéter car bien sûr il n'existait pas dans toute l'Amérique du Nord un seul autre conducteur assez tordu pour franchir la Vallée Fantôme à cette période de l'année alors qu'un orage pouvait brutalement transformer la route en une tourbière où la voiture s'enliserait à jamais, ou bien envoyer véhicule et conducteur dans le vide. C'était la première fois de ma vie que j'affrontais un paysage qui peut tuer. J'ai donc poursuivi ma route avec la plus extrême précaution.

Très haut dans la montagne j'ai dû emprunter un pont de bois ridiculement rachitique pour l'abîme qu'il enjambait. C'était le genre de pont où dans les films une planche cède toujours, ce qui envoie l'héroïne se balancer au-dessus du vide, ses jolies jambes s'agitant désespérément tandis que le héros se précipite à son secours sous une pluie de flèches. Quand j'étais gamin, je n'arrivais pas à comprendre pourquoi ledit héros ne profitait pas de sa supériorité pour dire à la belle : « OK, je vous tire de là mais seulement si vous me promettez de vous mettre toute nue devant moi après. D'accord ? »

Juste au-delà du pont une sorte de neige fondue se mit à tomber. Elle se mélangeait aux myriades d'insectes qui étaient venus s'écraser sur mon pare-brise depuis le Nebraska, une hécatombe insensée, et se transformait en une pâte brunâtre. J'essayai de réagir à coups de lave-glace mais cela ne fit que la faire passer de l'état pâteux à l'état crémeux sans améliorer la visibilité. Je me suis donc arrêté pour essuyer le pare-brise de ma manche, persuadé qu'un lynx, voyant en moi l'affaire de sa vie, n'allait pas tarder à me sauter sur les épaules et à m'arracher le cuir chevelu avec le bruit que font deux bandes de Velcro que l'on sépare. Je me voyais déjà scalpé, dévalant les pentes de la montagne avec le lynx me mordillant les talons. Je voyais si nettement la scène que je me suis précipité dans la voiture après n'avoir dégagé qu'un petit rectangle de visibilité de la taille d'une carte postale. Désormais j'avais un peu l'impression de regarder par la tourelle d'un tank.

La voiture a refusé de démarrer. Naturellement. Je n'ai pu retenir un très ironique « Merci, Seigneur ». A cette altitude, dans l'air raréfié, la Chevette s'est contentée d'émettre quelques hoquets, quelques éternuements puis le moteur, noyé, s'est arrêté. En attendant qu'il sèche, j'ai jeté un coup d'œil sur la carte pour découvrir avec effroi qu'il me restait trente kilomètres à faire. Je n'en avais parcouru que douze et ça m'avait pris une bonne heure. L'éventualité que la Chevette pourrait bien ne jamais parvenir à Victor et Cripple Creek commençait à me travailler l'esprit. Pour la première fois je commençais à soupçonner que personne n'empruntait jamais cette route. J'imaginais tristement que j'allais mourir à cet endroit et que des années allaient s'écouler avant qu'on ne retrouve mon squelette et la Chevette, une vraie tragédie car, toute autre considération mise à part, la batterie était encore sous garantie.

Mais naturellement je ne suis pas mort là-haut. Entre nous, j'ai la ferme intention de ne jamais mourir du tout. La voiture a redémarré, elle a grimpé au pas le dernier col et ensuite tout s'est passé sans incident jusqu'à Victor. La ville mérite le détour. C'est une ville de style « western » perchée de façon inattendue dans une vallée d'altitude, verdoyante et d'une beauté remarquable. A une certaine époque Victor et Cripple Creek, dix kilomètres plus bas, ont été des villes champignons d'un extraordinaire dynamisme. Au moment de leur grande gloire en 1908 elles comptaient cinq cents mines d'or et rassemblaient cent mille habitants à elles deux. Les mineurs étaient payés en or. En vingt-cinq ans les mines rapportèrent huit cents millions de dollars et firent la fortune d'un tas de gens. Jack Dempsey vécut à Victor où débuta sa carrière.

De nos jours il ne reste plus que deux mines en exploitation et un millier d'habitants à peine. Victor a des allures de ville fantôme où tout de même les rues sont goudronnées. Des petits écureuils s'y pourchassent entre les maisons et l'herbe a envahi les craquelures du trottoir. Il y a plein de magasins d'antiquités et de boutiques d'artisanat mais bien sûr la plupart d'entre elles étaient fermées dans l'attente de la prochaine saison estivale.

Certains magasins étaient carrément vides et l'auberge Amber Inn faisait même l'objet d'une saisie judiciaire pour non-paiement d'impôts. C'est du moins ce que disait l'avis placardé sur la devanture. Mais le bureau de poste était ouvert ainsi qu'un café fréquenté par des vieux en salopette et des gars plus jeunes portant barbe et queue de cheval. Tous portaient des casquettes de base-ball mais ici on faisait de la publicité pour des marques de bières (Coors, Bud Lite, Olympia) et non plus pour des marques d'engrais.

Je décidai d'aller déjeuner à Cripple Creek, ce que je devais regretter par la suite. Cripple Creek se trouve au pied du mont Pigwash et de Pikes Peak, et c'est une ville encore plus touristique que Victor. Les magasins étaient tous ouverts même si les affaires semblaient calmes. Je garai la voiture dans la rue principale en face du saloon Salsaparilla et allai faire un tour. Pour l'architecture, la ville ressemble beaucoup à Victor mais à Cripple Creek, l'essentiel du commerce tourne autour des touristes : boutiques-souvenirs, snack-bars, marchands de glace, ravin artificiel où les enfants peuvent s'amuser à chercher de l'or à la batée, golfs miniatures. Assez moche. Ajoutez à cela un temps sinistre qui n'arrangeait rien. Des rafales de neige tourbillonnaient dans l'air glacial et raréfié. Cripple Creek est situé à plus de trois mille mètres d'altitude et à cette hauteur, pour peu qu'on manque d'accoutumance, on se sent très vite hors d'haleine et la plupart du temps pas tout à fait dans son assiette. On peut donc facilement imaginer que la dernière chose dont j'avais envie c'était un cornet de glace ou une partie de mini-golf. Alors j'ai regagné ma voiture et repris la route.

Au carrefour avec l'US 24, j'ai tourné à gauche, direction ouest. Là, le temps était splendide, le soleil brillait et le ciel était bleu. Venant de l'ouest une flottille de nuages défilaient, cotonneux et paisibles, en effleurant les cimes. La route était couverte d'un asphalte rose qui donnait l'impression de rouler sur de la pâte à claquer. Après une montée on parvenait au Wilkerson Pass puis on plongeait dans une longue vallée de prairies vallonnées avec des ruisseaux scintillants et des cabanes en rondins sur fond de montagnes musclées. On se serait cru dans un film publicitaire pour une marque de déodorant. C'était splendide et j'avais cette merveille pratiquement pour moi tout seul. Près de Buena Vista, un brusque escarpement du terrain découvrait une plaine sur laquelle se détachait la chaîne des Collegiate, la plus haute des États-Unis avec seize sommets de plus de quatre mille mètres sur une distance de cinquante kilomètres. Je me suis laissé glisser sur la nationale qui suivait les flancs de la montagne et j'ai traversé ensuite la plaine qui sépare de la chaîne des Collegiate, si hautes, si bleues et toutes couronnées de neige. On avait l'impression de traverser en voiture le générique de la Paramount.

Mon intention était d'aller jusqu'à Aspen mais au carrefour de Twin Lakes une barrière blanche bloquait la chaussée et m'annonçait que la route d'Aspen par Independence Pass était fermée à cause de la neige. Aspen n'était qu'à trente-cinq kilomètres de là mais l'atteindre par la déviation du nord impliquait un détour de deux cent quatre-vingts kilomètres. Déçu, j'ai cherché un endroit pour passer la nuit et je me suis dirigé sur Leadville, bourgade dont j'ignorais tout, jusqu'au nom.

Eh bien, Leadville est une ville remarquable. Les abords de la ville sont miteux et délabrés — il y a beaucoup de pauvreté au Colorado — mais la rue principale est large et bordée de maisons victoriennes à tourelles et à pignons. Leadville est une autre ville minière où l'on a exploité or et argent. C'est là que l'insubmersible Molly Brown* a fait ses débuts ainsi que Meyer Guggenheim. Comme Cripple Creek et Victor, Leadville s'est consacrée au tourisme — le moindre recoin des Rocheuses est consacré au tourisme —, mais elle a gardé un certain air d'authenticité. Sa population de quatre mille habitants suffit à lui assurer une certaine autonomie en dehors de

---

* Actrice de music-hall qui a survécu au naufrage du *Titanic* (NdT).

l'afflux touristique. Je me suis pris une chambre au Tumberline Motel, j'ai fait le tour de la ville, je me suis payé un repas tout à fait correct au café Golden Burro — pas le meilleur repas du monde ni même de la ville, mais enfin payer six dollars pour potage, salade, escalope de poulet, purée, haricots verts, café et tarte, on ne va pas chipoter — et j'ai terminé la soirée par une petite promenade au clair de lune jusqu'au motel, une bonne douche et un peu de télé. Si seulement la vie pouvait toujours avoir cette simplicité et cette sérénité ! A dix heures, j'étais endormi et perdu dans des rêves agréables où je m'occupais de façon virile des lynx sauvages, des ponts en bois branlants et des pare-brise englués d'insectes. Et l'héroïne a même accepté de se montrer toute nue devant moi. Une nuit dont on se souvient.

22

Le jour suivant, Monsieur Météo a annoncé à la télévision qu'un « système dépressionnaire » allait déverser plusieurs centimètres de neige sur les Rocheuses, ce qui — on le voyait rien qu'à l'éclat de son regard — semblait lui faire très plaisir. La carte mettait en évidence une zone de désagréments planant telle une malédiction sur tout l'ouest du pays. Les routes seraient fermées à la circulation, prévenait-il sans pouvoir dissimuler un sourire en coin, et on fournirait plus tard toutes les informations routières. Pourquoi les spécialistes du bulletin météo à la télévision sont-ils toujours de tels pervers ? Même lorsqu'ils essaient de jouer aux braves types, on devine que ce n'est qu'une façade et que cela cache un individu qui a passé toute son enfance à arracher les pattes des insectes et à ricaner chaque fois qu'un copain passait sous les roues d'un camion.

Je décidai sur-le-champ de faire route vers le sud en direction des montagnes arides du Nouveau-Mexique pour lesquelles, selon la carte météo, on n'annonçait rien de particulier. Une de mes nièces faisait ses études dans une université chic de Santa Fé et, comme je ne l'avais pas vue depuis longtemps et que j'étais sûr qu'elle serait ravie d'offrir à tous ses copains de campus le spectacle d'un gros bonhomme cradingue sortant d'une guimbarde poussiéreuse pour la serrer dans ses bras, je décidai de m'y rendre sans plus tarder.

Je piquai donc direction sud par l'US 285, une nationale qui suit la ligne de partage des eaux. Le paysage qui m'entourait était d'une beauté surnaturelle, malheureusement gâchée par les traces de la présence humaine : d'horribles campings-caravanings, des propriétés à l'abandon et parfois même des dépotoirs. Les villes se réduisaient généralement à un alignement de restaurants fast food et de pompes à essence. Le long de la route, les granges arboraient toutes d'immenses panneaux : « CAMPING. MOTEL. RAFTING. » En descendant vers le sud, le paysage devenait de plus en plus aride et au bout d'un moment les panneaux disparurent. Au-delà de Saguache, la vaste plaine qui s'étend entre les montagnes se couvrait d'un tapis de sauges violettes troué de grandes plaques de terre brune et desséchée. Parfois on avait réussi à arracher un espace de verdure à l'aridité environnante grâce aux roues gigantesques d'un système d'irrigation. Et dans ces oasis se nichait une belle ferme bien entretenue. Sinon, le paysage enserré dans les chaînes de montagne n'offrait guère plus d'intérêt qu'un fond marin asséché. Entre Saguache et Monte Vista se trouve l'une des dix ou douze lignes droites les plus longues d'Amérique, environ soixante-cinq kilomètres sans le moindre virage ou la moindre bosse. Évidemment sur le papier ça ne paraît pas très impressionnant mais je vous garantis qu'au volant ça semble éternel. Rien de tel qu'une route dont le point d'horizon recule en permanence pour vous donner l'impression d'aller nulle part. A Monte Vista il y a un virage à gauche — on se réveille et on saisit le volant — puis on repart pour trente-cinq kilomètres de ligne droite tirée au cordeau. Et cela continue ainsi. Deux ou trois fois par heure, on traverse une bourgade poussiéreuse (une pompe à essence, trois maisons, un arbre, un chien) ou alors on tombe sur une vague courbe de la route qui vous oblige à tourner le volant d'un ou deux centimètres à droite ou à gauche pendant quelques secondes et vous avez eu votre moment de récréation jusqu'à l'heure suivante. Sinon vous ne bougez pas un muscle et vos fesses s'ankylosent au point que vous commencez à vous demander si elles n'appartiennent pas à quelqu'un d'autre.

Au début de l'après-midi je passai dans l'État du Nouveau-Mexique — l'événement de la journée — pour découvrir avec un soupir de découragement que c'était aussi ennuyeux que le Colorado. Je mis la radio. J'étais tellement loin de tout que je ne captais que de rares stations, toutes émises en langue espagnole et diffusant de la musique mexicaine, ce genre de musique « aye-aye-aye » que jouent les musiciens ambulants à moustaches tombantes et grands sombreros dans ces restaurants où les profs de lycée emmènent leur femme pour fêter leur trentième anniversaire de mariage, ces restaurants où l'on met le feu à vos plats pour vous impressionner. Jamais, en trente-six ans d'existence, l'idée ne m'avait effleuré qu'on puisse écouter de la musique mexicaine pour le plaisir. Et pourtant il y avait bien une douzaine de radios qui vous en sciaient les oreilles. Après chaque chanson, un disc-jockey prenait le micro et jacassait en espagnol pendant une ou deux minutes avec la voix de quelqu'un qui vient de se faire coincer les roustons dans un tiroir. C'était suivi d'une annonce publicitaire lue par un type encore plus speedé et excité (dans son cas on ne devait pas arrêter d'ouvrir et refermer le tiroir), et on passait à une autre chanson mais à mon avis c'était exactement la même. Ce qui est regrettable avec la musique mexicaine, c'est que les chanteurs donnent l'impression de ne connaître qu'un seul air. Cela explique sans doute qu'on ne les engage que dans des restaurants de second ordre.

A Tres Piedras — toutes les localités du Nouveau-Mexique portent des noms espagnols — j'ai pris la nationale 64 qui mène à Taos et les choses ont commencé à s'améliorer. Les collines sont devenues plus sombres et le tapis de sauge plus riche et plus dense. On vous parle toujours du ciel de Taos et c'est vrai qu'il est étonnant. J'ai rarement vu un ciel aussi vif, aussi bleu et aussi limpide. Dans cette région désertique, l'air est si clair qu'on peut voir à deux cent quatre-vingts kilomètres à la ronde. Du moins, c'est ce que prétend mon guide touristique. En tout cas, on comprend parfaitement pourquoi Taos a attiré de tout temps artistes et écrivains — enfin on le comprend jusqu'à ce qu'on arrive à Taos même. Je m'attendais à trouver une charmante petite colonie d'artistes en blouses de peintres et avec chevalets, mais ce n'était vraiment qu'un piège à touristes où l'on circulait au pas devant des boutiques vendant d'horribles poteries indiennes, des boucles de ceinturon en argent et des cartes postales. Mis à part deux galeries d'art qui semblent intéressantes, Taos est simplement un endroit chaud, poussiéreux et plein de hippies à cheveux blancs. Cela m'amusa de constater que les hippies existaient toujours — ils étaient même devenus grands-parents — mais cette découverte ne valait guère la peine de faire le voyage jusque-là. Alors je repris la route pour Santa Fé, redoutant d'y trouver le même décor. Mais j'avais tort. En fait c'était splendide et je fus conquis dès le premier instant.

Tout d'abord ce qui plaît, à Santa Fé, c'est qu'il y a des arbres. Il y a des arbres, de l'herbe, de l'ombre, des plazas fraîches remplies de fleurs, de verdure et du murmure paisible des fontaines. Après des jours de voiture au milieu des espaces arides de l'ouest, c'est un vrai régal. On baigne dans un air chaud mais pur avec en toile de fond les montagnes du Sangre de Cristo qui se détachent en rouge derrière la ville. Elles sont tout simplement sensationnelles, surtout au coucher du soleil quand elles se mettent à resplendir, comme éclairées de l'intérieur à la manière d'un lampion chinois. Les mots vous manquent pour décrire la beauté et la richesse de cette ville. C'est la plus ancienne ville d'Amérique à avoir été habitée continuellement — elle fut fondée en 1610, dix ans avant le départ de Plymouth des pères pèlerins

— ce qui la remplit de fierté. Tout à Santa Fé, et je dis bien tout, est construit en adobe. Le Woolworth est en adobe, le parking à étage est en adobe, l'hôtel aussi. Quand on passe devant la première station-service en adobe suivie d'un supermarché en adobe, on a envie de dire : « Ça va, j'ai compris, on se tire. » Et puis on se rend compte que ce n'est pas un truc pour touristes. L'adobe est tout simplement le matériau de base de la région et son emploi généralisé donne à la ville une harmonie qu'on voit rarement. Et comme Santa Fé est une ville pleine de fric, tout est bien fait et de très bon goût.

J'ai pris la route qui monte la colline pour trouver St. John's College, l'université de ma nièce. Il était quatre heures de l'après-midi et les ombres s'allongeaient dans les rues. Le soleil se couchait sur les montagnes, jetant une riche teinte orange sur les maisons d'adobe nichées à flanc de colline. St. John's College est un petit établissement perché sur les hauteurs de la ville. Il jouit sans doute de la plus belle vue de Santa Fé avec un extraordinaire panorama sur la cité et les montagnes qui l'entourent. Son campus somnolent est fréquenté par trois cents étudiants mais en ce bel après-midi de printemps ma nièce n'y était pas. Personne ne savait où elle était mais on me promit de lui dire qu'un gros bonhomme cradingue, chaussures poussiéreuses et auréoles tropicales sous les bras, était venu la voir et qu'il repasserait le lendemain.

Je suis reparti en ville où j'ai trouvé une chambre et, après avoir pris un bon bain chaud et changé de vêtements, j'ai passé la soirée à me balader le cœur léger dans les rues tranquilles du centre de Santa Fé, admirant au passage les belles devantures des galeries d'art et des boutiques de luxe, savourant l'air tiède du soir et indisposant les clients des restaurants chic chaque fois que je collais ma figure sur la vitre pour jeter un œil critique sur leurs assiettes. Le cœur de Santa Fé est la Plaza, une grande place de style espagnol avec des bancs et un grand obélisque commémorant la bataille de Valverde, une illustre bataille dont j'ignore tout.

Sur le socle était gravée une inscription où février était orthographié « févier », détail qui m'a beaucoup plu. Ce qui m'a beaucoup plu également, c'est l'établissement qui est à un des angles de la Plaza, la Maison des Minerais. Au rez-de-chaussée c'est un restaurant mais à l'étage il y a un bar avec une terrasse ouverte où l'on peut s'asseoir — c'est d'ailleurs ce que j'ai fait — et passer de longues heures à siroter des bières que vous apporte une charmante serveuse aux fesses sympathiques tout en profitant de la douceur de la soirée et du spectacle des étoiles qui constellent le ciel bleu pâle du désert. La porte du bar était ouverte, ce qui permettait d'observer en même temps le pianiste, un jeune homme coquettement vêtu, lancé dans des séries interminables d'arpèges et d'accords sans pouvoir obtenir ce qu'on appelle une vraie mélodie. Mais il avait une manière absolument suave de parcourir le clavier et de sourire en dévoilant des dents parfaites, ce qui est, j'imagine, tout ce qu'on demande à un pianiste de bar. En tout cas, les dames semblaient tout à fait l'apprécier.

Je ne me rappelle pas exactement le nombre de bières que j'ai bues mais, pour être tout à fait honnête, c'était trop. J'avais oublié de tenir compte de l'altitude de Santa Fé où l'air raréfié de la montagne favorise l'ivresse. Ce qui explique mon étonnement lorsque deux heures plus tard j'ai constaté en voulant me lever que les rapports généralement excellents entre mon cerveau et mes jambes s'étaient sérieusement détériorés. Bien pire : mes jambes semblaient ne plus vouloir s'accorder. L'une suivait mes instructions et se dirigeait vers l'escalier tandis que l'autre, dans une crise d'indépendance, décidait de partir aux toilettes. Finalement j'ai dû traverser le bar en titubant comme un type monté sur des échasses avec aux lèvres un sourire idiot qui essayait de dire : « Oui, je sais que j'ai l'air d'un con, mais qu'est-ce que je m'amuse. »

En chemin, j'ai heurté la table d'un groupe de riches clients d'un certain âge, et j'ai renversé leurs verres. Je n'ai rien trouvé de mieux à faire que d'élargir mon sourire inepte et de bredouiller quelques vagues excuses. J'ai donné de petites tapes affectueuses sur l'épaule d'une des dames avec cette familiarité et cette aisance qui s'emparent de moi dès que j'ai bu, puis je me suis servi d'elle comme d'un tremplin pour me propulser vers l'escalier d'où j'ai adressé un sourire d'adieu à la salle. J'étais désormais devenu le centre d'intérêt de l'assemblée. Ensuite je me suis attaqué à la descente en un mouvement ample et fluide. Dire que je suis tombé serait un peu exagéré mais, d'un autre côté, prétendre que j'ai descendu les escaliers d'un pas assuré serait aller un peu loin. On pourrait plutôt décrire ça comme une sorte de surf sur semelles, ce qui à mon sens n'a pas manqué d'impressionner l'assistance. Je dois reconnaître que je réussis souvent mes meilleures cascades quand je suis sous l'effet de la boisson. Je me souviens, il y a bien des années de cela, qu'au cours d'une soirée chez mon ami John Horner je suis tombé à la renverse d'une fenêtre de l'étage et que j'ai rebondi sur mes pieds avec un élan dont on parle encore au sud de Grand Avenue.

Le lendemain, considérablement assagi par une bonne gueule de bois, je suis retourné sur le campus de St. John où j'ai retrouvé ma nièce que j'ai chaleureusement serrée dans mes bras, ce qui a semblé la mettre mal à l'aise, voire au bord de la nausée. Nous sommes allés prendre notre petit déjeuner dans un restaurant branché du centre ville et elle m'a parlé de sa vie à l'université et à Santa Fé. Ensuite elle m'a fait visiter la ville ; la cathédrale Saint-Francis, tout à fait splendide, le palais des gouverneurs, tout à fait rasoir, rien que des documents sur les gouverneurs du territoire, et le fameux escalier de la chapelle de Loretto.

C'est un escalier en bois dont la double spirale s'élève jusqu'à la galerie du chœur. Ce qui est remarquable, c'est qu'il n'est soutenu que par son propre poids et qu'il semble prêt à s'écrouler à tout moment. L'histoire dit que les bonnes sœurs de la chapelle priaient depuis des années pour qu'on leur construise un escalier quand un menuisier anonyme s'est présenté, a construit en six mois cet escalier et est reparti, sans avoir réclamé son salaire, aussi mystérieusement qu'il était arrivé. Pendant cent ans les bonnes sœurs ont tiré tout le profit qu'elles pouvaient de cette histoire et puis, un beau jour, elles ont vendu la chapelle à une société privée qui l'exploite désormais et vous fait payer cinquante cents pour la visite. J'en ai conçu sur-le-champ une sorte d'amertume et ça n'a pas amélioré l'opinion que j'ai des religieuses.

En généralisant un peu — et il est toujours dangereux de généraliser, en général —, on peut dire que les Américains ne respectent le passé que s'il y a un profit à en tirer et à condition qu'il s'accompagne d'air conditionné, de grands parkings et autres commodités essentielles. Préserver le passé en tant que tel n'entre pas beaucoup en ligne de compte. Peu de place est accordée aux sentiments. Si quelqu'un se présente et offre à un groupe de nonnes un paquet de fric pour leur escalier, elles ne s'exclament pas : « Vous n'y pensez pas. Ceci est une relique sacrée, l'œuvre d'un mystérieux envoyé de Jésus, un type très chouette d'ailleurs. » Non. Elles disent : « Combien ? » Et si l'offre est suffisamment intéressante, elles vendent la chapelle pour se construire un nouveau couvent, plus grand, avec parkings, air conditionné et salles de jeux. Je ne suggère pas un instant que ces religieuses aient été pires en l'occurrence que les autres Américains. Elles ont simplement suivi une ligne de conduite typiquement américaine. Ce que je trouve bien triste. Pas étonnant que si peu de chose dure plus d'une génération en Amérique.

J'ai quitté Santa Fé par l'Interstate 40, l'autoroute qui va vers l'ouest. Autrefois il y avait la route nationale 66. Tout le monde aimait la 66. On écrivait même des chansons à sa gloire. Mais elle n'avait que deux voies, ce qui ne pouvait convenir à notre époque spatiale, et encore moins aux propriétaires de motor-homes. Tous les soixante-dix kilomètres, elle traversait une petite ville où l'on risquait de trouver un stop ou un feu rouge, c'était insupportable. On l'a donc enterrée sous le désert et on a construit une super-autoroute à quatre voies qui traverse le paysage comme un rayon laser et qui ne s'arrête devant rien, pas même les montagnes. Et voilà comment disparaît quelque chose de sympathique et agréable, condamné sous prétexte que ce n'est pas rentable, comme les trains de voyageurs, le lait en bouteilles de verre, les épiceries du coin et les panneaux pour la crème à raser Burma Shave. Et c'est en train de gagner la Grande-Bretagne. On supprime tout ce qui est plaisant au nom du rendement, comme si c'était une raison. Les cabines téléphoniques rouges, les billets d'une livre sterling, les bus londoniens à plate-forme ouverte qu'on peut prendre en marche. Il n'y a rien qui vous donne autant de satisfaction et de classe que de prendre un autobus londonien en marche. Mais ce n'est pas rentable. Ces bus demandent deux employés : un à l'avant qui conduit, un à l'arrière qui empêche les loubards de casser la gueule aux messieurs pakistanais. Cela n'est pas économique, donc condamné à disparaître. Et bientôt on verra disparaître les bouteilles de lait qu'on vous livre à domicile et les pubs assoupis de la campagne anglaise. Cette dernière ne sera plus qu'une alternance de centres commerciaux et de parcs d'attractions. Excusez-moi, je ne voulais pas m'énerver. Mais vous êtes en train de détruire mon univers morceau par morceau et parfois ça me flanque les boules. Désolé.

J'allais donc vers l'ouest sur l'autoroute dans un paysage misérable. Les habitations étaient rares. Quand il y avait une ville, ce n'était qu'une succession de caravanes résidentielles abandonnées en bord de route comme si on les avait balancées du haut du ciel. Elles n'avaient ni jardins ni clôtures, rien pour les séparer du désert environnant. Une grande partie des terres a été transformée en réserves indiennes. Tous les trente ou quarante kilomètres, je croisais un auto-stoppeur solitaire, un Indien ou plus souvent un Blanc, seul et chargé de sacs. Jusque-là les auto-stoppeurs avaient été rares mais ici j'en rencontrais beaucoup, les hommes l'air dangereux, les femmes l'air folles. J'étais entré dans la région de l'errance, celle des rêveurs, des laissés-pour-compte, des vagabonds, des fous. Tous partent dans l'ouest des États-Unis. Ils vivent tous avec cette même conviction désespérée : aller sur la côte et faire fortune comme vedette de cinéma, ou musicien de rock, ou champion d'un jeu télévisé, ou quelque chose de ce genre. Si cela ne se passe pas comme ils l'espèrent, il leur reste toujours la ressource de se faire tueurs fous. C'est étrange mais personne ne va jamais vers l'est, personne ne fait de l'auto-stop pour gagner New York dans le fol espoir de devenir expert comptable ou de faire un malheur dans les rachats d'entreprises. Le temps se détériorait. Des rafales de poussière traversaient la chaussée. J'entrais dans la tempête que la météo nous avait annoncée la veille au matin. Près d'Albuquerque, le ciel s'assombrit et une petite pluie glaciale et acérée se mit à tomber en bourrasque. Des buissons d'arbustes secs bondissaient à travers le désert et traversaient la route. La voiture était violemment déportée à chaque rafale de vent.

J'ai toujours été persuadé que les déserts étaient des endroits chauds et secs tout au long de l'année. Eh bien, maintenant, je peux vous affirmer que c'est faux. Je suppose que, comme nous prenions toujours nos vacances en juillet ou en août, cela m'avait donné la conviction que toute l'Amérique, le Middle West excepté, était un pays où il faisait chaud en permanence. Partout où nous allions, l'été était un enfer. Le thermomètre dépassait toujours les trente-cinq degrés. Quand on fermait les vitres on cuisait, si on les ouvrait tout s'envolait : les bandes dessinées, les cartes routières, les vêtements de rechange. Si on portait des shorts, ce qui était notre cas, la peau nue de nos jambes adhérait au siège comme du fromage fondu sur un toast et, quand il fallait se lever, il y avait un bruit d'arrachement et un hurlement de souffrance quand les deux éléments se séparaient. Si, dans notre delirium solaire, on mettait le bras à la portière sur le métal chauffé à vif, on voyait la peau se ratatiner et disparaître, tel un sac de plastique jeté sur une flamme. Cela ne manquait pas de nous laisser sans voix. C'est vraiment une chose étonnante — et curieusement indolore — de voir ainsi une partie de vous-même s'évanouir. On n'arrivait jamais à décider s'il valait mieux hurler en appelant notre maman ou recommencer l'opération dans un esprit de curiosité scientifique. A la fin, généralement, on ne faisait rien. On restait là, sans force, trop écrasé de chaleur pour bouger.

Cela explique donc ma surprise de me retrouver dans des conditions hivernales et dans un paysage aussi froid que sinistre. Les rafales de neige fondue ne faisaient que s'épaissir à mesure que l'autoroute s'élevait et gravissait les pentes des Zuni Mountains. Au-delà de Gallup, cela devint carrément de la neige. Lourde et mouillée elle tombait du ciel comme un nuage de plumes et l'aprèsmidi se mit à prendre des allures nocturnes.

A trente-deux kilomètres de Gallup, je passai en Arizona. Et plus j'avançais dans cet État, plus il devenait évident que j'entrais dans une zone de vraie tempête. La neige en bord de route avait atteint la hauteur des chevilles, puis des genoux. Il était étrange de penser qu'à peine deux heures plus tôt, j'étais en train de me balader à Santa Fé sous un soleil éclatant, en manches de chemise. Maintenant la radio ne parlait plus que de routes fermées et de conditions climatiques épouvantables, de congères en montagne, de pluies torrentielles partout ailleurs. On n'avait pas connu une telle tempête au printemps depuis des lustres, signalait Monsieur Météo avec un plaisir non dissimulé. L'équipe des L.A. Dodgers avait dû annuler son match pour la troisième fois consécutive à cause de la pluie, ce qui n'était encore jamais arrivé depuis qu'ils avaient quitté Brooklyn, voici trente ans. Il n'y avait pas moyen d'éviter cette tempête, alors je décidai de poursuivre ma route jusqu'à Flagstaff, cent soixante kilomètres plus à l'ouest.

« Il y a trente centimètres de neige à Flagstaff et on en prévoit davantage », annonça Monsieur Météo, et j'ai senti à sa voix qu'il en était ravi.

23

Rien ne vous prépare au Grand Canyon. On a beau en avoir lu toutes sortes de descriptions, l'avoir vu mille fois en photo, sa vue vous coupe quand même le souffle. Votre esprit, incapable de traiter une information de cette taille, disjoncte et pendant un très long moment vous n'êtes plus qu'un vide humain, incapable de respirer ou de parler, frappé d'une sorte d'épouvante inexprimable en voyant qu'il existe sur terre quelque chose d'aussi beau, d'aussi vaste, d'aussi silencieux.

Même les enfants se taisent devant ce spectacle. J'étais un gamin particulièrement bavard et agaçant mais le Grand Canyon a réussi à me clouer le bec. Je me souviens, à un contour du chemin, de m'être retrouvé figé sur place, les yeux exorbités, alors que la tirade d'inepties que je m'apprêtais à débiter me redescendait dans la gorge où elle demeura à jamais. J'avais sept ans et je me suis laissé dire que c'était la deuxième fois seulement depuis ma naissance que je m'étais arrêté de parler, exception faite des courts intervalles consacrés à la télévision et au sommeil. La première chose qui avait réussi à me faire taire avait été le spectacle de mon grand-père défunt, étendu dans son cercueil encore ouvert. Je m'y attendais si peu — personne ne m'avait prévenu qu'il serait exposé — que ça m'en avait coupé le souffle. Il était là, tranquille, silencieux, tout poudré et vêtu d'un costume. Je me rappelle surtout qu'il portait des lunettes (à quoi pourraient-elles lui servir là où il allait ?) et qu'elles étaient de guingois. Je pense que ma grand-mère avait dû les heurter au cours d'une dernière étreinte larmoyante et que personne n'avait eu le courage de les remettre en place. Ce fut un choc quand je compris que, pour l'éternité entière, plus jamais il ne rirait devant *I love Lucy*, plus jamais il ne réparerait sa voiture, plus jamais il ne parlerait la bouche pleine, détail qui lui avait valu une grande notoriété dans la famille. C'était terrifiant. Mais pas aussi terrifiant, loin de là, que le Grand Canyon. Et puisque de toute évidence je ne pourrais jamais revivre les funérailles de mon grand-père, le Grand Canyon restait la seule expérience marquante de ma jeunesse que je pouvais espérer recréer, moment que j'attendais donc avec impatience depuis des jours. J'avais passé la nuit à Winslow en Arizona, cent kilomètres avant Flagstaff dont les accès étaient devenus impraticables. Dans la soirée la neige ne tombait plus qu'en légers flocons dispersés et le lendemain matin il ne neigeait plus du tout. Cependant le ciel restait sombre et menaçant. C'est dans un paysage blanc de neige que j'ai poursuivi ma route vers le Grand Canyon. On avait peine à imaginer que c'était la fin du mois d'avril. Des bandes de brume et de brouillard tourbillonnaient sur la chaussée. Je ne voyais autour de moi et devant moi que la lueur diffuse des phares d'autos qui me croisaient. Le temps que j'arrive au Parc national du Grand Canyon et que je paie le droit d'entrée, la neige s'était remise à tomber en gros flocons lourds si épais que leurs silhouettes faisaient des taches d'ombre. La route qui traverse le parc suit l'escarpement sud du Canyon pendant cinquante kilomètres. Deux ou trois fois je me suis arrêté sur les aires de stationnement et je me suis approché du bord pour scruter, plein d'espoir, la mélasse silencieuse en contrebas, sachant que le Canyon se trouvait là juste sous mon nez, mais je ne voyais rien. Le brouillard recouvrait tout — il se nouait aux arbres, traînait sur les bords de route, montait en volutes de vapeur du trottoir. Il était si épais qu'on avait l'impression de pouvoir le trouer d'un coup de pied. J'ai continué ma route, tout maussade, jusqu'au village du Parc national où se trouvent le centre d'accueil touristique, un hôtel rustique et quelques bâtiments administratifs. Un grand nombre de bus touristiques et de camping-cars stationnaient sur les parkings et les gens traînaient dans les halls d'entrée ou avançaient prudemment dans la neige fondue d'un bâtiment à l'autre. Je suis allé à l'hôtel prendre un café d'un prix exorbitant. Je me sentais transi et démoralisé. Je m'étais tellement réjoui de cette visite au Grand Canyon. Je suis resté assis près de la fenêtre à regarder la neige s'amonceler.

Après cela, je suis allé, le pas lourd, au centre d'informations, à quelque deux cents mètres de distance, mais en route j'ai remarqué un panneau couvert de neige qui annonçait un poste d'observation situé à un kilomètre sur un chemin à travers bois. Et sans réfléchir davantage, j'ai décidé de l'emprunter, surtout pour respirer un peu. Le sentier était glissant et il m'a fallu du temps pour avancer mais en route la neige s'est arrêtée de tomber et l'air est devenu frais et léger. J'ai fini par atteindre une plate-forme de rochers qui marquait le bord du Canyon. Aucune barrière ne vous sépare de la falaise, aussi je me suis approché à pas prudents pour jeter un coup d'œil vers le bas où l'on ne voyait qu'une soupe grise. Un couple d'un certain âge m'a rejoint et, tandis que nous échangions des remarques sur le côté décevant de l'aventure, un miracle s'est produit : le brouillard s'est levé. Il s'est retiré silencieusement comme se lève un rideau de théâtre et brusquement nous nous sommes rendu compte que nous nous trouvions au bord d'un gouffre abrupt et vertigineux, tombant à pic sur au moins trois cents mètres. « Mon Dieu ! » nous sommes-nous écriés en reculant d'un bond. Et tout le long du Canyon l'exclamation s'est répétée : « Mon Dieu ! », comme si on se relayait un message. Et puis pendant un long moment, il n'y a eu que le silence, avec seulement le bruissement imperceptible de la neige, car devant nous s'offrait le spectacle le plus impressionnant de la terre, un spectacle qui commande le silence.

L'échelle du Grand Canyon défie l'imagination. Il a seize kilomètres de largeur, mille six cents mètres de profondeur et s'allonge sur deux cent quatre-vingts kilomètres. On pourrait y loger l'Empire State Building et on le dépasserait encore de milliers de pieds. A vrai dire on pourrait y mettre tout Manhattan et on serait encore si haut que les bus seraient de la taille d'une fourmi, les humains invisibles et le silence absolu. Ce qui vous frappe, ce qui frappe tout le monde, c'est ce silence. Le Grand Canyon avale les bruits, purement et simplement. Ce sentiment de vide et d'immensité est écrasant. Rien ne s'y passe. Au fond du canyon, loin, loin tout en bas, coule le responsable de cette sculpture : le Colorado. La rivière a cent mètres de large mais vue du bord de la falaise elle semble étriquée et insignifiante, pas plus importante qu'un vieux lacet. Ce gouffre puissant réduit tout à des dimensions lilliputiennes. Et puis, aussi vite et aussi silencieusement qu'il s'était levé, le brouillard est retombé à nouveau et le Grand Canyon est retourné à son mystère. Je ne l'avais pas vu plus de vingt ou trente secondes mais enfin je l'avais vu. A moitié satisfait, j'ai fait demi-tour pour regagner ma voiture, prêt à poursuivre ma route. Chemin faisant, j'ai croisé un couple de jeunes gens qui se dirigeaient vers la falaise. Ils m'ont demandé si j'avais eu la chance de voir quelque chose et je leur ai expliqué comment le brouillard s'était levé un court moment. Cela a semblé les anéantir. Ils m'ont dit qu'ils étaient venus spécialement d'Ontario en voyage de noces pour réaliser leur rêve : voir le Grand Canyon. Depuis une semaine, trois fois par jour, ils enfilaient leurs bottes de neige et leurs tenues d'hiver achetées tout exprès pour leur lune de miel et ils venaient main dans la main au bord du Canyon. Mais, jusque-là, tout ce qu'ils avaient vu c'était un mur de brouillard inébranlable.

« En tout cas, leur ai-je dit pour leur remonter le moral, je suis sûr que vous vous êtes bien rattrapés question galipettes. » Non, je n'ai pas dit ça. Même *moi*, je n'oserais pas dire ça. Je leur ai simplement murmuré quelques paroles de sympathie, dit que c'était dommage pour le temps et je leur ai souhaité bonne chance. J'ai continué jusqu'à ma voiture en pensant à ces infortunés jeunes mariés. Comme mon père le répétait souvent : « Tu vois, fiston, on trouve toujours plus malheureux que soi. »

A quoi je répondais en pensée : « Ça me fait une belle jambe. »

Je suis reparti vers le nord par l'autoroute 89 en direction de l'Utah. A la radio il n'était question que du mauvais temps dans les Rocheuses et dans la Sierra Nevada, de routes fermées à la suite d'éboulements de rochers ou de lourdes chutes de neige, mais là où je me trouvais, dans le nord de l'Arizona, il n'y avait pas trace de neige du tout. A quinze kilomètres du Grand Canyon elle avait disparu et quelques kilomètres plus loin c'était le printemps, il faisait beau. Le soleil était chaud et j'ai baissé un peu ma vitre.

Je roulais, je roulais — c'est ce qu'on fait dans l'Ouest : on roule, on roule, on roule. On passe d'une ville isolée à une autre en se traînant dans un paysage digne de la planète Neptune. Pendant de longues heures vides, votre seul but dans la vie est d'atteindre un bled comme Goulet Aride ou Cactus City. Vous êtes assis à regarder la route qui défile indéfiniment avec un compteur kilométrique qui tourne au rythme des siècles, et une seule pensée vous fait vivre : arriver à Goulet Aride dans l'espoir d'y trouver par miracle un MacDonald ou au moins un café. Et quand, enfin, vous atteignez Goulet Aride, vous constatez qu'il n'y a que deux pompes à essence et une vieille Indienne avec son étalage de camelote artisanale. Et vous comprenez qu'il va falloir reprendre tout le processus avec, comme destination, un endroit impossible et complètement isolé, affublé d'un nom hautement démoralisant, genre Marasme, Coma, Cyclone ou Trou Noir.

Les distances défient l'entendement. Il y a souvent cinquante kilomètres entre deux maisons et cent cinquante kilomètres entre deux villes. Qu'est-ce qui peut bien inciter les gens à venir habiter un endroit où il faut faire cent vingt kilomètres pour acheter une paire de chaussures — et encore elles ont l'air de sortir d'un magasin de pompes funèbres.

La réponse à ma question est bien sûr que peu de gens choisissent de venir habiter par là. Il y a les Indiens, naturellement, mais on ne leur a guère demandé leur avis. J'étais en train de traverser la plus grande réserve indienne d'Amérique, une réserve Navajo qui s'étend sur deux cent quarante kilomètres du nord au sud et sur trois cent vingt kilomètres d'est en ouest. La plupart des rares voitures qui circulaient étaient conduites par des Indiens. C'était presque toujours de grosses voitures de Detroit, d'anciens modèles dans un état lamentable, auxquelles manquaient tous les accessoires, avec au moins une portière dépareillée et des pièces vitales qui pendouillaient sous la carrosserie en raclant la chaussée et en produisant des étincelles avec beaucoup de fumée. Ces voitures semblent ne jamais pouvoir atteindre le soixante à l'heure, mais elles sont pourtant très difficiles à doubler à cause de leur tendance à dériver sur la chaussée. De temps à autre elles partaient vers la droite, arrachant parfois une poignée de sable au désert, et je les dépassais comme une flèche. Et c'était toujours le même spectacle, une voiture bourrée à craquer d'Indiens, hommes et garçons, avec un chauffeur soûl comme c'est pas pensable, un sourire de rêve érotique sur les lèvres, le sourire d'un homme à la limite de l'inconscience mais prenant son pied quand même.

303

A Page (Arizona), pays du barrage de Glen Canyon, je suis passé en Utah et presque aussitôt le paysage s'est amélioré. Les collines se sont teintées de violet et de pourpre tandis que le désert rosissait. Après quelques kilomètres, le tapis de sauge s'est épaissi et les collines ont pris des nuances plus sombres et un relief plus aigu. Tout cela avait un air étrangement familier. Après avoir consulté mon guide *Mobil*, j'ai découvert que c'était l'endroit où étaient tournés tous les westerns d'Hollywood. Plus de cent compagnies de films et de télévision ont utilisé Kanab, à quelques kilomètres de là, comme centre de tournage.

J'en étais tout excité et, arrivé à Kanab, je me suis arrêté pour aller prendre un café et essayer d'en apprendre davantage. Une voix venue de l'arrière-salle m'a dit de patienter une minute et j'en ai profité pour jeter un coup d'œil à la carte affichée au mur. C'était des plus bizarre. Le menu annonçait des plats dont je n'avais jamais entendu parler : bûches aux pommes de terre (petite, moyenne et familiale), bâtonnets de fromage pour 89 cents, pizza en pochette pour 1 dollar 39, Oreo shakes (1 dollar 25). Le plat du jour était une bûche de huit onces avec petit pain et salade de chou pour 7 dollars 49. J'ai décidé de me contenter d'un café. Au bout d'un moment, la femme qui tenait l'établissement est sortie en s'essuyant les mains sur une serviette. Elle m'a cité des titres de films qui avaient été tournés dans le coin : *Duel à El Diablo, Butch Cassidy et le Kid, Mon Amie Flicka, Le Cavalier solitaire* et certains films de Clint Eastwood. Je lui ai demandé si des acteurs connus étaient dejà venus manger ses bûches de pommes de terre ou ses bâtonnets au fromage. Elle a tristement secoué la tête en me disant que non. Curieusement cela ne m'a pas tellement étonné.

Je passai la nuit à Cedar City puis je continuai le lendemain matin jusqu'au Parc national de Bryce Canyon. Il était invisible pour cause de brouillard et de neige.

D'humeur boudeuse, je passai au Parc national de Zion où brutalement c'était l'été. C'est très étrange quand on pense que ces deux parcs sont seulement à soixante kilomètres de distance. Pourtant, question climat, ils semblent situés sur deux continents différents. Même si je vivais mille ans, je n'arriverais jamais à comprendre le climat de l'Ouest.

Zion est d'une beauté incroyable. Alors qu'au Grand Canyon vous êtes en haut et vous regardez vers le bas, à Zion vous êtes en bas et vous regardez vers le haut. Ce n'est qu'un long canyon verdoyant, densément planté de peupliers qui tapissent le sol de la vallée, encastré entre deux murs de roches rouge cuivré qui s'élèvent comme des tours, le genre de vallée sombre et menaçante qu'on s'attend à trouver dans des histoires où l'on recherche une cité de l'or disparue. Çà et là, de longues cascades élancées jaillissent de la paroi et tombent en chutes de trois cents mètres dans la vallée où elles s'assemblent en petits bassins avant de rejoindre les eaux tourbillonnantes de la rivière Virgin. A l'extrémité de la vallée, les parois se resserrent pour ne laisser que quelques mètres d'ouverture. Dans cette ombre humide, des plantes poussent entre les fissures des rochers, donnant à l'ensemble un air de jardin suspendu. C'est très pittoresque et exotique.

Les murs mêmes de ces parois semblent prêts à tout moment à libérer une pluie de roches, et effectivement c'est ce qui arrive parfois. A mi-parcours du sentier, la petite rivière est brutalement recouverte d'un tas de pierres dont certaines atteignent la taille d'une maison. Un panneau précise que, le 16 juillet 1981, quinze mille tonnes de rochers sont tombées après une chute de trois cents mètres dans le lit de la rivière, juste à cet endroit. On ne précisait pas s'il y avait quelques corps écrabouillés par là-dessous. Mais à mon avis c'était le cas. Alors que nous étions seulement en avril, il y avait déjà une foule de gens sur le sentier. J'imagine qu'en juillet les touristes se comptent par centaines. Au minimum deux d'entre eux ont dû se faire piéger quand les rochers ont dévalé la pente car il n'y a aucune issue possible.

J'en étais là de ces réflexions mélancoliques quand j'ai pris conscience d'un ronronnement vaguement agaçant à mes côtés. C'était un homme avec une caméra vidéo en train de filmer les rochers. Il avait un de ces premiers modèles primitifs, de ceux qui exigent qu'on s'entoure le corps de toute une série de batteries et d'un bric-à-brac d'accessoires, et la caméra elle-même était monstrueuse. On doit avoir l'impression de partir en vacances avec son aspirateur. En tout cas, c'était bien sa faute. La première règle du consommateur, d'après moi, est de ne jamais acheter quelque chose que vos enfants ne pourront pas porter. Le type avait l'air épuisé, mais ayant dépensé des fortunes pour s'acheter cette caméra, il était bien décidé à filmer tout ce qui lui passait sous les yeux, même au risque de se coller une hernie — auquel cas, bien sûr, il demanderait à sa femme de filmer son opération.

Je n'ai jamais compris ces gens qui se précipitent acheter le dernier gadget alors qu'ils savent parfaitement qu'ils auront l'air de parfaits crétins quand, un an plus tard, les fabricants sortiront le même modèle, miniaturisé et à moitié prix. Comme ces gens qui ont payé deux mille francs les premières calculatrices de poche pour constater un mois plus tard qu'on les distribuait gratuitement aux postes à essence. Ou ces gens qui ont acheté les premiers postes de télévision en couleurs.

Un de nos voisins, M. Sheitelbaum, a acheté un poste de télévision en couleurs en 1958, à l'époque où il n'y avait en moyenne que deux programmes en couleurs par mois. Quand c'était l'heure de l'émission, nous nous mettions à sa fenêtre et c'était toujours la même chose : des gens aux visages orange et dont les vêtements n'arrêtaient pas de changer de teintes. M. Sheitelbaum passait son temps à se relever pour tripoter tous les petits boutons dont l'appareil était équipé, encouragé de la voix par sa femme de l'autre côté de la pièce.

Pendant quelques instants, la couleur restait acceptable. Disons que, sans être tout à fait exacte, elle n'était pas trop dérangeante. Et puis, au moment où M. Sheitelbaum remettait les fesses sur le canapé, tout se déglinguait et on voyait des chevaux verts et des nuages rouges, et il repartait vers les boutons de réglage. C'était sans espoir. Mais, ayant investi des sommes folles dans cet engin, Sheitelbaum ne s'avouait jamais vaincu. Et pendant quinze ans, chaque fois qu'on passait devant les fenêtres de son salon, on pouvait le voir manipuler les réglages en marmonnant.

En fin d'après-midi je suis parti pour St. George, petite ville près de la frontière de l'État. J'ai pris une chambre au motel Oasis et suis allé manger au café Chez Dick. Après cela j'ai fait une petite promenade. Dans St. George régnait une ambiance agréable de petite ville ancienne bien que la plupart des bâtiments fussent nouveaux, sauf le Gaiety Cinema (toutes les places à deux dollars) et le Dixie Drugstore, juste à côté. Le drugstore était fermé mais je suis resté frappé de stupeur en apercevant à l'intérieur le comptoir du bar, une authentique soda-fountain avec revêtement de marbre, tabourets pivotants et pailles emballées dans des petits sachets de papier, de ceux qu'on déchire et dans lesquels on souffle pour les envoyer voltiger au rayon des cosmétiques. Ça m'a achevé. C'était probablement un des derniers véritables bars avec soda-fountain de tous les États-Unis et le drugstore était fermé. J'aurais bien donné mon dernier dollar pour avoir le plaisir d'entrer y commander un Green River ou une glace au chocolat, de pouvoir envoyer en l'air quelques emballages en papier et de défier mon voisin dans un concours de tourniquets sur tabourets. Personnellement, mon meilleur score est de quatre tours complets. Je sais que ça n'a l'air de rien mais c'est beaucoup plus difficile qu'on ne le croit. Un jour, Bobby Wintermeyer a réussi à faire cinq tours mais tout de suite après il a vomi. C'est un sport assez risqué, croyez-moi.

A l'angle de la rue il y avait une église mormone en brique — ou un temple ou un tabernacle, je ne sais pas ce qu'ils disent — portant une date : 1871. Elle semblait assez vaste pour contenir la ville tout entière et effectivement je crois que c'était le cas puisque en Utah tout le monde sans exception est mormon. Au début ça paraît inquiétant et puis on se rend compte qu'au moins l'Utah est le seul coin de la planète où des jeunes gens ne risquent pas de sonner à votre porte pour essayer de vous convertir. Car tout le monde suppose que vous êtes déjà mormon. Et pourvu que vous gardiez des cheveux raisonnablement courts et que vous évitiez de dire « Oh, merde » en cas d'ennuis, vous pouvez espérer échapper aux recherches pendant des années. On se sent un peu comme Kevin McCarthy dans *L'Invasion des profanateurs de sépultures* et, curieusement, c'est assez rassurant.

Au-delà de l'église mormone, les choses prenaient un aspect nettement résidentiel. Tout était vert et bien lavé après les pluies récentes. La ville sentait le printemps, le lilas et l'herbe fraîchement coupée. La nuit s'approchait doucement. C'était ce moment détendu de la journée où, ayant terminé le repas du soir, les gens bricolent gentiment dans le jardin ou dans le garage, ne faisant pas grand-chose pour se préparer à en faire encore moins d'ici peu.

Les rues étaient les plus larges que j'aie jamais vues dans n'importe quel quartier résidentiel. On peut dire que les mormons aiment les rues larges, je ne sais pas pourquoi d'ailleurs. Des rues larges et des tas de femmes à baiser, voilà les fondements de la religion mormone. Quand Brigham Young a fondé Salt Lake City, un de ses premiers actes politiques a été de décréter que les avenues auraient au moins trente mètres de large. Il a dû passer la consigne aux gens de St. George (Young connaissait bien cette ville où il avait sa résidence d'été) et si la municipalité de St. George s'était avisée de prendre des libertés avec la largeur des rues, Brigham Young n'aurait pas manqué de la rappeler à l'ordre sur-le-champ.

24

Et voici une devinette : Quelle est la différence entre le Nevada et un cabinet ? Réponse : au cabinet, on peut tirer la chasse. Le Nevada possède les taux de criminalité, de viol et de mortalité routière les plus élevés de tous les États-Unis. Pour les assassinats, il vient tout juste après New York qui lui ravit de peu la première place. Et pour la gonorrhée, il se situe en deuxième position juste derrière l'Alaska qui remporte le trophée. Cet État a la plus forte proportion de population non autochtone — 80 pour 100 de ses résidents sont nés ailleurs — et il compte plus de prostituées que les autres États. Il a un lourd passé d'histoires de corruption et de crimes organisés. Et sa vedette la plus populaire est Wayne Newton. Cela vous explique pourquoi j'ai franchi avec une certaine nervosité la frontière de l'État.

Mais dès mon arrivée à Las Vegas, mon malaise disparut. J'étais ébloui. Comment ne pas l'être ? C'était la fin de l'après-midi, le soleil était bas sur l'horizon, le thermomètre marquait dans les trente degrés et le Strip était déjà envahi d'heureux vacanciers tout beaux et tout propres, les poches visiblement bourrées de billets de banque, qui déambulaient devant des casinos de la taille d'un terminal d'aéroport. Tout cela paraissait bon enfant et, curieusement, très sain. Je m'étais attendu à ne voir que des putes et des piliers de casinos, des gens en Cadillac modèle extra-long, de ces gens qui ont des chaussures en cuir blanc et qui portent leur veston négligemment jeté sur les épaules. Mais en fait il s'agissait de gens ordinaires, des gens comme vous et moi, plutôt du genre polyester et velcro.

J'ai pris une chambre dans un motel tout au bout du Strip, là où c'est moins cher. Je me suis douché à profusion, je me suis activé dans une vraie tempête de poudre de talc, j'ai endossé mon T-shirt le plus propre et je suis ressorti aussitôt, la peau brûlante de propreté et l'esprit agité d'une joie d'enfant. Après des journées passées au volant dans le désert, un peu de stimulation est juste ce qu'il vous faut. Et à Las Vegas ce n'est pas ce qui manque. Maintenant c'était l'heure où, dans l'air sec et brûlant de l'avant-soirée, les lumières des casinos s'allumaient, des millions et des millions de lumières, en une éruption vertigineuse de couleurs agressives et de mouvement, des murs de lumières clignotantes, éblouissantes, cascadantes, explosantes, rivalisant entre elles pour attirer mon attention et l'argent de mon portefeuille. Je n'avais jamais vu un tel spectacle. C'était un orgasme oculaire, une hallucination en trois dimensions, le pied pour un électricien. C'était exactement ce que j'avais anticipé mais multiplié par dix.

Les noms des hôtels étaient curieusement familiers : Caesar's Palace, Dunes, Sands, Desert Inn. Ce qui m'a le plus surpris, ce qui surprend la plupart des gens d'ailleurs, c'est le nombre important d'espaces vides. Çà et là, parmi ces monolithes palpitants, on tombe sur des demi-hectares de désert silencieux, de petites enclaves de calme sombre qui attendent d'être exploitées. Quand on est passé dans un ou deux casinos et qu'on a vu la quantité de pièces qu'on y déverse — un vrai chargement de graviers tombant de la benne d'un camion — on a peine

310

à croire qu'il puisse rester suffisamment d'argent liquide dans l'univers pour alimenter d'autres casinos. Et pourtant on en construit de nouveaux en permanence. La rapacité humaine est quasiment insatiable, la mienne y compris.

Je suis entré au Caesar's Palace. Il est situé en retrait de la rue mais j'y fus transporté par un trottoir roulant, ce qui n'a pas manqué de m'impressionner quelque peu. A l'intérieur on se sent pris dans une chape d'irréalité. Le décor est supposé représenter un temple romain ou quelque chose comme ça. Il y a des statues de gladiateurs et de sénateurs romains dans tous les coins et les demoiselles qui vendent les cigarettes ou qui font de la monnaie portent toutes des toges riquiqui, même lorsqu'elles sont grosses et vieilles, ce qui est le cas pour la majorité d'entre elles, de sorte qu'on voit leurs cuisses trembloter à chaque pas. On dirait un peu des flans à la gélatine en mouvement. Je me suis promené dans des salles pleines de gens farouchement déterminés à perdre de l'argent, des gens qui introduisaient indéfiniment et obstinément des pièces dans les machines à sous, des gens qui fixaient du regard la danse bruyante d'une bille de roulette, des gens engagés dans une partie de blackjack qui semblait n'avoir ni début ni fin mais devoir continuer pour l'éternité, comme le temps lui-même. Il se dégageait de tout cela une impression de monotonie mais aussi d'angoisse. Rien ne suggérait le moindre plaisir ou le moindre amusement. Les gens ne se parlaient pas, sauf pour commander un verre ou changer de l'argent. Entre le cliquetis des machines à sous, la rotation de milliers de roues, le fracas des pièces libérées par un gagnant, le bruit vous assourdissait. Une de ces dames gélatineuses est passée près de moi et je lui ai demandé pour dix dollars de monnaie. J'ai mis une pièce dans la machine à sous — je n'avais jamais fait une chose pareille de ma vie, je suis de l'Iowa —, j'ai abaissé le levier, j'ai regardé les cylindres tournoyer et se mettre en place un à un. Puis, après une petite pause, la machine a craché six pièces de vingt-cinq cents dans le bac du bas : j'étais accroché. J'ai réintroduit d'autres pièces. Parfois je perdais, et alors je remettais d'autres pièces. Parfois la machine me recrachait quelques quarters et je les remettais aussitôt dans la fente. Après cinq minutes je n'avais plus une seule pièce. J'ai arrêté une de ces virginales vestales aux hanches généreuses et je lui en ai repris pour dix dollars. Cette fois-là, j'ai gagné douze dollars d'un seul coup en petite monnaie. Ça a fait un boucan du diable. J'ai regardé tout fiérot les gens autour de moi mais personne ne m'a prêté attention. Puis j'ai encore gagné cinq dollars. « Pas mal du tout », me suis-je dit. J'ai mis tous les sous dans un petit seau en plastique au nom du Caesar's Palace. Il semblait y avoir une sacrée quantité de pièces qui me fixaient en scintillant mais vingt minutes après le seau était vide. Je suis allé chercher dix dollars de monnaie que j'ai recommencé à injecter dans la machine. J'en ai gagné, j'en ai perdu. Je commençais à me rendre compte qu'il y avait une sorte de structure derrière tout ça. Pour quatre pièces que j'introduisais, j'en récupérais généralement trois, parfois d'un seul coup, parfois au compte-gouttes. Je commençais à avoir mal au bras droit. Vraiment c'était barbant : et que j'actionne le levier et que je regarde les petits cylindres tourner, plonk, plonk, plonk, et tourner encore, plonk, plonk, plonk. Avec mon dernier quarter, j'ai gagné trois dollars, ce qui m'a plutôt ennuyé car j'avais espéré pouvoir partir dîner et voilà que j'avais ces sacrées pièces à liquider à nouveau. Je les ai consciencieusement engagées dans la machine, ce qui m'a valu une nouvelle poignée de pièces. Ça devenait vraiment pénible. Finalement au bout d'une demi-heure j'ai réussi à me défaire de mon dernier quarter et j'ai pu partir à la recherche d'un restaurant.

En me dirigeant vers la sortie, j'ai entendu un grand bruit sortant d'une de ces machines : une femme venait juste de gagner six cents dollars que la machine mit bien une minute et demie à déverser en une vraie cascade argentée. Quand le dernier quarter fut tombé, la dame a contemplé le tas sans la moindre trace de satisfaction et elle a commencé à réintroduire les pièces dans la fente de la machine. Elle m'a fait pitié. Il allait bien lui falloir la nuit entière pour se débarrasser d'un tel paquet de fric.

Je passais de salle en salle dans l'espoir de trouver la sortie mais on avait manifestement planifié l'endroit pour vous désorienter complètement. Il n'y avait ni fenêtre ni indication de sortie, seulement des salles sans fin, avec des lumières tamisées, couvertes de ce genre de moquette qui vous laisse imaginer un directeur aboyant au téléphone : « Et vous me mettrez deux mille mètres de ce que vous avez de plus laid. » On aurait dit un canevas de vomissures. J'ai continué ma promenade pendant des éternités sans savoir si je m'approchais ou m'éloignais d'une sortie. J'ai ainsi traversé un petit centre commercial, des restaurants, un buffet, des cabarets, des bars obscurs et silencieux où des gens faisaient la tête, des bars avec des orchestres et des fantaisistes extraordinairement dépourvus de talent (« Et pendant que vous y êtes, mettez-moi quelques fantaisistes extraordinairement dépourvus de talent »). Dans une des salles, les murs étaient couverts d'écrans TV géants qui retransmettaient des événements sportifs en direct : du base-ball de première division, du basket-ball, des matches de boxe, une course hippique, un plein mur d'athlètes qui s'éreintaient en silence au bénéfice du seul spectateur présent dans la pièce, et il était endormi.

Je n'ai pas compté les salles de jeux mais je peux vous affirmer qu'il y en a beaucoup. On a parfois de la peine à discerner si c'est une nouvelle pièce ou bien une ancienne, vue sous un angle différent. Et dans chacune c'est le même spectacle : de longues rangées de gens qui tristement et mécaniquement perdent leur argent. Ils sont hypnotisés. Personne ne semble se rendre compte que tout joue contre soi, que ce n'est qu'une vaste escroquerie. Certains casinos arrivent à faire cent millions de dollars de bénéfices par an — à peu près le chiffre d'une multinationale — et tout ce qu'ils ont à faire c'est ouvrir leurs portes. Gérer un casino n'exige aucune aptitude, aucune intelligence, aucune classe. J'ai lu dans *Newsweek* que le propriétaire du Horseshoe Casino ne savait ni lire ni écrire. Incroyable, non ? Voilà qui vous donne une idée du niveau intellectuel qu'il vous faut pour réussir à Las Vegas. Tout à coup je me suis mis à détester cet endroit. Je m'en voulais de m'être laissé prendre au piège de tout ce bruit et de tout ce clinquant, d'avoir perdu trente dollars aussi rapidement et aussi bêtement. Avec une somme pareille, j'aurais pu m'acheter une casquette de base-ball avec une crotte en plastique sur la visière et en plus j'aurais pu me payer un cendrier en forme de cabinet avec l'inscription : « Un trou à ne pas manquer — Souvenir de Las Vegas, Nevada. » Ça m'a complètement déprimé.

Je suis allé manger au buffet du Caesar's Palace en espérant qu'un peu de nourriture améliorerait mon humeur. Le buffet coûtait huit dollars, mais pour ce prix on pouvait se servir à volonté et j'en ai pris des platées énormes, bien déterminé à récupérer une partie de mes pertes. En conséquence mon assiette s'est couverte d'un mélange de nourriture, jus de viande, sauce pour barbecue et mayonnaise, une sorte de magma visqueux et sans goût. Mais j'ai tout enfourné et je me suis même offert pour dessert une double ration de magma chocolaté. Et alors là, je me suis senti très mal. C'était comme si j'avais avalé un rouleau de laine de verre. Soutenant à deux mains mon abdomen dilaté, j'ai trouvé une sortie. Plus de trottoir roulant pour me ramener au niveau de la rue — Las Vegas n'a pitié ni des perdants ni des dégonflés. J'ai donc dû m'imposer une longue marche en zigzag jusqu'aux réverbères du Strip. L'air frais m'a un peu soulagé mais vraiment très peu. Je me suis faufilé dans la foule qui encombrait le Strip, avec l'allure d'un homme qui essaierait, très mal, d'imiter Quasimodo, et je suis entré dans deux autres casinos en espérant qu'ils réactiveraient ma rapacité naturelle et me feraient oublier ma panse gonflée. Mais ils étaient pratiquement identiques au Caesar's Palace, c'était le même bruit, les mêmes abrutis en train de perdre leur fric, les mêmes tapis hideux. Tout cela n'a fait que me donner mal à la tête et au bout d'un moment j'ai abandonné. En me traînant pesamment, je suis retourné à mon motel où je me suis écroulé sur le lit. J'ai regardé la télévision, figé dans cette immobilité vitreuse qui s'empare de vous quand votre estomac est surchargé, qu'il n'y a pas de télécommande et que vous n'arrivez pas tout à fait à toucher les boutons avec votre gros orteil.

Donc j'ai regardé les informations locales à la télé. En gros, il s'agissait surtout d'un résumé des assassinats du jour à Las Vegas, accompagné d'un reportage filmé sur les différents lieux du crime. C'était toujours la même chose : une maison avec la porte d'entrée ouverte, des policiers qui traînent un peu partout, un groupe de gamins du voisinage qui saluent joyeusement la caméra et qui font coucou à leur maman. Entre chaque reportage, le présentateur et la présentatrice échangeaient quelques saillies dépourvues d'humour et enchaînaient sur un ton jovial avec une information du genre : « Une mère de famille et ses trois enfants ont été assassinés à coups de hache par un déséquilibré, aujourd'hui à Boulder City. Dans quelques instants la suite de notre reportage en images. » Alors venaient de longues minutes de publicité, généralement consacrées à l'amélioration de votre transit intestinal, suivies de documents filmés sur les assassinats régionaux, les maisons qui brûlent, les petits avions qui s'écrasent, les grands carambolages sur l'autoroute voisine et autres carnages locaux en tout genre. L'ensemble était illustré d'images de carcasses enchevêtrées, de ruines fumantes, de corps sous des couvertures, avec toujours en arrière-plan ces gamins qui saluaient la caméra et qui faisaient coucou à leur maman. C'est peut-être un effet de mon imagination mais je pourrais presque jurer qu'il s'agissait chaque fois du même groupe d'enfants. Sans doute la violence a-t-elle engendré aux États-Unis un être nouveau : le spectateur psychopathe.

Pour terminer, on nous a offert une édition spéciale sur un individu qui attendait d'une minute à l'autre sa libération après avoir passé dix ans en prison. Il avait violé une jeune femme et, pour d'obscures raisons de satisfaction personnelle, il lui avait scié les bras au niveau des coudes. Sans plaisanter. C'était tellement horrible, même pour des gens aussi endurcis que les habitants du Nevada, qu'une foule en colère devait aller l'attendre à sa sortie, vers six heures du matin le jour suivant, et le reporter se faisait un plaisir de vous donner tous les détails nécessaires pour que vous puissiez vous joindre à eux. La police — ajoutait la journaliste avec un soupçon de satisfaction — ne pouvait absolument pas garantir la sécurité de l'homme. La dernière image nous la montrait parlant aux caméras devant les portes de la prison tandis que sur les côtés des petits gamins sautillaient en faisant coucou à leur maman. C'était plus que je n'en pouvais supporter. Je me suis levé péniblement et je suis passé sur la chaîne qui programmait *Mr. Ed.* Au moins on sait à quoi s'attendre avec *Mr. Ed.*

Le lendemain matin, j'ai pris l'Interstate 15 au sud de Las Vegas, une longue autoroute toute droite à travers le désert. C'est la route principale pour Los Angeles, à quatre cent trente kilomètres de là, et c'est un peu comme conduire sur la plaque chauffante d'une cuisinière. Une heure plus tard, je passais dans l'État de Californie dans un paysage scintillant de terres décolorées et de buissons comme passés à la créosote, un endroit qu'on appelle la Cour du Diable. Le soleil était aveuglant. Dans le lointain, les Soda Mountains vacillaient et les voitures qui venaient à ma rencontre paraissaient être des boules de feu, si intense était leur réflexion. Sur la route, devant moi, tremblait en permanence la nappe graisseuse d'un mirage qui disparaissait à mon approche pour réapparaître plus loin. Sur le bas-côté, parfois dans le désert même, on trouvait des voitures abandonnées qui n'avaient pu arriver jusqu'au bout de leur voyage. Certaines semblaient être là depuis longtemps. Quel endroit horrible pour une panne ! En été c'est un des points les plus chauds du globe. Juste à droite, au-delà des montagnes arides des Avawatz, il y a la Vallée de la Mort, où l'on a enregistré en 1913 la plus haute température jamais atteinte aux USA, 57 degrés (le record appartient à la Libye où on a relevé en 1922 une température qui n'a qu'un degré de plus). Et encore, c'est la température à l'ombre. Un thermomètre placé sur le sol en plein soleil a dépassé les cent degrés. Nous n'étions qu'en avril et la température approchait des trente degrés, ce qui était déjà très inconfortable. On avait de la peine à imaginer une température encore plus élevée de vingt degrés. Et pourtant des gens vivent dans cette région, dans d'affreuses petites villes comme Baker et Barstow, où la température dépasse les trente degrés pendant cent jours de suite et où il peut se passer dix ans sans une goutte de pluie. J'ai accéléré, pressé de retrouver la fraîcheur de l'eau claire et la verdure des collines.

Ce qu'il y a d'agréable en Californie, c'est qu'il ne faut jamais aller bien loin pour trouver un changement radical. Sa géographie est des plus bizarres. Dans la Vallée de la Mort, vous trouvez le point le plus bas des États-Unis : quatre-vingt-six mètres au-dessous du niveau de la mer, et pratiquement à côté d'elle se trouve le point le plus haut (Alaska mis à part), le mont Whitney à 4 830 mètres. On pourrait, si on en avait envie, faire frire un œuf sur la carrosserie de la voiture dans la Vallée de la Mort et, cinquante kilomètres plus loin, passer dans les montagnes pour le surgeler dans un tas de neige. J'avais eu l'intention de traverser la Sierra Nevada en empruntant la Vallée de la Mort (et en m'interrompant pour faire quelques expériences avec les œufs) mais la dame de la météo m'ayant informé que les routes étaient coupées à cause du mauvais temps de ces derniers jours, j'ai dû faire un long et pénible détour par la vieille route 58, à travers le désert Mojave. Cela me fit passer devant la

317

base aérienne d'Edwards qui s'étend sur plus de soixante kilomètres le long de la nationale derrière un cordon de chaîne apparemment sans fin. C'est à Edwards que les navettes spatiales atterrissaient autrefois et c'est là que Chuck Yeager a franchi le mur du son. Ce n'est donc pas n'importe quoi et pourtant rien n'était visible de la route, ni avions ni hangars, seulement cette chaîne à maillons, interminable.

Après la petite ville de Mojave, le désert prend fin et le paysage explose en une profusion de croupes vallonnées couvertes de citronniers. J'ai franchi l'aqueduc qui transporte l'eau potable du nord de la Californie jusqu'à Los Angeles, cinquante kilomètres plus au sud. Le *smog* de la ville avait même réussi à s'infiltrer jusque dans ces collines. La visibilité ne dépassait pas un mile et au-delà il n'y avait qu'un mur de brume grise et brunâtre que transperçait le disque vitreux du soleil. Tout semblait avoir été vidé de sa couleur. Même les collines paraissaient avoir la jaunisse. Elles étaient arrondies, couvertes de gros rochers et d'arbustes rabougris. Le paysage avait un air familier et tout à coup, ça m'est revenu : c'étaient les collines où se déroulaient les exploits de Lone Ranger, de Zorro, de Roy Rogers et du Cisco Kid dans les feuilletons télévisés des années cinquante. Je n'avais jamais encore remarqué à quel point les westerns de cinéma et ceux de la télévision se déroulent dans deux mondes différents. Les équipes de cinéma se sont rendues dans l'Ouest véritable, l'Ouest des buttes escarpées, des défilés encaissés, des rivières aux rives rouges. Tandis que les compagnies de télévision, plus économes, se sont contentées de parcourir quelques kilomètres pour filmer les collines au nord d'Hollywood où elles ont installé leurs caméras à proximité des champs d'orangers.

C'était, à n'en pas douter, ces mêmes gros rochers que Tonto, le fidèle compagnon de Lone Ranger, aimait à escalader. Chaque semaine, Lone Ranger envoyait Tonto escalader subrepticement un de ces rochers pour espionner le campement des méchants, et chaque semaine

Tonto se faisait capturer. Il était nul. Chaque semaine Lone Ranger enfourchait son cheval et partait délivrer Tonto. Mais ça lui était égal car Tonto et lui étaient très intimes. On le voyait bien aux regards qu'ils échangeaient.

C'était le bon temps. De nos jours, les enfants restent assis à regarder les gens se faire disséquer à la tronçonneuse et répandre leurs organes vitaux dans toute la pièce. Ça ne les dérange absolument pas. Je sais que je vais passer pour un vieux rabat-joie auprès de mon jeune public mais je trouve bien dommage qu'on ne leur donne plus de ces programmes sains et divertissants comme ceux de mon enfance, de ces histoires où les héros portaient des masques et des capes, utilisaient des fouets et aimaient beaucoup les autres messieurs. Mais entre nous, vous n'avez jamais réfléchi qu'on nous donnait de drôles de modèles quand nous étions gosses ? Prenez Superman : c'est un gars qui passe son temps à se déshabiller en public. Ou Davy Crockett. Voilà un homme qui a conquis la frontière et combattu vaillamment à Fort Alamo, sans jamais se rendre compte qu'il portait un écureuil crevé sur la tête. Pas étonnant que les gens de ma génération aient eu quelques problèmes d'identité en grandissant et qu'ils se soient mis à la drogue. Mon héros préféré était Zorro qui, quand on l'agaçait, sortait prestement son épée et en trois coups de lame traçait un Z sur la chemise de l'offenseur. Ça ne serait pas formidable de pouvoir faire pareil ?

« Garçon, j'avais pourtant bien demandé un steak saignant. »

Zing, zing, zing !

« Excusez-moi, mais j'étais là avant vous. »

Zing, zing, zing !

« Comment ? Vous n'avez plus ma taille ? »

Zing, zing, zing !

Pendant des semaines, j'ai essayé avec mon copain Robert Swanson de maîtriser ce tour si utile en m'exerçant avec les couteaux de cuisine de sa maman. Mais tout ce que nous avons obtenu, c'est quelques chemises déchirées et quelques éraflures sur la poitrine. Aussi, après quelque temps, avons-nous décidé d'un commun accord qu'il valait mieux abandonner cet exercice aussi périlleux qu'impossible, décision qu'il m'arrive encore parfois de regretter.

En m'approchant de Los Angeles, je fus un moment tenté par l'idée de m'y rendre mais le smog et la circulation m'en dissuadèrent. Et peut-être aussi l'idée qu'à Los Angeles je risquais d'être agressé par quelqu'un qui me tailladerait un Z sur la poitrine pour de vrai. Je pense que les fous ont parfaitement le droit d'avoir une ville à eux mais je ne vois pas ce qu'une personne saine d'esprit irait y faire. Et de toute façon, Los Angeles n'est plus dans le coup, c'est une ville dont il n'y a plus rien à attendre. Mon plan était donc d'aller au nord dans ce qui est le cœur secret de la Californie et de traverser la vallée fertile de San Joaquin. C'est un endroit où personne ne va jamais. Il y a une bonne raison à cela, comme je n'allais pas tarder à le découvrir : c'est horriblement ennuyeux.

25

Je me suis réveillé dans un état de calme exultation. La matinée était claire et ensoleillée et, dans une heure ou deux, je serais dans le Sequoia National Park en train de traverser un arbre en voiture. Cette perspective m'excitait mais calmement et sans hystérie. Quand j'avais cinq ans, mon oncle Frank et ma tante Fern étaient partis passer leurs vacances en Californie — c'était, bien entendu, avant de découvrir que Frank était homo, le vieux chenapan, et avant sa fuite à Key West avec son coiffeur, ce qui a choqué et bouleversé plus d'un habitant de Winfield, surtout lorsqu'on s'est rendu compte que, dorénavant, on devrait aller jusqu'à Mount Pleasant pour se faire couper les cheveux — mon oncle et ma tante, donc, nous ont envoyé une carte postale où figurait un séquoia d'une circonférence tellement énorme qu'on avait pu creuser une route dans le bas de son tronc. La carte postale représentait un couple de beaux jeunes gens dans une décapotable Studebaker verte en train de passer en plein milieu de l'arbre avec sur le visage une expression qui suggérait une satisfaction pas très éloignée de l'orgasme. La carte postale me fit immédiatement une forte impression. Je courus voir mon père pour lui demander si nous ne pourrions pas aller en Californie pour nos prochaines vacances traverser des arbres, mais il a regardé la carte et dit : « Eh bien... un jour, peut-être », et j'ai tout de suite compris que j'avais autant de chances de voir une route passer sous un arbre que de voir des poils me pousser au pubis.

Chaque année, mon père convoquait la famille pour une conférence au sommet (vous imaginez ?) pour décider du lieu de nos vacances et chaque année, j'insistais pour aller visiter la Californie et la route qui passe sous un arbre. Mon frère et ma sœur ricanaient méchamment en disant que c'était une idée archidébile. Mon frère voulait toujours aller dans les montagnes Rocheuses, ma sœur en Floride et ma mère disait que ça lui était égal du moment qu'on était ensemble. C'est alors que mon père produisait quelques brochures du style : « L'Arkansas, pays de nombreux lacs » ou « Arkansas, l'État qui vous en fait voir », ou bien « Données importantes pour apprécier des vacances en Arkansas » (ouvrage précédé d'une introduction par le gouverneur Luther T. Smiley), et tout à coup il apparaissait comme fortement probable que ce soit l'Arkansas cette année-là, indépendamment de nos vues collectives sur la question des vacances.

L'année de mes onze ans, nous sommes allés en Californie, cet État qui possédait l'arbre de mes rêves, mais ce fut uniquement pour visiter des endroits comme Disneyland, Hollywood Boulevard et Beverly Hills (mais comme papa était trop radin pour acheter la carte qui permettait de situer les maisons des vedettes, on a dû se contenter de faire des tours en voiture en essayant de deviner). Une ou deux fois, au moment du petit déjeuner, j'ai demandé si on ne pourrait pas pousser un peu plus loin pour voir l'arbre sous lequel passait une route, mais la proposition a été accueillie si négativement — c'était trop loin, ce serait horriblement rasoir, ça devait certainement coûter très cher — que j'ai fini par perdre courage et que je n'ai plus posé la question. Et de ma vie, d'ailleurs je n'ai plus jamais reposé la question. Mais ça m'est resté dans la tête, un des cinq rêves de mon enfance qui ne devaient jamais être réalisés. Les autres étaient, naturellement, la possibilité d'arrêter le cours du temps, le don de voir les choses aux rayons X, le pouvoir d'hypnotiser mon frère et d'en faire mon esclave et l'occasion de voir Sally Ann Summerfield complètement à poil.

Je ne vous surprendrai pas en vous disant qu'aucun de ces rêves ne s'est jamais réalisé, ce qui vaut peut-être mieux d'ailleurs. Maintenant Sally Ann Summerfield est une grosse rombière. Je l'ai vue à la réunion des anciens du collège il y a deux ans et c'est devenu une sorte de danger pour la navigation. Mais aujourd'hui, enfin, j'étais à la veille de réaliser au moins un de mes fantasmes. D'où mes frissons d'excitation quand j'ai pu charger le coffre de la voiture et prendre la nationale 63, direction le Sequoia National Park.

J'avais passé la nuit dans la petite ville de Tulare dans la vallée de San Joaquin. C'est la zone agricole la plus riche et la plus fertile du monde. On cultive plus de deux cents types de récoltes différentes dans cette vallée. Le matin même, on avait annoncé au journal télévisé que le revenu agricole du comté de Tulare dépassait le milliard de dollars, soit presque le chiffre d'affaires d'Austin-Rover, et cependant il n'occupe que le deuxième rang dans l'État. Le comté de Fresno, un peu plus loin, est encore plus riche. Néanmoins le paysage n'était pas vraiment extraordinaire. La vallée était plate comme un court de tennis et s'étendait sur des kilomètres dans tous les sens, monotone, brune et poussiéreuse avec à l'horizon une brume permanente qui donnait l'impression d'avoir une vitre sale. C'était peut-être le mauvais moment de l'année ou bien la sécheresse qui commençait à étouffer la Californie du centre, mais à coup sûr elle n'avait l'air ni riche ni prospère. Et les villes éparpillées sur la plaine étaient tout aussi ennuyeuses. C'étaient des villes quelconques qui n'avaient rien de spécialement riche, ou moderne, ou intéressant. Mis à part le fait qu'il y avait des oranges de la taille de pamplemousses dans les jardins devant les maisons, j'aurais pu aussi bien me trouver en Indiana ou en Illinois ou n'importe où ailleurs. Cela m'a surpris. Quand j'étais venu en Californie avec mes parents, j'avais eu l'impression de faire un bond de dix ans en avant. Tout avait l'air si chic et tellement plus moderne. Tout ce qui était alors une nouveauté en Iowa, les grands centres commerciaux, les banques drive-in, les MacDonald's, les golfs miniatures, les gamins sur des skate-boards, tout cela était chose courante et presque banale en Californie. Maintenant tout a pris un coup de vieux et le reste du pays a rattrapé le retard. La Californie de 1988 ne possède rien de plus que l'Iowa. Sauf du smog. Et des plages. Et des oranges qui poussent devant votre maison. Et des arbres qu'on peut traverser en voiture.

J'ai rejoint l'autoroute 198 à Visalia et je l'ai suivie dans des effluves de citronniers dont les plantations s'étendent le long de la rive du lac Kaweah sur les contreforts de la Sierra Nevada. Peu après avoir dépassé Three Rivers, je suis entré dans le parc national où un garde installé dans une cabane en bois m'a fait payer un droit d'entrée de cinq dollars et remis une brochure présentant les sites à ne pas manquer. Je l'ai parcourue rapidement pour essayer de trouver une photo de la route qui passe sous un arbre mais il n'y avait pas d'images, seulement du texte et une carte avec des noms pittoresques et prometteurs : Avalanche Pass, Mist Falls, Farewell Gap, Onion Valley, Giant Forest. J'ai opté pour Giant Forest.

Le Sequoia National Park et Kings Canyon National Park sont contigus. En fait, ils constituent un seul parc national et comme tous les parcs nationaux de l'Ouest, il est immense — cent douze kilomètres de long sur quarante-deux de large. Les nombreux tournants de la route qui franchissait la montagne ralentissaient mon avance mais le paysage était superbement pittoresque.

J'ai conduit pendant deux heures sur des routes d'altitude, au milieu de montagnes parsemées d'énormes rochers, où subsistaient encore par endroits de larges plaques de neige. Enfin je suis arrivé à l'orée de cette sombre et mystérieuse forêt de séquoias géants (*Sequoiadendron Giganteum*, selon ma brochure). Il n'y avait pas de doute, c'étaient de grands arbres, et très larges de la base, mais pas suffisamment pour y faire passer une route. Je me suis dit qu'ils seraient sans doute plus gros au cœur de la forêt. Le séquoia est un arbre laid. Il n'en finit pas de s'élever mais ses branches sont rares et courtaudes, ce qui lui donne un air idiot ; c'est le genre d'arbre que dessine un gosse de trois ans. Au milieu de la forêt des Géants s'élève l'arbre qu'on a baptisé le Général Sherman — le plus grand organisme vivant de toute la terre. C'était sûrement le Général Sherman, cet arbre que je recherchais. « Ma petite Chevette, je te réserve une de ces surprises ! » m'écriai-je en caressant tendrement le volant.

Près du Général Sherman, j'ai trouvé une petite aire de stationnement et un chemin qui devait conduire à travers bois jusqu'au fameux arbre. De toute évidence, il n'était pas question de le traverser en voiture. C'était une grosse déception — dites-moi ce qui ne l'est pas dans la vie — mais ça ne fait rien, me suis-je dit, je vais le traverser à pied, le plaisir n'en durera que plus longtemps. Et même, je vais le traverser de plusieurs manières : en flânant, en sautillant, en glissant et, s'il n'y a pas trop de monde autour, j'irai jusqu'à me payer une petite danse autour du tronc à la manière gracieuse de Gene Kelly bondissant dans les flaques d'eau de *Chantons sous la pluie.*

J'ai donc claqué la portière de la voiture et j'ai remonté à pied le petit sentier qui conduit à l'arbre. Enfin il était là ! Et avec une petite barrière tout autour pour empêcher les gens de s'approcher trop près. Pour être grand, il l'était, et haut et large, mais pas si haut et pas si large que cela. Et il n'y avait aucune percée dans le tronc. Sans doute on aurait pu réussir à y creuser une route de modeste dimension mais, et c'est là le détail important, personne ne l'avait jamais fait. Près de l'arbre, on avait planté un panneau de bois avec un texte destiné à l'éducation des visiteurs. On y lisait : « Le Général Sherman, cet arbre géant, est non seulement le plus *grand* arbre du monde mais aussi le plus grand organisme vivant. Il est âgé de plus de 2 500 ans, ce qui en fait aussi le plus *vieil* organisme vivant du monde entier. Cependant nous sentons bien que cela ne vous passionne toujours pas. C'est sans doute parce qu'il n'est pas si élevé ni si large que ça. Ce qui le distingue de tous les autres séquoias, c'est que son tronc ne s'amincit pas vers le sommet. Il reste assez large sur toute sa longueur, ce qui le rend plus imposant que les autres séquoias. Mais si vous voulez *vraiment* être impressionnés et voir des séquoias que l'on peut traverser en voiture, il faudra vous rendre au Redwood National Park, près de la frontière de l'Oregon. Au fait, la barrière que nous avons érigée au pied de cet arbre est destinée à vous maintenir à bonne distance et à augmenter votre frustration. Au cas où ça ne suffirait pas, nous avons prévu un groupe de jeunes Allemands qui ne va pas tarder à vous rejoindre par le sentier situé derrière vous. La vie est une belle vacherie, non ? »

Comme vous vous en êtes certainement rendu compte, je vous ai donné une version un peu libre du texte original, mais en gros, l'idée était là. Les Allemands sont arrivés, aussi déplaisants et antipathiques que savent l'être des adolescents, et ils m'ont privé de mon arbre. Ils ont grimpé sur la clôture et commencé à prendre des photos. J'ai pris un plaisir mesquin à me mettre devant le type qui tenait l'appareil chaque fois qu'il appuyait sur l'obturateur, mais c'est une activité qui ne vous distrait pas éternellement, même quand il s'agit d'Allemands. Aussi après quelques minutes j'ai quitté les lieux, les laissant baragouiner sur *Die Pop Musik* ou *Das Grosse Drogue* et autres préoccupations d'adolescents.

Arrivé à la voiture, j'ai consulté la carte et constaté avec découragement que le Redwood National Park était presque à huit cents kilomètres de là. Je n'arrivais pas à le croire : j'étais à cinq cents kilomètres de Los Angeles, j'aurais pu continuer encore pendant huit cents kilomètres et me trouver *toujours* en Californie. L'État mesure 1 380 kilomètres du haut en bas, soit à peu près la distance Londres-Milan. Il m'aurait fallu un jour et demi pour atteindre le Redwood National Park et un jour et demi pour en revenir. Il ne me restait pas assez de temps pour cela. Tout morose, j'ai repris la voiture pour gagner le parc national Yosemite, cent kilomètres plus au nord.

Et quelle déception m'attendait là ! Désolé de râler comme ça, je vous assure. Mais Yosemite fut une déconvenue de proportions monumentales. C'est d'une beauté incroyable, très style « j'en-suis-resté-bouche-bée ». Ce que vous apercevez en premier, c'est la vallée d'« El Capitan » avec ses montagnes imposantes et ses cascades blanches qui se déversent à des centaines de mètres sur les prairies du bas. Vous vous dites alors que vous êtes sans doute passé dans l'au-delà et que vous vous trouvez au paradis. Puis vous continuez votre route et vous descendez à Yosemite Village et vous vous rendez compte que si effectivement vous êtes au paradis, vous allez passer le reste de l'éternité au milieu d'une horrible bande de touristes obèses en bermuda.

Yosemite est un vrai gâchis. Soyons francs : l'administration qui gère les parcs nationaux des États-Unis est généralement en dessous de tout. C'est assez surprenant car en Amérique tout ce qui touche aux loisirs est mille fois mieux organisé qu'ailleurs. Mais pas les parcs nationaux. Les centres d'information pour les visiteurs sont généralement ennuyeux, la restauration est toujours minable et très chère. La plupart du temps vous ressortez de ces parcs sans rien avoir appris de nouveau sur la faune, la géologie ou l'histoire de ces endroits dont la visite a nécessité un déplacement de centaines de kilomètres. Les parcs nationaux doivent en principe aider à préserver une partie de la nature aux États-Unis. Et pourtant, dans beaucoup de ces parcs, le nombre de bêtes sauvages a en fait diminué. Yellowstone a perdu tous ses loups, ses couguars et ses daims à queue blanche et la population de castors et de mouflons y est en forte régression. Tous ces animaux prospèrent en dehors des parcs mais dans ce qui est régi par les services des parcs nationaux, ils ont disparu.

Je ne sais pas à quoi cela peut être attribué mais le service des parcs nationaux a un long passé d'incompétence. Dans les années soixante — c'est difficile à croire —, c'est l'administration qui a proposé à la société Walt Disney de venir construire un complexe touristique dans le Sequoia National Park. Fort heureusement ce projet n'a jamais vu le jour. Mais d'autres ont réussi, comme ce fameux projet de 1923 où, après des années de lutte entre les protecteurs de l'environnement et les hommes d'affaires, la vallée Hetch Hetchey, au nord du Yosemite, endroit connu pour être encore plus spectaculaire que Yosemite lui-même, a finalement été inondée pour créer un réservoir d'eau potable pour San Francisco, deux cents kilomètres à l'ouest. Ce qui fait que depuis soixante ans un des six endroits les plus époustouflants de la planète se trouve sous l'eau, pour des raisons purement commerciales. Fasse le ciel qu'ils ne découvrent pas de pétrole dans cette région.

Ce qui est difficile à Yosemite, c'est de trouver son chemin. Je n'ai jamais vu un endroit où les choses soient si mal indiquées. On a l'impression qu'ils essaient de vous empêcher de voir le parc. Dans la plupart des autres parcs, vous vous dirigez d'abord au centre d'informations touristiques où une immense carte vous aide à vous repérer et vous donne une idée de ce qu'il y a à voir. Mais à Yosemite le centre d'informations lui-même est presque impossible à trouver. J'ai bien dû tourner en voiture pendant vingt-cinq minutes dans le village avant de trouver un parking et il m'a fallu vingt minutes de plus et une bonne petite trotte dans la mauvaise direction avant de tomber sur ce fameux centre. Et quand je l'ai trouvé, j'avais fini par connaître le coin comme ma poche et je n'en avais plus besoin.

Et tout est absolument, désespérément surpeuplé : les cafétérias, les postes, les magasins. Et on n'était qu'au mois d'avril... Imaginer ce que cela doit être en août me donne la chair de poule. J'ai rarement vu un endroit qui soit à la fois aussi beau et aussi déplaisant. Pour finir, j'ai fait une longue promenade à pied en admirant les cascades et le panorama. C'était sensationnel. Mais je ne peux pas m'empêcher de penser que ça pourrait être mieux géré.

Dans la soirée j'ai continué en direction de Sonora dans la paix du crépuscule, en empruntant des routes de montagne en lacet. Quand je suis arrivé en ville, la nuit était tombée et trouver une chambre ne fut pas chose facile. C'était le milieu de la semaine et pourtant tout était plein. J'ai finalement dégoté un motel absolument hors de prix — en plus on y recevait atrocement mal la télévision. On se serait cru à la foire en train de regarder des gens au stand des miroirs déformants. Leur corps traversait l'écran et, avec un léger décalage, leur tête suivait, comme reliée par un élastique. Dire que j'avais payé quarante-deux dollars pour ça. Le lit avait le confort d'une table de billard. Et le siège des toilettes ne portait pas le ruban protecteur « Désinfecté pour votre sécurité », ce qui m'a privé de mon petit rituel quotidien qui consiste à couper le ruban avec des ciseaux en disant : « Je déclare ces toilettes ouvertes ! »

Ce sont des petites choses qui ont de l'importance quand on voyage seul depuis longtemps. D'une humeur de chien, je suis allé en ville chercher un restaurant bon marché. La serveuse m'a fait attendre un long moment avant de venir prendre ma commande. Elle était vulgaire et avait la déplaisante habitude de répéter tout ce qu'on lui disait.

« Je prendrai le poulet frit, disais-je.

— Vous prendrez le poulet frit ? répondait-elle.

— C'est ça. Avec des frites.

— Avec des frites ?

— C'est ça. Et mettez-moi une salade avec une sauce Thousand Islands.

— Et je vous mets une salade avec une sauce Thousand Islands ?

— C'est ça. Et comme boisson, un Coca.

— Et comme boisson, un Coca ?

— Excusez-moi, mademoiselle, mais la journée a été fatigante et si vous n'arrêtez pas de répéter ce que je dis, je vais prendre la bouteille de ketchup et vous en asperger le corsage,

— Vous allez prendre le ketchup et m'en asperger le corsage ? »

En fait je ne l'ai pas menacée d'un arrosage au ketchup. Après tout, elle avait peut-être un petit ami très costaud qui aurait pu venir me casser la figure. Et puis une autre serveuse m'avait dit un jour que, chaque fois qu'un client était désagréable, elle allait en cuisine cracher dans son assiette. Depuis lors je n'ai plus jamais parlé sèchement à une serveuse ni renvoyé un steak pas assez cuit en cuisine (là, c'est le chef qui crache dessus). Pour passer ma mauvaise humeur, je me suis contenté de mettre mon chewing-gum directement dans le cendrier sans l'envelopper dans un bout de papier comme ma maman me l'a toujours enseigné, et j'ai appuyé avec mon pouce pour qu'il colle bien et qu'on soit obligé de prendre une fourchette pour le déloger. Et j'ajouterais — Dieu me pardonne — que cela m'a donné un petit frisson de satisfaction.

Le matin j'ai quitté Sonora et je suis parti vers le nord sur la route 49, curieux de voir ce que me réserverait la journée. Mon projet était d'aller à l'est en traversant la Sierra Nevada mais la plupart des cols étaient encore fermés. Cette route 49, en l'occurrence, m'a offert l'occasion de faire un très agréable trajet, tout en virages, dans un paysage vallonné. Des bosquets et des herbages dominaient la route et de temps en temps je passais devant une vieille ferme, mais à part cela, la terre ne semblait pas exploitée de façon visible. Les villes traversées — Tuttletown, Melones, Angel's Camp — avaient toutes connu la ruée vers l'or de la Californie. En 1848, un nommé James Marshall a trouvé un morceau d'or à Sutter Creek, juste un peu plus loin, et tous les gens sont devenus fous. Pratiquement du jour au lendemain, quarante mille prospecteurs ont envahi l'État et en une petite décennie (de 1847 à 1860) la population de la Californie est passée de 15 000 à 400 000 habitants. On a conservé certaines villes dans l'état où elles étaient à l'époque — Sonora n'est pas mal du tout à ce point de vue —, mais en général il reste peu de témoignages de ce qui fut la plus grande ruée vers l'or de toute l'histoire. C'est probablement parce que les gens vivaient surtout dans des tentes. Et quand l'or fut épuisé, ils ont immédiatement décampé. De nos jours ces petites villes n'offrent plus, généralement, que l'alignement habituel des stations-service, motels et palais du hamburger. C'est devenu Nulle Part (États-Unis).

A Jackson j'ai découvert que la 88 était ouverte, premier passage à travers la Sierra Nevada depuis presque cinq cents kilomètres, et j'ai décidé de la prendre. J'avais cru un moment que je serais obligé de passer deux cols plus loin, par la Donner Pass de triste mémoire, ce col où en 1846 des colons furent bloqués dans un blizzard pendant plusieurs semaines, ce qui les obligea pour survivre à s'entre-dévorer, incident qui fit sensation à l'époque. Le chef du groupe s'appelait Donner. Je ne sais pas ce qu'il advint de lui par la suite mais je vous parie qu'après cette histoire, il a dû avoir son petit succès chaque fois qu'il entrait dans un restaurant. En tout cas, ça lui a valu d'avoir son nom sur une carte de géographie. La Donner Pass est aussi le col qu'a emprunté la première ligne de chemin de fer transcontinentale, la Southern Pacific, ainsi que la première route transcontinentale, la route 40, Lincoln Highway, qui reliaient après un voyage de 4 800 kilomètres New York à San Francisco. Tout comme on l'a fait pour la route 66 plus au sud, on a sauvagement massacré la route 40 et on l'a convertie en une autoroute sans âme, ce qui explique ma joie de découvrir qu'il existait encore des routes secondaires comme celle-ci pour traverser les montagnes.

Et ce fut une traversée très agréable au milieu de paysages forestiers parfois entrecoupés de perspectives dégagées sur des vallées inhabitées. J'ai gravi et redescendu le pic Mokelumne (3 000 mètres), en direction du lac Tahoe et de Carson City. La route était raide et mes progrès étaient lents, aussi il m'a bien fallu une partie de l'après-midi pour couvrir la centaine de miles qui me séparaient du Nevada. Près de Woodfords, je suis entré dans la forêt nationale de Toyabe, ou du moins dans ce qui avait été une forêt autrefois. Maintenant, sur des centaines de kilomètres, on ne trouve plus rien, seulement un pays carbonisé, des flancs de montagne au sol brûlé et des moignons d'arbres. Il reste encore quelques rares maisons qui ont été épargnées et autour desquelles subsiste un coupe-feu. Elles offrent un spectacle incongru avec leurs balançoires d'enfants et leurs pataugeoires au milieu d'un océan de souches noircies. Et pourtant, deux ou trois ans plus tôt, leurs propriétaires devaient s'estimer les plus heureux de la terre à vivre ainsi au milieu des bois et des montagnes dans des effluves de pinèdes ombragées. Maintenant ils se retrouvent sur un sol lunaire. Bientôt on reboiserait et il ne leur resterait plus qu'à passer leur vie à contempler les arbres grandir d'un centimètre par an.

C'est un désastre comme je n'en ai jamais vu, des kilomètres carrés absolument ravagés, et pourtant je ne me souviens pas d'avoir lu le moindre article sur ce sujet. L'Amérique est comme ça. C'est un pays tellement grand qu'il absorbe les catastrophes, qu'il les digère dans son immensité même. Au cours de ce voyage, j'ai eu maintes fois l'occasion de lire dans la presse des nouvelles qui, partout ailleurs, auraient été considérées comme des tragédies colossales : une douzaine de personnes emportées par une inondation dans le Sud, dix personnes écrasées par le toit d'un magasin au Texas, vingt-deux morts dans une tempête de neige à l'est du pays. Et toutes ces nouvelles étaient traitées comme un bref interlude anodin entre deux publicités pour des onguents contre les hémorroïdes ou pour du fromage à tartiner. On peut l'attribuer en partie à ce ton de jovialité crétine qu'adoptent tous les journalistes de télévision locale en Amérique, mais cela tient aussi à la dimension du pays. Une catastrophe en Floride n'a pas plus d'importance en Californie qu'un désastre en Italie n'en a en Angleterre. C'est un bref moment de divertissement morbide, certainement trop éloigné pour toucher quiconque sur un plan personnel.

Je suis entré dans le Nevada à une quinzaine de kilomètres au sud du lac Tahoe. Las Vegas m'avait tellement écœuré que je ne me sentais pas le courage de remettre les pieds dans un autre lieu de perdition, encore qu'on m'ait dit plus tard que Tahoe est vraiment un endroit charmant, bien différent de Las Vegas. Maintenant je n'en saurai jamais rien. En revanche, je peux vous garantir que Carson City est la ville la plus insignifiante du monde, de ces villes qu'on préfère traverser le plus vite possible. C'est la capitale de l'État mais c'est surtout un rassemblement de Pizza Hut, de pompes à essence et de casinos de second ordre.

Je suis sorti de la ville par la nationale US 50, j'ai dépassé Virginia City et filé en direction de Silver Springs. C'était pratiquement l'endroit où la carte s'enflammait dans le feuilleton *Bonanza*, vous vous en souvenez ? Ça fait bien des années que je n'en ai pas vu un seul épisode et pourtant je me souviens encore de Pa, Hoss, Little Joe, et de ce type à l'air sinistre dont j'ai oublié le nom. Les personnages vivaient dans un paysage vert et florissant avec un côté très « Western et Pampa ». Mais par ici ce n'étaient que des plaines ayant la couleur du ciment, des croupes pelées avec de rares habitations. De la terre au ciel, tout était d'un gris qui devait rester la teinte dominante des deux jours à venir.

On peut difficilement imaginer un État plus isolé et plus déprimant que le Nevada. Sur un territoire grand comme la Grande-Bretagne et l'Irlande réunies, on compte huit cent mille habitants et la moitié d'entre eux vivent à Las Vegas et à Reno. Le reste de l'État est donc pratiquement vide, avec seulement soixante-dix villes — la Grande-Bretagne en compte quarante mille, ce qui vous donne une idée — et elles sont toutes terriblement isolées. Eureka, par exemple, est une ville de mille deux cents habitants située au milieu de l'État à cent soixante kilomètres de toute autre ville, et le comté d'Eureka lui-même n'a pas plus de trois villes, ce qui lui donne une population totale de deux mille cinq cents habitants à peine pour une superficie de deux mille cinq cents kilomètres carrés.

J'ai roulé un moment dans ce vide impressionnant sur la route qui relie Fallon à un point de la carte routière baptisé Humbolt Sink où j'ai enfin retrouvé avec soulagement une autoroute. C'était pure lâcheté de ma part mais depuis deux jours la voiture n'avait pas arrêté d'émettre des bruits bizarres — une sorte de léger clonk, clonk, ô Seigneur viens à mon secours, clonk, c'est la fin, clonk, ô Seigneur, clonk, clonk — que je n'arrivais pas à identifier dans la section *Comment se dépanner soi-même* de mon manuel. L'idée de tomber en panne ne me souriait guère, pas plus que l'éventualité de me retrouver abandonné pendant plusieurs jours dans un trou poussiéreux, oublié de Dieu, en attendant le dispositif anti-clonk qui me serait expédié de Reno par le bus Greyhound de la semaine.

Et de toute façon, la seule autre route que j'aurais pu prendre, la route 50, m'aurait obligé à un détour de plus de deux cents kilomètres par l'Utah. Or je voulais aller plus au nord et traverser le Wyoming et le Montana, le pays du « Grand Ciel ». C'est donc avec soulagement que j'ai regagné cette autoroute bien qu'elle soit elle aussi remarquablement déserte — une voiture loin devant, une voiture loin derrière — alors que c'est le grand axe routier qui traverse le pays. En fait, si l'on avait un réservoir d'essence et une vessie d'une capacité suffisante, on pourrait faire New York-San Francisco sans s'arrêter une seule fois.

A Winnemucca, je me suis arrêté pour prendre de l'essence et un café, et pour téléphoner à ma mère. Je voulais l'informer que je n'avais pas encore été assassiné et que question sous-vêtements — pour elle une source permanente d'inquiétude — tout allait bien. J'ai donc pu la rassurer et de son côté elle m'a garanti ne pas avoir légué tout son argent à l'Œuvre internationale pour la Protection des Poissons rouges ni s'être lancée dans une autre aventure financière de ce genre (j'aime bien contrôler !) et c'est d'un cœur léger que nous avons pu tous les deux poursuivre nos journées respectives.

Dans la cabine téléphonique on avait affiché la photo d'une jeune femme avec en légende « Avez-vous vu cette jeune fille ? ». C'était une jolie fille qui semblait heureuse et pleine de vie. L'affiche précisait qu'elle avait dix-neuf ans et qu'elle avait quitté Boston en voiture pour se rendre à San Francisco passer les vacances de Noël en famille. Et elle avait disparu. De Winnemucca elle avait téléphoné à ses parents pour annoncer son arrivée l'après-midi du jour suivant, puis on n'avait plus jamais entendu parler d'elle. Et maintenant elle était sans aucun doute morte, enterrée quelque part dans cette vaste immensité désertique. Tuer est d'une facilité terrifiante aux États-Unis. Vous pouvez assassiner un inconnu, jeter son corps dans un endroit où on ne le retrouvera jamais et parcourir trois mille kilomètres avant qu'on ait même remarqué la disparition de la victime. On estime qu'il y a à tout moment dans le pays douze à quinze tueurs fous en liberté qui rôdent et choisissent leur victime au hasard et qui, ayant fait leur coup, repartent sans laisser d'indices ni de mobiles. A Des Moines, deux années auparavant, deux adolescents nettoyaient le bureau du père de l'un d'eux, un dimanche après-midi, quand un étranger était arrivé, les avait fait passer dans la pièce arrière et les avait abattus d'une balle dans la nuque. Sans aucune raison. Dans ce cas précis on l'avait finalement arrêté mais il aurait tout aussi bien pu changer d'État et recommencer. Chaque année il se commet en Amérique cinq mille meurtres qui restent inexpliqués. C'est énorme.

J'ai passé la nuit à Wells au Nevada, la ville la plus affligeante, la plus minable, la plus crado-loqueteuse que j'aie jamais vue. La plupart des rues n'étaient pas goudronnées et n'étaient qu'un alignement de caravanes résidentielles délabrées. Tout le monde en ville semblait faire collection de vieilles voitures : il y en avait dans toutes les cours, plantées là, sans vitres, à rouiller lentement. La ville tout entière semblait au bord de la décrépitude et seule l'autoroute 80 toute proche paraissait lui apporter une vague activité économique grâce aux restaurants routiers et aux motels installés çà et là — et encore bon nombre d'entre eux étaient fermés ou au bord de la faillite. Les enseignes des motels avaient généralement perdu une partie de leurs lettres ce qui donnait des choses comme : ÉTOI E DU SHÉ RIF, C AMBRES À LOU R. Avant le dîner je suis allé faire une promenade dans le centre ville qui se résumait essentiellement à des commerces fermés pour cause de faillite. Mais je dois reconnaître que certains avaient survécu, notamment un drugstore, une station-service, le terminus des autocars Trailways, l'hôtel Overland — pardon : O erland — et un cinéma appelé Le Nevada, mais après examen il s'est révélé avoir succombé lui aussi. On trouvait des chiens à tous les coins de rue, reniflant toutes les encoignures et pissant sur tout ce qui était à leur portée. En plus, il faisait froid. Au loin le soleil se couchait derrière les sommets déchiquetés des monts Jackson et le fond de l'air devenait indiscutablement frisquet. J'ai remonté le col de ma veste et je me suis traîné jusqu'au carrefour de l'US 93 à un kilomètre de là où des cafés routiers d'allure plus prospère formaient une oasis de clarté dans le crépuscule rosissant. Je suis entré dans celui qui me faisait la meilleure impression, un grand café avec une boutique souvenirs, un restaurant, un casino et un bar. Le casino n'était rien d'autre qu'une salle où l'on avait rassemblé une douzaine de machines à sous — de l'espèce qui n'accepte que les petites pièces d'un nickel — et la boutique de souvenirs n'était guère plus grande qu'un placard. Le café était plein de monde, de fumée et de bruit de conversations. Du juke-box s'échappait une musique de guitares métalliques. J'étais le seul de toute l'assemblée, à part une ou deux dames, à ne pas porter de chapeau de cow-boy.

Je me suis installé dans un box et j'ai commandé du poulet frit. La serveuse était vraiment charmante mais ses mains et ses bras étaient couverts de petites plaies ouvertes, elle n'avait plus que trois dents et son tablier donnait à penser qu'elle avait passé l'après-midi à égorger des gorets. Pour tout vous dire, son aspect n'a rien fait pour me donner de l'appétit et la vue de mon assiette m'a radicalement coupé l'envie de manger. C'était, sans discussion et aussi loin que remontent mes souvenirs, la plus infâme bouffe qu'on m'ait jamais servie en Amérique, que ce soit dans les hôpitaux, les stations-service ou les cafés d'aéroport. Cela battait même ce qu'on vous sert dans les terminus des bus Greyhound ou au rayon traiteur des magasins Woolworth. C'était encore pire que les pâtisseries des distributeurs automatiques des couloirs du *Register and Tribune.* Là, on avait l'impression que quelqu'un venait de vomir dessus. Ici la nourriture était tout simplement infecte et pourtant tous les gens autour de moi s'empiffraient comme s'ils n'allaient plus manger de la semaine. J'ai essayé de chipoter un peu dans mon assiette — des morceaux de poulet frit racornis, des feuilles de laitue noircies, des frites qui avaient l'allure et l'attrait de limaces anémiques, et puis j'ai abandonné, découragé. En voyant tous ces restes la serveuse m'a demandé si je voulais un *doggy bag*. « Non merci, ai-je répondu avec un faible sourire, je doute fort de pouvoir trouver un chien qui mangerait ça. »

En fait, si je réfléchis bien, je pense avoir connu pire que la nourriture de ce café. C'était ce qu'on nous servait à la cantine de l'école secondaire de Des Moines, la Callanan Junior High School. La cantine ressemblait un peu à celle des prisons comme on les voit au cinéma. On avançait d'un pas lourd en une longue file silencieuse et on recevait sur un plateau des louchées de bouffe grumeleuse et informe servies par des femmes tout aussi grumeleuses et informes, le genre de femmes qu'on imaginait libérées pour la journée de l'asile psychiatrique où elles étaient placées, sans doute pour tentative d'empoisonnement alimentaire dans un lieu public. Les plats étaient non seulement impossibles à avaler, ils étaient aussi impossibles à identifier. Et pour comble de désagrément, il fallait supporter la présence de M. Snoyd, le sous-directeur, qui se cachait dans notre dos, prêt à nous saisir par le col pour nous entraîner dans son bureau si on avait le malheur de feindre des haut-le-cœur ou de demander à son voisin : « Dis, c'est quoi cette merde ? » Manger à la cantine de Callanan, c'était un peu comme subir un lavage d'estomac à l'envers. Je suis retourné à mon motel, affamé et insatisfait. J'ai regardé la télévision pendant quelque temps, lu un livre, et j'ai dormi de ce sommeil agité où votre corps est au repos mais pas votre estomac qui, lui, proteste violemment : *« Qu'est-ce que tu as foutu de mon dîner ? Hé, Bill, tu m'écoutes ? Ma ration alimentaire de la soirée, elle arrive, oui ou merde ? »*

26

Et voici maintenant, sans aucun rapport avec le reste, une histoire vraie. En 1958 ma grand-mère qui avait un cancer du côlon est venue habiter chez nous pour y mourir. A cette époque ma mère employait une femme de ménage, Mme Goodman, qui n'avait pas inventé la poudre mais qui était bonne catholique. Après l'arrivée de ma grand-mère, Mme Goodman devint irritable, ce qui n'était pas son habitude. Puis un après-midi, au moment de partir, elle déclara à ma mère qu'elle était obligée d'abandonner son travail parce qu'elle ne voulait pas attraper le cancer de ma grand-mère. Ma mère la rassura de son ton le plus apaisant, lui affirmant qu'on ne pouvait pas « attraper » le cancer. Elle lui offrit une petite augmentation de salaire pour compenser le supplément de travail qu'entraînait la présence d'une grand-mère moite et pleurnichante et, sans cacher qu'elle le faisait à contrecœur, Mme Goodman est restée. Trois mois plus tard, elle attrapait le cancer et, avec une rapidité surprenante, elle mourait. Eh bien, comme, en un sens, ma famille a été responsable de la mort de cette pauvre femme, j'ai toujours eu l'intention de commémorer un jour sa mémoire à ma modeste façon. Et je me suis dit qu'à ce point de mon récit, c'était le moment de le faire, n'ayant pas grand-chose d'intéressant à raconter sur le trajet entre Wells, Nevada et Twin Falls, Idaho.

Donc, au revoir, madame Goodman, je suis enchanté d'avoir fait votre connaissance. Et nous sommes tous très, très désolés.

Twin Falls est un endroit assez sympathique — Mme Goodman aurait, sans aucun doute, bien apprécié le coin ; mais à la réflexion, les morts doivent apprécier n'importe quel changement de décor — et le paysage de l'Idaho du Sud était plus vert et plus fertile que tout ce que le Nevada m'avait offert. L'Idaho est bien connu pour ses pommes de terre, bien que le Maine, un État trois fois plus petit, en produise davantage. Sa vraie richesse provient des mines et du bois, surtout au nord, dans les régions les plus élevées des Rocheuses, vers le Canada, à huit cents kilomètres de là où je me trouvais. Je me dirigeais vers Sun Valley, la célèbre station des montagnes Sawtooth, pas loin de la ville de Ketchum où Hemingway a passé la fin de sa vie et où il s'est fait sauter la cervelle. Cela m'a toujours semblé — remarquez, ce n'est pas mes oignons — une manière irresponsable et égoïste de se suicider. Ce que je veux dire, c'est que votre famille risque d'être suffisamment affectée par votre disparition sans que vous ayez besoin, par-dessus le marché, d'abîmer le mobilier et de donner la nausée à tout le monde.

De toute façon Ketchum était trop touristique mais Sun Valley m'a semblé tout à fait agréable. C'est une ville qui fut créée comme station de ski dans les années trente par la compagnie de chemin de fer Union Pacific pour inciter les gens à se rendre dans la région pendant les mois d'hiver. Il faut reconnaître que l'emplacement est splendide — la ville est nichée dans une cuvette entourée de montagnes dentelées et elle est réputée avoir les meilleures pistes de ski de la région. Clint Eastwood et Barbra Streisand ont des maisons dans le coin. J'ai regardé la vitrine d'une agence immobilière et je n'ai rien vu en vente à moins de 250 000 dollars.

La ville même de Sun Valley, qui n'est en fait qu'un petit centre commercial, est construite sur le modèle d'un village bavarois, ce qui lui donne un charme particulier. Et, comme très souvent en Amérique, c'est bien supérieur à un vrai village bavarois. Il y a deux explications :
1. C'est mieux construit et plus pittoresque ;
2. Les habitants de Sun Valley n'ont jamais choisi Adolf Hitler comme chef et ils n'ont jamais envoyé leurs voisins dans des chambres à gaz.

Rien que pour cela, si j'étais skieur et riche, je choisirais Sun Valley plutôt que Garmisch-Partenkirchen, par exemple. En attendant, pauvre et ne sachant pas skier, je n'avais rien d'autre à faire que de fourrer mon nez dans les magasins. On y vendait surtout des combinaisons de ski dernier cri et des articles très chers, grand cerf en étain à 200 dollars ou presse-papier de cristal à 150 dollars, et les gens qui tenaient ces boutiques étaient du genre snob qui vous surveillent comme s'ils étaient convaincus que vous allez faire une crotte sur leur tapis à la moindre occasion. Vous comprenez pourquoi j'ai trouvé le coin antipathique et pourquoi j'ai refusé d'y faire le moindre achat. « C'est vous qui y perdez, pas moi », ai-je murmuré dédaigneusement en partant.

L'Idaho est un autre grand État — huit cent quatre-vingts kilomètres du nord au sud, quatre cent quatre-vingts kilomètres de large — et il m'a fallu tout le reste de la journée pour parcourir le trajet jusqu'à Idaho Falls, à la frontière du Wyoming. En route, je suis passé près d'Arco, une petite ville qui, le 20 décembre 1951, a été la première ville au monde à être éclairée à l'électricité d'origine nucléaire, grâce au premier réacteur civil installé sur un site à une quinzaine de kilomètres au sud-ouest, le Laboratoire national du Génie de l'Idaho. Le nom est trompeur car ce prétendu laboratoire couvre plusieurs centaines de kilomètres carrés de broussailles rabougries et c'est en fait la plus grande décharge nucléaire du pays. La route qui va d'Arco à Idaho Falls suit les limites du complexe sur soixante kilomètres et celui-ci est bordé de hautes clôtures interrompues parfois par des miradors de style militaire. On aperçoit dans le lointain des bâtiments où travaillent sans doute des ouvriers en combinaison spatiale blanche, dans des salles qui doivent ressembler à un décor pour un film de James Bond.

Chose que j'ignorais à l'époque, le gouvernement américain venait juste d'admettre qu'une fuite de plutonium avait été détectée dans un des sites de stockage et que ce plutonium était en train de s'infiltrer dans les couches de terrain jusqu'au réservoir souterrain géant qui fournit l'eau potable à des dizaines de milliers de gens du sud de l'Idaho. Le plutonium est la matière la plus dangereuse que l'on connaisse — une cuillerée à café suffirait pour liquider toute une ville. Quand vous fabriquez du plutonium, il faut aussi le mettre en lieu sûr pendant 250 000 ans et le gouvernement des États-Unis n'avait réussi à en assurer la sécurité que pendant un peu moins de trente-six ans. Cela me semble un argument suffisamment convaincant pour interdire à tout gouvernement de jouer avec du plutonium.

Et cette fuite n'est qu'un exemple parmi d'autres. Dans l'État de Washington, un site semblable a perdu 500 000 gallons de matières hautement radioactives avant que quelqu'un ne s'avise de mettre une jauge dans le réservoir pour voir ce qui se passait. Je ne sais pas comment on peut perdre 500 000 gallons, de n'importe quoi d'ailleurs, sans le remarquer. Mais je sais que je n'aimerais pas être à la place des agents immobiliers qui, d'ici cinq ans, devront vendre des maisons à Pocatello ou à Idaho Falls quand la terre sera devenue phosphorescente et que les femmes commenceront à accoucher de mouches humaines.

En attendant, cependant, Idaho Falls reste une petite

ville agréable. Le centre ville est tout à fait plaisant et de toute évidence très prospère. On y a installé des bancs, planté des arbres. Une grande banderole flottait au-dessus d'une rue et proclamait : « Idaho Falls dit NON à la drogue. » Voilà qui va certainement faire renoncer les jeunes à la came, me suis-je dit. L'Amérique des petites villes est obsédée par le problème de la drogue et pourtant je parie que, si l'on fouillait à fond tous les teenagers d'Idaho Falls, on ne trouverait rien de plus illégal que quelques revues porno, un paquet de capotes anglaises et une bouteille de Jack Daniels à moitié vide. Personnellement je suis d'avis qu'il faudrait plutôt encourager les jeunes d'Idaho Falls à se mettre à la drogue. Cela les aiderait à affronter la situation le jour où ils vont découvrir qu'il y a du plutonium dans l'eau qu'ils boivent.

J'ai fait un excellent repas au restaurant chinois Happy's. La salle était vide, à l'exception d'une table occupée par un couple d'âge mûr, leur fille et sa correspondante suédoise, une créature tout simplement éblouissante — blonde, bronzée, la voix douce, de cette beauté qui fascine. Je ne pouvais pas m'arrêter de la regarder. C'était la première fois de ma vie que je voyais quelqu'un d'aussi beau dans un restaurant chinois d'Idaho Falls. A un certain moment un homme, sans doute une vague connaissance de la famille, est entré et il s'est arrêté à leur table pour bavarder. On lui a présenté la jeune Suédoise et il lui a demandé comment se passait son séjour à Idaho Falls et si elle avait visité les coins touristiques de la région, les grottes de lave, les sources chaudes. (Elle les avait visitées — très cholies.) Puis l'homme lui a posé la Grande Question : Eh bien, Greta, qu'est-ce que tu préfères, la Suède ou les États-Unis ? La jeune fille rougit. Visiblement elle n'était pas dans ce pays depuis assez longtemps pour s'attendre à cette question. Tout à coup la jeune fille redevint une enfant. Avec un petit papillonnement gêné des mains, elle répondit : « Che crois que che préfère la Suède », et un silence mortel tomba sur la table. Chacun semblait mal à l'aise. « Oh », dit l'homme d'une voix blanche et déçue, et la conversation dévia sur le prix des pommes de terre.

Les gens qui habitent le centre de l'Amérique posent toujours cette question. En grandissant aux États-Unis, dès notre plus jeune âge, on nous inculque l'idée — ou plutôt la certitude — que l'Amérique est la plus riche et la plus puissante nation de la terre parce que nous autres, Américains, nous sommes les préférés de Dieu. Notre pays a la forme de gouvernement la plus parfaite, les rencontres sportives les plus passionnantes, la nourriture la plus délectable et les portions les plus généreuses, les voitures les plus grosses, l'essence la moins chère, les ressources naturelles les plus abondantes, les fermes les plus productives, l'arsenal nucléaire le plus redoutable et les citoyens les plus honnêtes et les meilleurs patriotes de toute la terre. Aucun autre pays ne fait mieux que ça. Comment expliquer alors qu'on puisse souhaiter vivre ailleurs ? C'est tout simplement incompréhensible. Chez un étranger, cela intrigue ; chez un Américain, cela sent la trahison. Autrefois je partageais ce sentiment. Au collège je faisais vestiaire commun avec un jeune Hollandais venu faire un stage, et je me souviens qu'il m'a demandé un jour d'un ton timide pourquoi tout le monde, absolument tout le monde, tenait à le voir préférer les États-Unis à la Hollande. « La Hollande est mon pays, disait-il, pourquoi les gens ne comprennent-ils pas que j'ai envie d'y vivre ? »

J'ai envisagé son point de vue. « D'accord, mais franchement, Anton, si tu vas au fond de toi-même, est-ce que tu ne préférerais pas, réellement, vivre ici ? » Et chose curieuse, c'est ce qu'il a décidé finalement. Aux dernières nouvelles, il est devenu un riche agent immobilier en Floride, il roule en Porsche, il porte des lunettes de soleil Ray-Ban et n'arrête pas de répéter : « Alors, ça baigne ?», ce qui est considérablement plus agréable que de vivre en sabots de bois, de porter sur l'épaule des seaux de lait et d'être envahi par les Allemands toutes les deux générations.

Le lendemain matin je suis reparti pour le Wyoming dans un paysage rappelant les illustrations de ces magnifiques livres pour enfants sur les *Contes de l'Ouest* — des pics enneigés, des forêts de sapins, des fermes accueillantes, une rivière qui serpente, une vallée au nom sympathique, « la vallée du Cygne ». Il faut reconnaître que ces hommes et ces femmes qui ont colonisé l'Ouest avaient vraiment le don de trouver des noms de lieux. Précisément dans ce coin de la carte, j'ai repéré Soda Springs, Massacre Rocks, Steamboat Mountain, Wind River, Flaming Gorge, Calamity Falls* — des endroits dont le nom vous promet aventures et passions même s'ils ne possèdent rien de plus excitant, en réalité, qu'une station-service DX et un drive-in Tastee-Freez.

La plupart des premiers colons venus s'installer en Amérique ont singulièrement manqué d'inspiration quand il s'est agi de choisir des noms de lieux. Ou bien ils choisissaient des noms sans imagination, à demi recyclés comme New York, New Hampshire, New Jersey, New England, ou bien ils se rabattaient sur des noms flatteurs et lèche-cul : Virginia, Georgia, Maryland et Jamestown, généralement dans l'espoir pitoyable de s'attirer les faveurs de quelques monarques ou aristocrates poudrés quand ils retourneraient au pays. Ou encore ils acceptaient tout simplement les noms donnés par les Indiens sans savoir au juste si Squashaninsect signifiait « Pays des lacs scintillants » ou « Endroit où Grand Chef Coup-de-Tonnerre s'est arrêté pour pisser ». Les Espagnols étaient encore pires : ils donnaient à chaque endroit un nom religieux, de sorte que tout le Sud-Ouest s'appelle San-Ceci ou Santa-Cela. Traverser le Sud-Ouest c'est comme suivre une procession religieuse de mille cinq cents kilomètres. Ce qu'ils ont trouvé de pire, c'est « Sangre de Cristo

---

* Source Sodée, Les Rochers du Massacre, La Montagne du Bateau à Vapeur, La Rivière du Vent, La Gorge Ardente, Les Chutes du Désastre.

Mountains », autrement dit les montagnes du sang du Christ. Vous imaginez un nom plus débile pour un trait de relief ? C'est donc seulement ici, dans l'Ouest véritable, pays des trappeurs de castors et des hommes des montagnes, qu'un soupçon d'aventure et de pittoresque est venu se mêler à l'appellation des lieux. Et je m'apprêtais justement à pénétrer dans l'un des endroits les plus beaux, les plus romantiques — le mot est faible — de tous : Jackson Hole.

Jackson Hole (le trou Jackson) n'est absolument pas un trou, c'est le nom d'une vallée pittoresque qui s'étend du nord au sud entre les Grands Tetons, sans aucun doute la plus majestueuse de toutes les chaînes des Rocheuses. Avec leurs hautes crêtes poudrées de neige et leurs flancs gris bleuté, elles ressemblent à un dessert exotique, une sorte de lait frappé aux myrtilles. A l'extrémité sud de la vallée on trouve la ville de Jackson où je me suis arrêté pour déjeuner. C'est un endroit curieux, un mélange bizarre de « Yosemite Sam » aux jambes arquées* et de magasins haut de gamme comme Benetton et Ralph Lauren, où l'on essaie de satisfaire une clientèle de pieds-tendres bien nantis qui viennent ici faire du ski en hiver et se relaxer dans des ranches en été. Dans la ville chaque établissement s'orne d'un motif du Far West : le motel Bois-de-Cerf, le saloon Dollar d'Argent, l'auberge du Corral. Même la banque de Jackson, où je suis allé encaisser un chèque de voyage, arborait une tête de buffle sur un mur. Et pourtant tout cela paraît normal. Le Wyoming est le plus férocement « western » de tous les États de l'Ouest. C'est resté un pays de cow-boys, de chevaux, de grands espaces, un pays où un homme doit se comporter comme un homme, cré bon Dieu, ce qui consiste principalement à faire des tours en camionnette et à se mouvoir avec une lenteur prononcée. Jamais de ma vie je n'ai vu autant de gens habillés en cow-boys, et pratiquement tout le monde possède une

---

* Personnage du dessin animé Bugs Bunny (NdT).

arme à feu. Quelques semaines plus tôt l'assemblée législative de l'État qui siège à Cheyenne avait voté une loi obligeant tous les députés à déposer leurs armes à la réception avant de pénétrer au Parlement de l'État. C'est tout à fait typique du Wyoming.

J'ai poursuivi ma route vers le Parc national du Grand Teton. Voilà encore un nom qui mérite votre attention. « *Tétons* » signifie nichons en français. C'est une information intéressante, une anecdote géographique que Miss Mucus, notre professeur de géographie du collège, a oublié de nous communiquer quand on était en cinquième. Je me demande bien pourquoi à l'école on nous prive des informations les plus intéressantes. Si on m'avait dit au collège que Thomas Jefferson s'était réservé une esclave noire pour l'aider à résoudre ses problèmes de stress sexuel, si on m'avait appris qu'Ulysses S. Grant était un ivrogne de première classe qui n'arrivait pas à reboutonner sa braguette sans tomber la tête la première, je peux vous garantir que je me serais passionné pour mes leçons, il n'y a pas de doute.

En tout cas, les premiers explorateurs français qui traversèrent le nord-ouest du Wyoming ont jeté un coup d'œil aux montagnes et se sont exclamés : « *Zut alors*!* Hé ! Jacques, vise-moi ces montagnes. On dirait tout à fait les tétons de ma femme. » C'est bien typique des Français, ça. Il faut qu'ils réduisent tout à un niveau bassement sexuel. Remercions la Providence qu'ils n'aient pas découvert le Grand Canyon, c'est tout ce que je peux dire. Et ce qu'il y a de remarquable, c'est que les Tetons ressemblent autant à des nichons qu'à une poêle à frire ou à une paire de chaussures de marche. En un mot ils n'évoquent pas du tout une paire de nichons, sauf peut-être pour des hommes désespérément solitaires qui ont quitté leur foyer depuis très, très longtemps. Personnellement, j'ai trouvé qu'ils ressemblaient un peu à des nichons.

---

* En français dans le texte *NdT).*

Le Parc national de Grand Teton et le Parc national de Yellowstone forment ensemble un immense territoire à l'état sauvage qui s'étend sur une centaine de miles du nord au sud. La route 191 qui relie les deux parcs venait juste d'être réouverte pour l'année, mais les centres d'accueil du Grand Teton étaient encore fermés. Il y avait vraiment peu de monde et peu de voitures, aussi pendant plus de soixante kilomètres ai-je suivi dans une solitude grandiose les prairies sauvages de la rivière Snake où des troupeaux d'élans paissaient avec, en toile de fond, les hautes silhouettes des Tetons. Dans la montée de Yellowstone, les nuages ont pris l'allure peu engageante d'un ciel chargé de neige. La route que je suivais est interdite à la circulation six mois par an, ce qui vous donne un aperçu de ce que l'hiver doit être dans la région. Même à cette époque, il restait une dizaine de centimètres de neige par endroits, le long de la route.

Yellowstone est le plus vieux parc national du monde (il a été créé en 1872) et c'est absolument gigantesque, à peu près aussi grand que l'État du Connecticut. Pendant plus d'une heure, j'ai roulé sans voir âme qui vive, sauf le garde qui m'a fait payer dix dollars pour entrer dans le parc. Ça doit être un boulot passionnant pour un étudiant : rester assis dans une hutte en rondins au milieu de nulle part et faire cracher dix dollars à un touriste toutes les deux ou trois heures. J'ai fini par arriver à l'intersection qui mène à Grant City et j'ai suivi la route pendant deux kilomètres à travers les forêts enneigées. Le village était important et comptait un centre d'accueil, un motel, des magasins et des terrains de camping, mais tout était fermé et barricadé. Par endroits les congères atteignaient presque le toit des bâtiments. Cela faisait une centaine de kilomètres que je conduisais sans avoir vu le moindre commerce ouvert. Je me félicitais intérieurement d'avoir pensé à faire le plein d'essence à Jackson City.

Grant Village et le village voisin de West Thumb se trouvent sur les rives du lac Yellowstone que suit la route. Des fumerolles de vapeur s'élevaient de la surface du lac et des bulles soulevaient la boue du bord de la route. Je me trouvais dans la partie du parc qu'on appelle la *caldera*. Autrefois il y avait une grande montagne à cet endroit. Mais voici 600 000 ans, une gigantesque explosion volcanique a projeté des millions de mètres cubes de débris dans l'atmosphère. Les geysers, fumerolles et boues fumantes qui ont fait la célébrité de Yellowstone ne sont rien d'autre que les résidus crachotants de ce cataclysme. Peu après West Thumb, la route fait une fourche. A droite, on va au « Old Faithful » (Vieux Fidèle), le plus connu de tous les geysers, mais une chaîne où pendait une pancarte rouge avec l'inscription « Route fermée » barrait la chaussée. Le Vieux Fidèle est à trente kilomètres par la route directe mais à cent quarante par la déviation. J'ai continué jusqu'à Hayden Valley où de nombreuses aires de stationnement vous permettent de vous arrêter pour contempler la plaine de Yellowstone River. C'est là que viennent rôder les ours grizzlys et paître les troupeaux de buffles. En entrant dans le parc vous recevez des consignes très strictes qui vous recommandent de ne pas vous approcher des animaux qui risqueraient de vous tuer ou de vous blesser. Remarquez, j'ai lu par la suite qu'il y a plus de gens qui meurent dans le parc tués par leurs congénères que par des animaux. Il n'empêche que les grizzlys sont encore un vrai danger pour les campeurs dont un ou deux sont emportés chaque année. Si vous campez dans le parc, on vous conseille de changer de vêtements après avoir mangé ou cuisiné et de mettre vêtements et provisions dans un sac suspendu à une haute branche très loin de votre tente. Il court des tas d'histoires sur des campeurs qui, ayant un petit creux, grignotent une tablette de chocolat avant de se coucher et qui voient cinq minutes plus tard un ours se pointer dans la tente en disant : « Hé, les gars, vous n'auriez pas une barre de chocolat en rab ? » Selon la documentation du parc, on aurait constaté que les ours sont attirés par les rapports sexuels et les menstruations. Ce que j'ai trouvé assez mal élevé.

J'ai scruté le paysage avec les jumelles de mon père mais je n'ai pas vu d'ours. Peut-être étaient-ils en train d'hiberner. Peut-être n'y en a-t-il plus beaucoup dans le parc. L'afflux des touristes en été a sans doute contraint les ours à émigrer. Pourtant de larges sections du parc de Yellowstone ont été fermées au public pour encourager les ours à rester. En revanche, les troupeaux de buffles ne manquent pas. Ce sont des animaux tout à fait extraordinaires, avec une tête énorme et des épaules puissantes sur de toutes petites pattes. Quand des millions de ces bêtes couvraient les plaines, le spectacle devait être vraiment impressionnant.

Je suis reparti pour Geyser Basin. On y trouve le paysage le plus changeant et le plus instable de l'univers. Quelques kilomètres à l'est de là, le sol s'élève de trois centimètres par an, ce qui semblerait indiquer l'imminence d'une autre éruption gigantesque. Geyser Basin offre un spectacle absolument fantastique et effrayant, un paysage lunaire de sources de vapeur, de geysers sifflants et de mares aux eaux d'un bleu aigue-marine intense. On se promène au milieu de tout ça sur des passerelles en bois posées sur le sol. Des panneaux vous recommandent bien de ne pas en descendre sous peine d'être aspiré par le sol visqueux et de mourir ébouillanté dans l'eau qui affleure la surface. Et une odeur de soufre flotte dans l'air.

Je suis descendu à pied jusqu'au Steamboat Geyser, le plus grand geyser du monde. Un panneau précisait qu'il projetait de l'eau jusqu'à quatre cents mètres de hauteur mais seulement par intervalles très largement espacés. La dernière éruption remontait à trois ans et demi, le 26 septembre 1984. Et juste alors que je le regardais, une autre éruption s'est produite, ce qui m'a permis de saisir pleinement le sens de l'expression « avoir chaud aux fesses ». La flaque de boue qui était devant moi a commencé à émettre des borborygmes rythmés de sphincter géant (je dois admettre que mon propre sphincter l'a accompagné d'un modeste contrepoint), puis, avec le sifflement d'une baleine qui remonte prendre l'air, un énorme panache blanc d'eau bouillante s'est élevé dans l'atmosphère. Le jet n'a pas dépassé dix mètres mais le débit s'est maintenu pendant plusieurs secondes. Ensuite il s'est arrêté pour recommencer et le phénomène s'est répété quatre fois, remplissant l'air frais de nuages de vapeur avant de cesser tout à fait. Quand ce fut fini, j'ai refermé ma bouche avec ma main et je suis reparti vers la voiture, conscient d'avoir assisté à un des spectacles les plus impressionnants de toute mon existence.

Plus besoin désormais de parcourir les soixante kilomètres qui me séparaient encore du Vieux Fidèle et je décidai plutôt d'aborder la montée des Roaring Mountains par Nymph Lake, Grizzly Lake, Sheepeater Lake — ces noms me fascinent — et de redescendre sur Mammoth Hot Spring où se trouve le quartier général du parc. J'y ai trouvé un centre d'accueil où je suis entré faire un tour, boire un coup et faire pipi avant de poursuivre ma route. Quand je suis sorti du parc, à l'extrémité nord, près de la ville de Gardiner, j'étais dans un autre État : le Montana. J'ai fait une centaine de kilomètres jusqu'à Livingstone dans un paysage moins sauvage mais encore plus beau que celui de Yellowstone. Cela tenait en partie à l'arrivée du soleil dont les rayons étaient venus remplir soudain cet après-midi d'une douceur printanière. De longues ombres plates s'allongeaient sur la vallée. Ici il n'y avait plus de neige et les pâturages d'herbes jaunies commençaient tout juste à se colorer des premières touches de verdure, le long des routes. On approchait du 1er mai et l'hiver amorçait à peine sa retraite. J'ai pris une chambre à l'hôtel Del Mar de Livingstone, je suis allé manger et j'ai fait une promenade sur la route qui sort de la ville. Avec le soleil déclinant derrière les montagnes, la soirée s'est vite rafraîchie. Un vent glacial, venu des espaces déserts du Canada à cinq cents kilomètres au nord, vous fouettait, cette sorte de vent qui s'infiltre dans votre anorak et qui ridiculise votre chevelure. Il faisait vibrer les lignes téléphoniques, comme un homme qui sifflote entre ses dents, et créait des tourbillons dans les hautes herbes. Quelque part une barrière grinçait et claquait, grinçait et claquait. La route s'étendait devant moi, toute droite et plate, pour se réduire finalement à un seul point inaccessible, à des kilomètres de là. Parfois une voiture arrivait dans mon dos avec un bruit qui évoquait étrangement celui d'un jet au décollage. A mesure qu'elle approchait, je me persuadais qu'elle allait me renverser — elle paraissait si proche — mais elle me doublait en un éclair et je voyais ses feux arrière disparaître dans la pénombre grandissante.

Un train de marchandises est arrivé sur la voie ferrée qui longeait la route. Il s'est annoncé par une lumière lointaine et quelques coups de sirène. Puis le train est passé avec lenteur et majesté à ma hauteur, comme une procession nocturne traversant Livingstone. Il était énorme — les trains américains sont deux fois plus grands qu'en Europe — et il mesurait presque deux kilomètres. J'ai pu compter soixante wagons de marchandises avant de perdre le fil. Tous portaient des noms comme Burlington et Northern, Rock Island, Santa Fé. J'ai toujours trouvé curieux que les lignes de chemin de fer portent des noms de villes souvent insignifiantes. Je me suis souvent demandé combien de gens avaient dû perdre jusqu'à leur dernière culotte quand, au siècle dernier, ils avaient tout investi dans des terrains situés à Atkinson ou Topeka dans l'espoir que ces villes deviendraient des métropoles de la taille de Chicago ou San Francisco. Un des derniers wagons du train avait ses portes ouvertes et j'ai eu le temps d'y apercevoir trois silhouettes : des *hobos**. Je n'en revenais pas de constater que leur race n'avait pas disparu et qu'il était encore possible de prendre la route par le rail. Dans le crépuscule environnant, cela m'a semblé tout à coup un moyen très

---

* Des chemineaux, personnages pittoresques qui parcourent les États-Unis en montant illégalement dans les trains de marchandises *(NdT)*.

romantique de passer sa vie et j'ai eu grand-peine à m'empêcher de piquer un sprint et de sauter à bord pour disparaître avec eux dans la nuit. Rien de tel qu'un train qui passe pour vous faire perdre la tête. Mais au lieu de cela, je me suis contenté de faire demi-tour et de remonter la voie ferrée jusqu'à la ville, avec un curieux sentiment de bonheur.

27

Le lendemain, je me suis trouvé confronté à un dilemme : je pouvais retourner à l'est vers le Wyoming par l'autoroute 90 jusqu'à la petite ville de Cody, ou bien je pouvais rester au Montana et visiter le champ de bataille de Custer. La ville de Cody tire son nom du fameux Buffalo Bill Cody, qui a accepté d'y être enterré à condition que l'on donne son nom à la ville. J'imagine qu'il y avait deux autres clauses :
1. Qu'on attende qu'il soit mort avant de l'enterrer ;
2. Qu'on remplisse la ville entière de la plus grande camelote touristique qu'on puisse trouver.

Sentant qu'il y avait là une source de gains substantiels, les gens de la ville ont obligeamment accédé à ses requêtes et, depuis lors, ils n'ont cessé de tirer profit de la gloire de Cody. De nos jours la ville vous offre une demi-douzaine de musées du Cow-boy ou autres attractions avec, bien sûr, de multiples occasions d'acheter des tas de babioles merdiques que vous emporterez chez vous.

A Cody on aime à vous faire croire que Buffalo Bill était un gars du pays. En vérité, comme j'ai l'immense fierté de vous l'apprendre, il était natif de l'Iowa où il a vu le jour dans la petite ville de Le Claire en 1846. Les gens de Cody, dans une des opérations commerciales les plus désespérées du siècle, ont acheté la maison natale de Buffalo Bill et ils l'ont reconstruite dans leur propre ville. Mais ils mentent comme des arracheurs de dents quand ils laissent entendre que c'était un gars du coin. Ce qui est drôle, c'est qu'ils ont un enfant du pays qui est devenu célèbre : Jackson Pollock, le peintre, est né à Cody. Mais les habitants n'en ont jamais fait grand cas, sans doute parce que, question chasse aux bisons, Pollock était une vraie nullité.

Donc c'était la première possibilité. Sinon j'avais le choix, comme je l'ai dit, de continuer à travers le Montana jusqu'à Little Big Horn, l'endroit où le général Custer a pris la pâtée. Pour être tout à fait honnête, je dois dire qu'aucune de ces options ne me paraissait vraiment excitante — j'aurais nettement préféré quelque chose comme un bon cocktail sur une terrasse dominant la mer — mais dans le Wyoming et le Montana on n'a pas tellement le choix. Pour terminer, je me suis décidé pour la dernière bataille de Custer. Cela m'a plutôt étonné d'ailleurs car, en règle générale, je n'aime pas les champs de bataille. Je n'y vois plus le moindre intérêt à partir du moment où on a enlevé les corps et nettoyé le terrain. Mon père adorait les champs de bataille. Il les parcourait à grandes enjambées, muni d'un guide et d'une carte, revivant avec enthousiasme les aléas de la bataille de la Crête de l'Homme qui Crache, par exemple.

Un jour on m'a offert le choix entre aller avec ma mère visiter le musée où sont exposées les robes des femmes de présidents ou bien rester avec mon père. Inconsidérément j'ai choisi cette dernière possibilité. J'ai passé un après-midi interminable à la remorque de mon père, persuadé qu'il avait perdu la tête. « Maintenant on doit être à l'endroit où le général de la Gueulardière s'est tiré accidentellement une balle dans l'aisselle et a dû céder le commandement au lieutenant-colonel Scrongneugneu », disait-il tandis qu'on se hissait au sommet d'une butte escarpée. « Cela signifie donc que les troupes de Pisserotte ont dû se regrouper dans ces arbres là-bas », et, disant cela, il indiquait un bosquet d'arbres, trois collines plus loin, vers lequel il se dirigeait à grands pas, toute documentation au vent, et je pensais : « Et maintenant, où est-ce qu'il va donc m'emmener ? » Plus tard, j'ai appris, à ma plus grande humiliation, que la visite du musée des Robes de la Première Dame n'avait duré que vingt minutes et que ma mère, mon frère et ma sœur avaient passé le reste de l'après-midi dans un restaurant Howard Johnson à manger des banana splits.

Eh bien, le champ de bataille de Custer fut une surprise bien agréable. Ce n'est pas grand-chose mais, après tout, la bataille ne fut pas grand-chose non plus. Le centre d'accueil contient un musée modeste mais captivant où l'on a rassemblé des vestiges de la bataille, côté indien et côté militaire, ainsi qu'une maquette topographique qui vous montre les différentes phases de la bataille à l'aide de petites ampoules électriques. En gros, cela se résume à un cordon de petites lumières bleues qui descendent la colline avec assurance et qui remontent cette même colline à toute allure, poursuivies par un nombre plus important de lumières rouges. Les lumières bleues se regroupent ensuite au sommet de la colline où elles clignotent furieusement. Puis, une à une, elles s'éteignent, complètement submergées par les lumières rouges qui leur ont foncé dessus. Sur la maquette, l'ensemble de l'opération ne dure pas plus de quelques minutes et en réalité ça n'a pas duré beaucoup plus longtemps. Custer était un imbécile et une brute qui n'a eu que le sort qu'il méritait. Son plan prévoyait de massacrer hommes, femmes et enfants des tribus Cheyenne et Sioux qui campaient au bord de la rivière Little Big Horn et il a tout simplement eu la malchance de se trouver devant une troupe plus nombreuse et mieux armée qu'il ne l'escomptait. Custer et ses hommes ont fait retraite à l'endroit de la colline où l'on a construit le centre d'accueil, mais comme il n'y avait aucun abri où se cacher, ils ont très vite succombé. Je suis sorti et j'ai gravi la petite pente qui mène à l'endroit précis où Custer a livré son dernier combat et j'ai regardé autour de moi.

C'est une colline sinistre et pelée, éternellement battue par le vent. Du sommet, mon regard portait bien à une centaine de kilomètres à la ronde, sans un seul arbre en vue ; sous mes yeux, une étendue ininterrompue de prairies jaunâtres disparaissait par vagues dans la pâleur de l'horizon. Le lieu était si désert et si désolé qu'on voyait arriver le vent avant de le sentir. L'herbe des flancs de la colline commençait à tourbillonner et un moment plus tard on se sentait enveloppé d'une bourrasque de vent qui disparaissait aussitôt.

Le site de la dernière bataille de Custer est entouré d'une barrière noire en fer forgé à l'intérieur de laquelle, sur une largeur de cinquante mètres, on a érigé des stèles blanches qui marquent l'endroit précis où chaque soldat est tombé. Derrière moi, à une cinquantaine de mètres plus bas, sur l'autre versant de la colline, deux pierres blanches se dressant l'une à côté de l'autre, témoignage de la fuite de deux soldats qui ont tenté le tout pour le tout avant d'être abattus. On ne connaît pas le chiffre exact des pertes indiennes car les Indiens ont emporté leurs morts et leurs blessés avec eux. En fait on ne sait rien de précis sur cette journée de 1876 car les récits des Indiens se contredisent et aucun des participants blancs n'a survécu pour donner sa version de la rencontre. Tout ce qu'on sait de façon certaine, c'est que Custer a fait une grosse connerie et qu'il en est mort, ainsi que deux cent soixante autres hommes.

C'est étrange mais toutes ces pierres tombales éparpillées sur une hauteur aussi désolée et battue par le vent vous serrent le cœur et finissent presque par vous angoisser. On ne peut pas les regarder sans imaginer quelle mort étrange et effrayante ont dû avoir les soldats qui sont tombés ici, et c'est d'humeur toute pensive que je suis redescendu vers ma voiture pour reprendre ces éternelles routes américaines.

Je me dirigeais vers Buffalo (Wyoming), dans un paysage de collines d'un brun moussu. Le Montana est prodigieusement vaste et désert, encore plus grand et plus vide que le Nevada. C'est, dans une large mesure, parce qu'il y a très peu d'agglomérations dignes de ce nom. Helena, la capitale de l'État, ne compte pas plus de 24 000 habitants. La totalité de l'État ne dépasse pas les 800 000 habitants, pour une surface de 380 000 kilomètres carrés. Et pourtant ses plaines désertes interminables et ses ciels imposants lui confèrent une sorte de beauté envoûtante. Le Montana est baptisé le « pays du Grand Ciel » et il mérite vraiment ce nom. Le ciel m'avait toujours semblé un élément fixe et invariable mais ici il donnait l'impression d'avoir grandi et d'être multiplié par dix. La Chevette était une infime particule sous un dôme blanc, colossal. Tout devenait lilliputien sous ce ciel prodigieux. La route traversait une grande réserve d'Indiens crow mais je n'ai vu aucune trace de présence indienne ni sur la route, ni au-delà. Après Lodge Grass et Wyola, je suis entré dans l'État du Wyoming où le paysage est resté le même avec cependant davantage de ranches et, sur la carte, abondance de noms divertissants : Spotted Horse, Recluse, Crazy Woman Creek, Thunder Basin*. Je suis arrivé à Buffalo. C'est la ville où s'est déroulée, en 1892, la fameuse guerre du comté de Johnson, événement qui a inspiré le film *La Porte du Paradis*, bien qu'en fait le terme de « guerre » soit une grosse exagération de l'incident. Tout ce qui s'est passé, c'est que les propriétaires de ranches, regroupés en une Association des éleveurs du Wyoming, ont loué les services d'une poignée de bandits pour aller tabasser quelques fermiers qui s'étaient installés depuis peu, et tout à fait légalement d'ailleurs, dans le comté de Johnson. Après la mort d'un

---

* Cheval pommelé, Recluse, La Crique de la Femme Folle, Le Bassin du Tonnerre.

des leurs, abattu par les bandits, les fermiers se sont mobilisés et les ont poursuivis jusqu'à un ranch à l'extérieur de la ville où ils les ont assiégés. Puis la cavalerie est arrivée, ce qui a permis aux bandits, qui avaient compris la leçon, de quitter librement la ville sans encombre. L'histoire se résume à cela : un seul mort et très peu de coups de feu. Et c'est, grosso modo, valable pour l'Ouest en général : des histoires de fermiers, c'est tout.

J'ai atteint Buffalo peu après quatre heures de l'après-midi. La ville possède un musée consacré à la guerre du comté de Johnson que je comptais visiter. Mais en arrivant j'ai découvert qu'il n'était ouvert qu'entre juin et septembre. Je suis allé faire le tour du quartier commerçant de la ville, pensant peut-être m'y arrêter pour la nuit, mais la ville était un tel bled minable que j'ai décidé de continuer jusqu'à Gilette, cent dix kilomètres plus loin. Gilette était encore pire. J'ai fait le tour en voiture pendant quelques minutes mais je n'ai pas eu le courage de me résoudre à y passer un samedi soir. Aussi ai-je décidé de continuer encore un peu.

C'est ainsi que j'ai fini par arriver à Sundance, quelque cinquante kilomètres plus loin. Sundance est la ville d'où le Sundance Kid tire son nom et, d'après ce que j'ai pu voir, c'est bien la seule chose qu'il pouvait tirer de cette ville. Il n'y est même pas né. Il y a seulement passé quelque temps en prison. C'est une ville peu importante, sans charme, avec une route pour entrer et une route pour sortir. J'ai pris une chambre au Bear Lodge Motel dans la grand-rue, un hôtel agréable si l'on aime la simplicité. Le lit était moelleux, la télévision diffusait les programmes de la chaîne câblée HBO et le cabinet portait la bande de protection « Désinfecté pour votre sécurité ». A l'extrémité de la rue se trouvait un restaurant qui semblait acceptable. Il était évident que je n'allais pas passer le samedi soir le plus mémorable de ma vie, mais la situation aurait pu être pire. D'ailleurs, elle n'allait pas tarder à le devenir.

J'ai pris une douche et ensuite, tout en m'habillant,

j'ai mis la télévision. L'émission présentait le révérend Jimmy Swaggart, un évangéliste de télévision qui venait récemment de se faire pincer en train de batifoler avec une prostituée, le vieux brigand. Naturellement, ça avait quelque peu entamé sa crédibilité et depuis de temps-là, apparemment, il envahissait les ondes de façon quasi permanente, pour implorer pardon. Et il était là, une fois de plus, en train de réclamer argent et absolution, dans cet ordre-là. Les larmes jaillissaient de ses yeux et ruisselaient sur ses joues. Il me confia qu'il n'était qu'un misérable pécheur. « Alors là, tout à fait d'accord, mon pote », ai-je répondu en éteignant le poste.

Je suis sorti dans la grand-rue. C'était le quart de sept heures, comme on dit dans cette partie du monde. La soirée était douce et dans l'air tranquille flottait un parfum de steak au feu de bois qui venait du restaurant d'en face me titiller les narines. Après une journée de jeûne, cette odeur d'entrecôte me fit prendre conscience de mon appétit. J'ai discipliné mes cheveux mouillés, traversé la rue après avoir regardé des deux côtés, précaution largement superflue car il n'y avait aucune circulation à cent cinquante kilomètres de distance. En ouvrant la porte du restaurant, je suis resté tout interdit de m'apercevoir qu'il était bourré à craquer de *Shriners*.

Les Shriners, au cas où vous n'en avez jamais entendu parler, forment une organisation sociale de personnes d'âge mûr qui rassemblent des messieurs de mentalité et de goûts particuliers, aimant faire des farces et pincer les fesses qui leur passent à portée de main. Ils prennent de grosses cuites et jettent des ballons pleins d'eau par les fenêtres de leur hôtel. Pour un Shriner, le comble de l'humour c'est de mettre sa main en coquille sous son aisselle et d'imiter des bruits de pets. Un Shriner est facile à repérer : c'est un monsieur qui porte généralement un fez rouge et des chaussettes dépareillées. Les Shriners se rassemblent, à ce qu'ils prétendent, pour récolter des fonds destinés à des œuvres de charité. Enfin, c'est ce qu'ils racontent à leurs femmes. Cependant, voici une information qui devrait vous aider à remettre les choses dans une plus juste perspective. En 1984, selon le *Harper's Magazine*, les Shriners ont récolté 17,5 millions de dollars. Or, sur cette somme, les œuvres charitables n'ont reçu que 182 000 dollars. En bref, les Shriners se contentent de se réunir pour déconner. C'est ce qui explique mon inquiétude à l'idée de dîner au milieu d'un groupe de cinquante chauves qui allaient lancer des morceaux de beurre à travers la salle et mettre le feu au menu de leur voisin, pour plaisanter.

L'hôtesse est arrivée vers moi. Elle mâchait un chewing-gum et ne débordait pas d'affabilité. « Peux vous aider ? » dit-elle. « J'aimerais une table pour une personne, s'il vous plaît. » Elle a fait claquer son chewing-gum de façon peu appétissante. « On est fermé. »

Une fois encore, j'étais ahuri. « Ça ne me paraît pas être le cas.

— C'est privé. Le restaurant est réservé pour la soirée. »

J'ai poussé un soupir. « Je ne suis pas d'ici. Vous ne pourriez pas m'indiquer où je pourrais manger ? »

Elle a élargi son sourire, visiblement ravie de pouvoir m'annoncer une mauvaise nouvelle. « Nous sommes le seul restaurant de Sundance. » A la table d'à côté, des Shriners radieux assistaient à la montée de ma déconvenue avec une hilarité un rien simplette. « Vous pourriez essayer la station-service du bas de la rue, a ajouté la dame.

— Ils servent à manger ? ai-je répliqué en maîtrisant mon étonnement.

— Non, mais ils vendent des chips et des friandises.

— Ce n'est pas vrai, je rêve, ai-je murmuré.

— Ou bien alors, si vous faites deux kilomètres sur la nationale 24, vous trouverez un drive-in Tastee-Freez. »

Super. Absolument génial. Ce que cette femme était en train de me dire, c'est qu'à Sundance (Wyoming), un samedi soir, tout ce que je pouvais espérer avoir comme dîner c'était des chips et un cornet de glace.

« Et dans une autre ville ?

— Vous pouvez essayer à Spearfish, c'est à cinquante kilomètres en descendant la route 14, de l'autre côté de la frontière de l'État, dans le Dakota du Sud. Mais vous ne trouverez pas grand-chose là-bas non plus. » Elle me fit un autre sourire, fit claquer son chewing-gum comme si elle était fière d'habiter un coin aussi merdique.

« Eh bien, un très grand merci pour votre aide », ai-je lancé en sortant, avec une hypocrisie appuyée.

Eh bien voilà, mesdames et messieurs, toute la différence entre le Middle West et l'Ouest. Dans le Middle West les gens sont gentils. Dans le Middle West, l'hôtesse n'aurait jamais pu supporter de me voir repartir mourant de faim. Elle m'aurait trouvé une table dans l'arrière-salle ou bien elle m'aurait préparé un sandwich au rosbif et une tranche de tarte que je serais allé manger dans ma chambre de motel. Et les Shriners, si trous du cul débilissimes qu'ils puissent être, auraient été heureux de me faire une place à leur table et m'auraient probablement même donné des petits bouts de beurre à lancer à travers la salle. Les gens du Middle West sont bons et gentils avec les étrangers. Mais ici, à Sundance, le sens de la fraternité humaine ne pouvait rivaliser en petitesse qu'avec la taille du cerveau des Shriners.

Je suis reparti à pas lents en direction du Tastee-Freez. J'ai marché un bon moment, dépassant les dernières maisons, m'engageant sur une nationale déserte qui semblait s'étirer à l'infini, mais sans voir aucune indication signalant un Tastee-Freez. Alors j'ai fait demi-tour et je suis revenu lentement vers la ville. J'avais pensé prendre la voiture mais soudain j'ai trouvé que ça n'en valait pas la peine. Leur façon de ne pas pouvoir orthographier « Freeze » correctement m'a toujours ôté l'envie de mettre les pieds dans ce genre d'établissement. Quelle crédibilité peut-on accorder à une compagnie qui n'arrive même pas à écrire sans faute un monosyllabe ? Je me suis donc contenté d'aller à la station-service m'acheter pour six dollars de chips et de friandises que j'ai emportés dans ma chambre et jetés sur le lit. Je m'y suis étendu en me fourrant dans la bouche des barres de chocolat que je poussais comme des troncs qu'on envoie à la scierie. J'ai regardé sur la chaîne HBO une vague production made in Hollywood, dépourvue d'intrigue mais bourrée de violence. Puis j'ai sombré dans une autre de ces nuits au sommeil agité, allongé dans le noir, le ventre plein mais insatisfait, contemplant le plafond, écoutant les Shriners de l'autre côté de la rue et les bêlements de mon estomac.

Et ainsi se passa la nuit.

Je me suis réveillé tôt et, tout grelottant, j'ai jeté un coup d'œil par la fente des rideaux. C'était une aube dominicale pleine de crachin. Il n'y avait pas âme qui vive dans la rue, le moment idéal pour lancer une bombe incendiaire dans le restaurant. Je me suis dit que je devais me souvenir de mettre un pain de gélignite dans mes bagages la prochaine fois que je viendrais dans le Wyoming. Et aussi des sandwiches. J'ai branché la télévision et je suis retourné me mettre dans le lit où j'ai tiré les couvertures jusque sous mes yeux. Jimmy Swaggart était encore là, à réclamer l'absolution. Bonté divine, qu'est-ce que ce type peut pleurer ! Une vraie cataracte. Je l'ai regardé un moment, et puis je me suis levé et j'ai changé de chaîne. Et sur toutes les autres chaînes, il n'y avait que des évangélistes avec, bien souvent, leur mocheté d'épouse à leur côté. On comprenait tout de suite pourquoi ils allaient baiser ailleurs. Parfois le programme présentait aussi le gendre de l'évangéliste, frais émoulu de l'institut Pat Boone des Belles Manières, qui entamait un chant du genre « Jésus est votre ami et n'oubliez pas de nous envoyer de gros chèques ». Je me demande s'il y a quelque chose de plus déprimant que d'être couché dans le noir, dans un motel du Wyoming, à regarder la télé tôt un dimanche matin.

Je me souviens du temps où la télévision n'avait pas de programmes le dimanche matin. C'est vous dire si je suis vieux. On se branchait sur WOI et tout ce qu'on voyait c'était la mire. Alors on restait assis à la regarder parce qu'il n'y avait rien d'autre. Et un moment après, ils enlevaient la mire et passaient *Sky King* qui était un programme intéressant et passionnant. Enfin, tout est relatif. De nos jours on ne montre plus de mire à la télévision américaine. Et c'est bien dommage. Parce que, si je devais choisir entre la mire et un évangéliste, je prendrais sans hésitation la première. D'abord la mire a un effet curieusement relaxant. Et puis jamais une mire ne vous réclamera de l'argent ni ne vous obligera à écouter son gendre chanter.

J'ai quitté le motel peu après huit heures. J'ai roulé dans la bruine jusqu'à Devil's Tower, à une cinquantaine de kilomètres de là. Devil's Tower, la « tour du Diable », est la montagne que Spielberg a utilisée dans son film *Rencontres du troisième type*, cette montagne où atterrissent les extra-terrestres. Elle est tellement unique et extraordinaire qu'on se demande bien ce que Spielberg aurait pu choisir si elle n'avait pas existé. On l'aperçoit longtemps avant d'y arriver et à mesure qu'on s'approche, elle prend une dimension tout à fait impressionnante. C'est un rocher conique au sommet plat qui mesure dans les trois cents mètres. Les scientifiques expliquent qu'il s'agit d'un accident volcanique, un gigantesque morceau de roc brûlant qui est sorti de la terre si rapidement qu'il s'est refroidi en gardant la forme saisissante qu'on lui voit. On prétend qu'il émet une lueur par les nuits de pleine lune. En tout cas, même par un dimanche de pluie et tôt le matin, quand les volutes de nuages s'accrochent à son sommet, cette montagne a l'air positivement surnaturelle, comme si elle avait été placée là de toute éternité pour servir un jour à des extra-terrestres. J'espère seulement qu'ils ne s'attendent pas à manger au restaurant le jour où ils débarqueront.

J'ai rangé la voiture sur une aire de stationnement près de la tour et je suis sorti pour l'examiner en clignant les yeux dans la bruine. Un panneau en bois au bord de la route signalait que les Indiens considéraient cette tour comme une terre sacrée et qu'en 1906 elle était devenue le premier site national classé des États-Unis. Je l'ai contemplée longuement, dans un état d'hypnose provoqué à la fois par sa majesté et par un vague manque de café. Puis, me rendant compte que je me faisais tremper, je suis remonté en voiture et j'ai repris la route. N'ayant pas eu de dîner la veille, j'avais bien l'intention de me payer un des plus grands plaisirs gustatifs que la gastronomie américaine puisse offrir : un petit déjeuner du dimanche matin au restaurant.

Aux États-Unis, tout le monde va prendre le petit déjeuner du dimanche au restaurant. C'est un passe-temps tellement populaire qu'on doit en général faire la queue pour avoir une table, mais ça vaut la peine d'attendre. A vrai dire, cette impossibilité d'assouvir immédiatement son appétit est une expérience si incroyablement inhabituelle pour un Américain que l'attente elle-même intensifie, en fait, le plaisir. Bien sûr, on n'aimerait pas que ça devienne une habitude ; on ne souhaiterait pas devenir britannique pour autant, par exemple. Mais, une fois par semaine pendant vingt minutes, c'est vraiment sympa, comme on dit. Si on fait la queue, c'est parce qu'il faut déjà une demi-heure à la serveuse uniquement pour prendre la commande. D'abord il faut préciser comment on veut les œufs : sur le plat, façon classique ou à l'envers, brouillés, pochés, à la coque ou en omelette. Dans ce cas est-ce que vous désirez une omelette nature, au fromage, aux légumes, sauce piquante ou bien au chocolat caramélisé ? Pour votre pain vous choisissez pain blanc, pain de seigle, pain complet, pain au levain, ou pumpernickel ? Et le beurre, ce sera beurre allégé, beurre normal ou substitut de beurre pauvre en cholestérol ? Ensuite commence la période des négociations plus sophistiquées où vous essayez de savoir si vous pouvez avoir des cornflakes au lieu des pains à la cannelle et des petites saucisses au lieu des boulettes. Cela oblige la serveuse, qui n'a que seize ans et qui n'est pas très futée, à aller demander au gérant si c'est possible. Et quand elle revient, elle vous apprend que vous ne pouvez pas prendre de cornflakes à la place des pains à la cannelle mais qu'il est possible de vous donner des frites de l'Idaho au lieu des crêpes et que vous pouvez avoir un muffin-anglais-avec-tranches-de-bacon à la place du toast-au-blé-complet mais seulement si vous commandez un supplément de *hashed browns* et un grand verre de jus d'orange. C'est une proposition qui ne vous convient pas du tout, alors vous décidez de prendre des gaufres et la serveuse n'a plus qu'à tout effacer avec son petit bout de gomme et recommencer de zéro. A l'autre bout de la salle la queue qui s'étend derrière le panneau « Attendez SVP qu'on vous indique votre table » devient de plus en plus longue. Mais les gens l'acceptent de bon cœur car la cuisine sent si bon et toute cette attente est, comme je l'ai dit, quelque chose de vraiment sympa.

Je roulais sur la nationale 84 parmi des collines basses, avec de petits frissons d'anticipation. J'avais repéré trois petites villes dans les trente prochains kilomètres et j'étais absolument certain de trouver un restaurant dans l'une d'entre elles. J'étais près de la frontière du Dakota du Sud. J'allais quitter un pays d'élevage pour entrer dans une région agricole plus classique et comme les fermiers ne peuvent pas vivre sans un café routier tous les cinq kilomètres, j'étais donc certain d'en trouver un au prochain virage. J'ai traversé ces trois petites villes une à une, Hulett, Alva, Aladdin, sans rien y trouver, que des maisons endormies. Personne n'était réveillé. Mais qu'est-ce que c'était que ce coin-là ? Même le dimanche les fermiers se lèvent à l'aube. Après Beulah, j'ai laissé derrière moi l'agglomération plus importante de Belle-Fourche, puis Saint-Onge, et puis Sturgis. Mais il n'y avait toujours rien, pas même un endroit où boire un café. Finalement je suis arrivé à Deadwood (Mort-Bois) une ville qui, en tout cas, mérite bien sa première syllabe. Pendant quelque temps, aux environs des années 1870, quand on a découvert de l'or dans les Collines noires,

Deadwood fut une des villes les plus dynamiques et les plus célèbres de l'Ouest. C'est la patrie de Calamity Jane. C'est là que fut tué d'une balle de revolver Wild Bill Hickock alors qu'il jouait aux cartes dans un saloon du coin. De nos jours, la ville tire ses ressources de l'exploitation intensive des touristes auxquels on vend de petits bibelots toujours aussi merdiques qu'ils emportent chez eux pour décorer leur dessus de cheminée. Presque tous les magasins de la grand-rue étaient des boutiques de souvenirs et beaucoup d'entre elles étaient ouvertes bien qu'on soit dimanche matin. Il y avait même un ou deux cafés mais eux étaient fermés.

Je suis entré au comptoir de la Pépite d'Or jeter un coup d'œil. C'était une grande pièce où l'on ne vendait rien d'autre que des souvenirs : mocassins, sacs indiens brodés de perles, têtes de flèches, fausses pépites d'or, poupées indiennes... J'étais le seul client et, comme rien ne me tentait, je suis sorti pour aller deux boutiques plus loin, Aux Prospecteurs d'Or, Boutique-cadeaux de renommée mondiale, et j'y ai trouvé le même bazar à des prix identiques. J'étais toujours l'unique client. Dans aucun de ces magasins les vendeurs ne m'ont salué ni demandé si j'allais bien. Dans le Middle West, c'est ce qu'on aurait fait. Je suis ressorti sous une bruine déprimante et je me suis mis à la recherche d'un endroit où manger. Vainement. J'ai donc rejoint la voiture et pris la route du mont Rushmore à soixante kilomètres de là.

Le mont Rushmore est juste aux portes de la ville de Keystone, une petite ville encore plus touristique que Deadwood mais où au moins quelques restaurants étaient ouverts. Je suis entré dans l'un d'entre eux et on m'a tout de suite donné une table, ce qui m'a plutôt étonné. Après m'avoir tendu la carte, la serveuse est repartie. Il y avait à peu près quarante petits déjeuners différents au menu. J'en étais seulement arrivé au numéro 17 (« Petites saucisses dans leurs chaussons ») quand la serveuse est revenue, le crayon prêt à l'attaque. Comme je mourais de faim, j'ai simplement décidé de prendre plus ou moins au hasard le petit déjeuner numéro 3. « Mais est-ce que je pourrais avoir des petites saucisses au lieu des hashed browns ? » ai-je demandé. Elle a souligné d'un tapotement préremptoire du crayon l'avis porté sur la carte : « Aucun changement au menu n'est autorisé. » Quelle barbe ! C'était justement ce qu'il y avait de plus amusant. Pas étonnant que leur resto soit à moitié vide. J'ai commencé à protester mais j'ai cru voir une giclée de salive s'amasser dans la bouche de la serveuse alors j'ai craqué. « Ça ne fait rien, merci beaucoup », ai-je lancé d'un ton jovial avec un large sourire. « Et s'il vous plaît, ne crachez pas dans mon assiette », ai-je failli ajouter alors qu'elle s'éloignait. Mais j'ai eu peur que ça lui donne des idées.

Après cela, je suis allé au mont Rushmore qui est à quelques kilomètres de la ville, après une bonne montée. Voir le mont Rushmore a toujours été un de mes vieux rêves, surtout depuis que j'ai vu Cary Grant escalader le nez de Thomas Jefferson dans le film d'Hitchcock *La Mort aux trousses* (un film qui m'a également laissé l'étrange désir de pouvoir mitrailler quelqu'un dans un champ de maïs survolé en avion à basse altitude). J'ai découvert avec plaisir que le mont Rushmore était gratuit. Il y avait un énorme parking sur un terre-plein mais il était presque vide. Je m'y suis garé et j'ai continué à pied jusqu'au centre d'accueil. Un des murs est remplacé par une paroi vitrée, ce qui vous permet d'admirer le monument sculpté sur la montagne voisine. Il était noyé dans le brouillard. Je n'en revenais pas d'une telle malchance. J'avais l'impression d'être dans un bain turc. Il me semblait pouvoir tout juste discerner Washington, mais sans en être sûr. J'ai attendu un long moment sans que rien se passe. Puis, au moment où j'allais abandonner et m'en aller, le brouillard s'est aimablement levé et ils étaient là — Washington, Jefferson, Lincoln, Teddy Roosevelt — fixant de leurs yeux vides l'étendue des Collines noires.

Le monument m'a semblé plus petit que je ne l'avais

imaginé. C'est ce que tout le monde dit. Cela tient sans doute au fait qu'il est vu d'en bas et à une distance de cinq cents mètres. Il paraît donc plus modeste qu'il ne l'est en réalité. En fait le mont Rushmore est gigantesque. Le visage de Washington mesure vingt mètres et ses yeux ont quatre mètres de largeur. Si on leur avait mis un corps, précisait un panneau, les personnages du monument mesureraient cent cinquante mètres.

Dans une pièce annexe, un film permanent, très bien réalisé, donnait l'historique du mont Rushmore avec des statistiques impressionnantes sur le cubage de rochers qu'on avait dû déblayer. Il y avait même quelques extraits superbes d'un vieux film muet qui montrait la progression des travaux. On y voyait principalement des ouvriers souriants en train de bourrer de dynamite la paroi rocheuse. Suivait une grande explosion et, quand le nuage de poussière retombait, ce qui n'était auparavant qu'un rocher était devenu le visage d'Abraham Lincoln. Vraiment remarquable. Une réussite extraordinaire, une des gloires de l'Amérique et, certainement, un des grands monuments de ce siècle.

Quatorze années, de 1927 à 1941, ont été nécessaires pour terminer l'entreprise. Et juste à la fin des travaux Gutzon Borglum, l'auteur du projet, est mort. Tragique, non ? Pendant toutes ces années, il avait travaillé comme un fou et puis au moment où on allait sabler le champagne et mettre les petites saucisses sur des cure-dents, le voilà qui s'effondre et qui rend le dernier soupir. Sur une échelle de malchance de zéro à dix, à mon avis, ça vaudrait bien onze.

J'allais désormais vers l'est, à travers le Dakota du Sud, ayant dépassé Rapid City. J'avais eu l'intention de m'arrêter pour voir le Parc national des Badlands mais le brouillard et le crachin étaient si denses que ça n'aurait eu aucun intérêt. De plus, la radio venait d'annoncer que j'étais suivi de près par un autre redoutable « système dépressionnaire ». On attendait de la neige sur les crêtes des Collines noires et de nombreuses routes du Montana, du Wyoming et du Colorado étaient déjà coupées par de récentes chutes de neige, y compris la nationale entre Jackson et Yellowstone. A un jour près, j'aurais donc pu m'y retrouver bloqué et, si je ne me dépêchais pas, je risquais fort d'être coincé dans le Dakota du Sud pendant plusieurs jours. Ce qui, sur une échelle de malchance de zéro à dix, vaudrait bien, à mon avis, un douze. Quatre-vingts kilomètres après Rapid City se trouve la petite ville de Wall, patrie du drugstore le plus célèbre de l'Ouest : Wall Drug. On ne peut pas le rater car tout au long de ces quatre-vingts kilomètres, de grands panneaux vous le rappellent tous les cent mètres : STEAKS ET GÂTEAUX, WALL DRUG 75 KM — SANDWICHES CHAUDS À LA VIANDE, WALL DRUG 56 KM — CAFÉ, CINQ CENTS, WALL DRUG, 40 KM — etc. C'est l'équivalent publicitaire d'un supplice chinois. Au bout d'un moment l'incessant goutte-à-goutte des panneaux vous brouille tellement le jugement qu'il ne vous reste plus qu'à quitter l'autoroute pour aller visiter ce Wall Drug. C'est un endroit affreux, le plus grand piège à touristes du monde entier, mais ça m'a beaucoup plu et je ne supporterai pas qu'on émette la moindre critique à son sujet. En 1931, un certain Ted Hustead a acheté Wall Drug. Acheter un drugstore dans une bourgade du Dakota du Sud, en pleine dépression économique, est probablement l'opération commerciale la plus stupide qu'on puisse imaginer. Mais Hustead avait parfaitement compris que la traversée du Dakota du Sud allait rendre les gens complètement fous d'ennui et qu'ils seraient prêts à s'arrêter pour n'importe quoi. Il a donc rassemblé un tas de curiosités, un dinosaure grandeur réelle, une Hupmobile modèle 1908, un bison empaillé, un poteau avec des flèches donnant direction et distance de villes comme Paris, Hong Kong ou Tombouctou. Et surtout, il a fait planter des centaines de poteaux le long de la route principale, de Sioux Falls jusqu'aux Collines noires, il a rempli son magasin du plus exotique, du plus gigantesque bric-à-brac de merdes touristiques que l'œil humain ait jamais contemplé, et bientôt les gens se sont mis à débarquer par centaines.

De nos jours, Wall Drug a pratiquement envahi toute la ville et il est entouré de parkings si monstrueux qu'un jumbo jet pourrait s'y poser. En été, on y accueille jusqu'à vingt mille touristes par jour. Cependant, le jour de mon passage, il faut admettre que les choses étaient nettement plus calmes et j'ai pu me garer juste devant l'entrée, dans la rue principale.

Grande fut ma déception de découvrir que Wall Drug n'était pas le méga-drugstore que j'avais imaginé. C'était plutôt une mini-galerie marchande où une quarantaine de petites boutiques vendaient toutes sortes de choses ; des vêtements style western, des bijoux, des bottes de cowboy, de l'alimentation, des tableaux et une kyrielle de souvenirs. J'ai fait l'acquisition d'une très belle lampe à huile, réplique du mont Rushmore. La mèche et son réservoir de verre sortaient directement de la tête de George Washington. Elle était « Made in Japan » et les quatre présidents avaient nettement les yeux bridés. Cadeaux et souvenirs abondaient mais aucun autre, bien sûr, n'était aussi raffiné ni aussi charmant que celui-là. J'ai constaté avec regret qu'on ne vendait pas de casquette de base-ball avec crotte en plastique sur la visière. Wall Drug a un public familial, aussi ce genre de plaisanterie est exclu. Dommage. C'était le dernier lieu touristique que je risquais de traverser avant la fin du voyage. Encore un rêve qui n'allait pas pouvoir se réaliser.

28

Je roulais, poursuivant cette traversée sans fin du Dakota du Sud. Seigneur, quel pays plat et vide ! Vous n'avez pas idée de l'isolement et de la solitude qu'on peut ressentir dans ces interminables prairies d'herbes jaunies. On a l'impression de traverser en voiture la plus grande chambre d'isolation sensorielle du globe. La voiture continuait à émettre ses bruits de mauvais augure et la perspective de tomber en panne aussi loin de tout me remplissait d'inquiétude. Dans ce coin de la planète, on peut faire des centaines de kilomètres dans toutes les directions avant de rencontrer la moindre trace de civilisation ou, du moins, avant de rencontrer un être vivant qui ne soit pas un fanatique de l'accordéon. Dans une tentative désespérée pour faire passer le temps, je me suis mis à feuilleter mes guides *Mobil* en les plaquant sur le volant, ce qui m'a amené à faire quelques embardées assez dingues sur la chaussée. Je me suis amusé à calculer la population et la surface des quatre États des hautes plaines : Dakota du Nord et du Sud, Montana et Wyoming. Ensemble ils occupent 385 000 miles carrés, soit la surface de la France, de l'Allemagne, de la Suisse et des Pays-Bas réunis. Mais leur population totale ne dépasse pas 2,6 millions d'habitants. Paris est plus peuplé. Intéressant, non ? Autre information passionnante : la densité kilométrique du Wyoming est de 1,9. Le Dakota dépasse à peine 2 habitants au kilomètre carré tandis que la Grande-Bretagne en compte 236,2. À tout moment, il y a 136 000 personnes dans le ciel des États-Unis, ce qui est supérieur à la population totale des villes principales de ces quatre États. Et pour terminer, voici une information vraiment intéressante : selon une enquête du *Magazine de la vie saine*, soixante pour cent des clients « souillent ou renversent la nourriture des salade-bars des self-services en Amérique ». D'accord, c'est un fait qui n'a rien à voir avec les données démographiques de la région des plaines du Nord, mais je trouve qu'une brève digression dans un domaine hors sujet se justifie quand il s'agit d'une information qui peut changer votre vie. En tout cas, elle a changé la mienne.

Je me suis arrêté pour la nuit dans une sorte de néant baptisé Murdo. J'ai pris une chambre au motel 6 qui donne sur l'autoroute 90 et je suis allé dîner dans un grand café routier, juste en face. Une voiture de patrouille de la police de la route était garée à l'entrée du restaurant. Il y a toujours une voiture de police routière à l'entrée des restaurants. En passant à sa hauteur, on entend toujours des braillements étouffés qui sortent de la radio de bord : « Attention, attention ! Zéro Tango Charlie. Un Boeing 747 vient de s'écraser sur la centrale nucléaire près de la nationale 69. Les gens courent partout. Leurs cheveux sont en flammes, vous nous recevez ? » Dans le restaurant, inconscients de tout cela, les deux policiers de la patrouille sont assis au comptoir où ils se tapent de la tarte aux pommes avec crème glacée tout en baratinant la serveuse. De temps en temps, au grand maximum deux fois par jour, les deux policiers se lèvent et quittent le comptoir. Ils reprennent alors leur voiture de patrouille pour aller sur la nationale verbaliser au hasard quelques automobilistes qui ont essayé de traverser l'État en dépassant de dix kilomètres la vitesse légale. Et puis ils retournent se payer une autre portion de tarte. Voilà, en résumé, la vie d'un policier de la route.

Le matin suivant, j'ai repris ma traversée du Dakota du Sud. J'avais l'impression de conduire sur un interminable morceau de papier de verre. Le ciel était bas et sombre. La radio diffusait une alerte à la tornade dans la région. C'est le genre de nouvelles qui impressionnent toujours beaucoup les visiteurs étrangers — les femmes de chambre des hôtels du Middle West dénichent sans arrêt des membres de délégations commerciales japonaises cachés sous les lits, simplement parce qu'ils ont entendu une sirène de tornade — mais les gens du coin ne prêtent pas la moindre attention à ces avertissements. A force de vivre depuis des années dans une zone de tornades, ils finissent par les accepter comme faisant partie de la vie quotidienne. D'ailleurs les risques d'être victime d'une tornade sont de l'ordre de un sur un million. Mon grand-père est la seule personne que je connaisse à qui cela soit presque arrivé. Une nuit, ma grand-mère et lui dormaient (au fait, l'histoire est absolument authentique), quand ils ont été réveillés par une sorte de rugissement semblable au bruit de milliers de tronçonneuses en action. Toute la maison tremblait. Les tableaux se détachaient des murs. Une pendule est même tombée sur la cheminée. Grand-père a trottiné jusqu'à la fenêtre pour voir ce qui se passait à l'extérieur. Mais impossible de rien voir : l'obscurité était totale. Alors il a regagné son lit en disant à grand-mère que le temps semblait à l'orage et ils se sont rendormis. Il ne s'était absolument pas rendu compte qu'une tornade — un des phénomènes naturels les plus dévastateurs — venait juste de lui passer sous le nez. En fait, en étendant le bras, il aurait pu la toucher. Mais, bien sûr, s'il avait fait ça, il aurait été aspiré et projeté dans le comté voisin.

Le lendemain matin, quand mes grands-parents se sont

réveillés, le temps était clair et dégagé. Tous ces arbres couchés sur le sol les ont bien étonnés un peu. Alors ils sont sortis et ils ont découvert, avec quelques murmures déconcertés, une large bande de paysage totalement dévasté qui allait jusqu'à l'horizon en rasant le bord même de leur maison. Il n'y avait plus de garage mais la vieille Chevy était toujours là, sur le socle en ciment, sans la moindre éraflure à la carrosserie. Ils n'ont plus jamais eu de nouvelles de leur garage mais, un peu plus tard dans la même journée, un fermier est venu leur rapporter leur boîte aux lettres qui avait atterri dans un de ses champs, à trois kilomètres de là. Elle n'avait qu'une toute petite bosse. Avec les tornades, ça se passe réellement comme ça. Tout ce qu'on raconte, qu'une tornade peut faire passer un fétu de paille à travers un poteau télégraphique, qu'elle peut soulever une vache et la redéposer indemne à six kilomètres de là, est rigoureusement authentique. Dans le sud-ouest de l'Iowa, on connaît une vache à qui c'est arrivé deux fois. Les gens viennent de très loin pour la voir. Rien que ça vous en dit long sur le mystère des tornades. Et aussi sur les distractions qui s'offrent à vous en Iowa. Au milieu de l'après-midi, peu après Sioux Falls, j'ai enfin quitté le Dakota du Sud pour passer dans le Minnesota, trente-huitième État de mon voyage, le dernier aussi que j'allais traverser. En fait je ne devrais pas le compter car je n'ai fait que longer son côté sud pendant très peu de temps. Sur ma droite, à quelques kilomètres à travers champs, il y avait l'Iowa. C'était merveilleux d'être de retour dans le Middle West, de retrouver ses champs vallonnés et ses riches terres noires. Après des semaines passées dans l'aridité de l'Ouest, je me sentais presque saisi de vertige devant la brusque luxuriance du paysage. Peu après Worthington (Minnesota), je suis repassé en Iowa. Comme s'il n'avait attendu que ça, le soleil est sorti des nuages, un ruban de lumière doré a rapidement balayé les champs et tout s'est retrouvé, en un instant, baigné d'une chaleur printanière. Les fermes semblaient bien tenues et prospères. Les petites villes semblaient propres et accueillantes. Je poursuivais ma route sous le charme, ne cessant de m'émerveiller de la beauté du paysage. Il n'avait pourtant rien de spécial, ce n'étaient que des collines et des vallons, mais la moindre couleur était vive et éclatante, le bleu du ciel, le blanc des nuages, le rouge des granges, le brun chocolat de la terre. Il me semblait découvrir tout cela pour la première fois. Jamais je ne m'étais douté que l'Iowa puisse être aussi beau.

Je me dirigeais maintenant vers Storm Lake. On m'avait dit, un jour, que c'était une petite ville charmante et l'envie m'avait pris de pousser jusque-là pour me rendre compte. Et, sacrebleu, c'était vraiment superbe. Construite autour d'un lac bleu auquel elle doit son nom, Storm Lake est une ville universitaire de huit mille habitants. Peut-être cela tenait-il à la saison, à la douceur printanière de l'air, à la légèreté de la brise, je ne saurais le dire, mais la ville m'a paru tout simplement parfaite. Un centre ville de petite dimension et sans prétention rassemble de vieilles bâtisses en brique et des magasins de tradition familiale. Pas très loin de là, des rues larges et bien ombragées, avec d'adorables maisons de style victorien, descendent jusqu'au lac où un parc longe le rivage. J'ai garé ma voiture et je suis parti me balader à pied. Il y avait beaucoup d'églises et toute la ville était d'une propreté remarquable. De l'autre côté de la rue, un gamin à bicyclette livrait des journaux qu'il jetait sur les marches des porches d'entrée. Je pourrais presque jurer avoir vu deux gars en costume 1940 traverser la rue, parfaitement au pas. Et quelque part, à une fenêtre ouverte, Deanna Durbin chantait.

Tout à coup, la pensée que mon voyage allait finir me devint insupportable. Je ne pouvais accepter l'idée que j'allais reprendre la route pour franchir, dans une heure ou deux, ma dernière colline, aborder mon dernier virage et terminer ainsi, peut-être à tout jamais, mon observation de l'Amérique. J'ai sorti mon portefeuille pour voir ce qu'il me restait : presque soixante-quinze dollars. Alors une idée m'est venue : pourquoi ne pas pousser jusqu'à Minneapolis pour aller assister à un match de base-ball ? Quelle excellente idée ! Si je conduisais avec un brin d'audace, je pouvais être là-bas en trois heures, largement assez tôt pour assister à la rencontre de la soirée. J'ai donc acheté un numéro d'*USA Today* au distributeur automatique du coin de la rue et je suis allé m'installer à une table de café. Je me suis précipité sur la page des sports pour voir si les Twins jouaient ce soir sur leur terrain. Ils ne risquaient pas : ils étaient à Baltimore, à des milliers de kilomètres de Minneapolis. Cela m'a anéanti. Comment avais-je bien pu passer tout ce temps aux États-Unis sans qu'il me vienne à l'esprit, sauf à l'instant même et le dernier jour, d'aller assister à un match de base-ball ? Je n'arrivais pas à le croire. Comment peut-on être aussi stupide ?

Mon père nous emmenait toujours voir les matches. Tous les étés, nous partions en voiture, mon père, mon frère et moi, jusqu'à Chicago, Milwaukee ou Saint Louis et pendant deux ou trois jours nous avions comme programme le cinéma l'après-midi et un match de base-ball en soirée. Le rêve. On arrivait au stade longtemps avant le début du match. Comme mon père était un journaliste sportif assez connu — non, au diable la modestie, mon père était vraiment un des meilleurs commentateurs sportifs du pays et sa réputation était bien établie —, il avait le droit d'aller dans la tribune de presse et sur le terrain avant le début du match et, à son grand mérite, il ne manquait jamais de nous emmener. On était donc à ses côtés quand il interviewait des gens comme Willie Mays et Stan Musial. Je sais que si vous n'êtes pas américain cela n'évoquera rien pour vous mais, croyez-moi, c'était vraiment un privilège extraordinaire. On avait la permission de s'asseoir sur les bancs des joueurs au bord du stade. (Ça sentait toujours l'urine et le jus de tabac, je me demande ce que les gars devaient bien pouvoir faire là-bas.) On allait dans les vestiaires où l'on voyait les joueurs s'habiller pour le match. J'ai vu

Ernie Bank à poil. Peu de gens peuvent en dire autant, même à Chicago.

Mais là où on se sentait vraiment les rois, c'était quand on se baladait sur le terrain sous le regard envieux des autres gamins assis dans les tribunes. Avec ma casquette de la Ligue des Juniors au pli impeccable et des lunettes en plastique sur le nez, je me prenais vraiment pour Mister Cool. Et c'était tout à fait ça. Je me souviens du jour où, au stade Comminskey Park de Chicago, d'autres gamins m'ont appelé alors que j'étais près de la première base, à quelques mètres d'eux. C'étaient des grands de la ville. Peut-être même appartenaient-ils à un gang de loubards. Je ne sais pas où était mon frère, mais cette fois-là j'étais tout seul. Les garçons me criaient : « Dis, mon pote, comment t'as fait pour être là ? », « Hé, mon pote, sois chic, demande à Nellie Fox de me donner un autographe ! » Mais je les ignorais totalement car j'étais vraiment... trop Cool.

Cela explique donc ma détresse d'apprendre que les Twins étaient à mille kilomètres de là, sur la côte Est, ce qui me privait de match. J'ai parcouru d'un œil distrait les résultats des matches de la veille et j'ai réalisé avec un léger choc qu'aucun nom de joueur ne m'était plus familier. En réfléchissant, je me suis dit qu'effectivement tous ces sportifs devaient être encore à l'école primaire quand j'ai quitté l'Amérique. A quoi bon, dans ce cas, aller à un match de base-ball, si on ne connaît pas les joueurs ? Tout ce qui fait l'intérêt d'une rencontre, c'est de savoir ce qui se passe, c'est d'anticiper la tactique de chaque joueur à tous les moments du jeu. Je n'avais plus aucune illusion à me faire : désormais, j'étais devenu un étranger.

La serveuse est arrivée pour mettre une petite nappe et disposer le couvert devant moi.

« Salut, a-t-elle dit d'un ton qui relevait plus de l'apostrophe que de la simple formule de politesse. Comment allez-vous aujourd'hui ? »

On aurait dit qu'elle se sentait vraiment concernée par

ma santé. Et elle l'était sans doute. Nom d'une pipe, ce qu'ils sont sympa, ces gens du Middle West. Elle portait des lunettes en forme de papillon et elle avait une coiffure style choucroute.

« Je vais très bien, merci, et vous ? » lui ai-je répondu. Elle m'a jeté en douce un regard soupçonneux mais néanmoins amical.

« Dites, vous êtes pas du coin, pas vrai ? » Je ne savais pas trop que lui répondre.

« Non, malheureusement, non, ai-je répliqué avec une pointe de nostalgie. Mais c'est un endroit tellement sympathique qu'il m'arrive de le regretter. »

Eh bien, voilà ce que fut mon voyage, plus ou moins. J'avais visité tous les États des États-Unis continentaux, sauf dix. J'avais parcouru 22 364 kilomètres. J'avais vu presque tout ce que je voulais et aussi ce que je ne voulais pas. Je pouvais m'estimer heureux : on ne m'avait pas tiré dessus ni agressé. La voiture n'était pas tombée en panne. Pas une seule fois un témoin de Jéhovah ne m'avait abordé. Il me restait encore soixante-huit dollars et un caleçon propre. Beaucoup de voyages ne se terminent pas aussi bien.

J'ai continué ma route jusqu'à Des Moines qui m'a semblé une ville particulièrement spacieuse et élégante sous le soleil de l'après-midi. Le dôme du Capitole d'État étincelait. Tout était rempli de verdure. Les gens tondaient leur pelouse ou se promenaient à vélo. J'ai compris alors pourquoi les étrangers quittent l'autoroute pour acheter de l'essence ou des hamburgers et y restent pour toujours. C'est tout simplement parce que l'endroit respire la sympathie, l'honnêteté, la gentillesse. Voilà un endroit où je pourrais facilement vivre, me suis-je dit en prenant la direction de la maison.

C'était étrange, mais pour la première fois depuis longtemps, je me sentais presque serein.

Cet ouvrage a été composé par Facompo
et imprimé par la S.E.P.C. à Saint-Amand Montrond (Cher)
pour le compte des éditions Belfond
Achevé d'imprimer en septembre 1993

– N° d'édit. : 3042. – N° d'imp. : 2139. –
Dépôt légal : septembre 1993.
Imprimé en France